Yasmine Galenorn vit aux États-Unis où sa série *Les Sœurs de la lune* est un best-seller. Elle et son mari ont remplacé leur nom de famille par Galenorn d'après un terme elfique inspiré du *Seigneur des Anneaux* et qui signifie « arbre vert ». En revanche son mari s'appelle Samwise et c'est son vrai prénom !
Yasmine est considérée comme une sorcière accomplie au sein de la communauté païenne. Elle collectionne les théières, les dagues, les cornes et les crânes d'animaux et cultive une passion pour le tatouage.

Du même auteur, chez Milady :

Les Sœurs de la lune :
1. *Witchling*
2. *Changeling*
3. *Darkling*

www.milady.fr

À toutes les nanas explosives qui se battent contre l'injustice et dont la vie n'a pas toujours été facile.

Continuez comme ça !

Remerciements

Merci à : Meredith Bernstein, mon agent, qui a cru en moi jusqu'au bout. Je ne pourrai jamais assez la remercier. À Christine Zika, mon éditrice, qui a su voir le potentiel de la série. Merci à mon mari, Samwise : chéri, chaque année qui s'écoule est plus belle que la précédente.

Merci à Glen Hill pour m'avoir aidée avec les traductions du japonais et les informations dont j'avais besoin. À Lisa Croll Di Dio, Brad Rinke et Tiffany Merkel qui m'ont tous écoutée parler du monde un peu fou que j'ai créé et m'ont convaincue que le jeu en valait la chandelle.

Merci pour le soutien des blogueuses Witchy Chicks. À Mark W. et sa Maggie, l'inspiration féline pour Maggie la gargouille. À mes propres chats, les filles Galenorn. À Ukko, Rauni, Mielikki et Tapio, mes anges gardiens.

Merci à mes lecteurs, anciens comme nouveaux, de faire partager mes livres, de continuer à suivre la trace des mots que je sème derrière moi, tout simplement de lire, dans un monde qui offre tellement d'autres loisirs.

Retrouvez-moi sur Internet sur Galenorn En/Visions : www.galenorn.com (site en anglais) ou écrivez-moi (voir mon site web ou mon éditeur). Si vous voulez une réponse, n'oubliez pas de joindre une enveloppe timbrée avec vos nom et adresse.

« La chose la plus difficile dans ce monde,
c'est d'y vivre. »

Buffy, *Buffy contre les vampires*

« Quiconque combat les monstres doit s'assurer
qu'il ne devient pas lui-même un monstre.
Car lorsque l'on regarde au fond de l'abysse,
l'abysse aussi regarde au fond de nous. »

Friedrich Nietzsche, *Par-delà le bien et le mal*

Chapitre premier

— Magregor, t'as pas intérêt à dégueuler sur mon bar ! Si tu ne vas pas aux toilettes tout de suite, je te jette dehors, au beau milieu de la rue. Tu pourras jouer au pigeon écrasé !

Après m'être essuyé les mains, je reposai le chiffon propre qui servait habituellement à nettoyer le bar et les tables du *Voyageur*, tout en gardant un œil sur Magregor. Je n'aimais pas les gobelins.

Non contents d'être des faux culs, ils représentaient également une menace pour mes sœurs et moi depuis que leur race s'était alliée à notre garce de reine outremondienne. Aussi, jusqu'à la fin de la guerre et sa destitution, nous devrions rester sur Terre ou éviter Y'Elestrial si nous décidions de nous rendre en Outremonde. Toutefois, il suffisait que quelqu'un nous dénonce – un gobelin, par exemple – pour qu'elle découvre notre planque.

Heureusement, les elfes nous avaient aidées à changer la destination du portail dissimulé dans le sous-sol du *Voyageur*. À présent, il nous amenait directement dans les bois obscurs de Darkynwyrd. Ainsi, nous avions éliminé tout risque de nous faire surprendre par des soldats de la reine. En contrepartie, nous devions supporter le passage de toutes sortes de créatures peu recommandables. Néanmoins, nous n'osions pas le fermer complètement car nous avions besoin de pouvoir le traverser à tout moment.

Si je n'avais eu qu'à m'occuper de ceux qui frappaient à ma porte, ça ne m'aurait pas dérangée. Mais, de l'autre côté, les elfes ne faisaient pas leur boulot. En une semaine, je m'étais battue avec quatre Fae malpolis, j'avais flanqué à la porte trois kobolds, coupé court aux avances d'un gnome et failli coincer un horrible bébé troll qui avait réussi à m'échapper.

— Essaie un peu pour voir, ma jolie… Tu veux savoir à quoi les femmes sont bonnes ?

Avec un sourire qui se voulait charmeur, le gobelin donna un coup de reins dans ma direction et glissa une main entre ses jambes. Ah ça, pour être bourré, il était bien bourré ! En temps normal, il se serait enfui, la queue entre les jambes. Vu son expression, il n'allait pas tarder à rendre son dîner.

— Non, c'est moi qui vais te montrer, lui répondis-je doucement en sautant par-dessus le bar.

Les yeux écarquillés, il m'observa me réceptionner, sans un bruit, à côté de lui. Je percevais son pouls. Les battements de son cœur résonnaient au fond de mon esprit. Même s'il aurait fallu me payer très cher pour boire du sang de gobelin, mes canines s'allongèrent. Je lui adressai un sourire entendu.

— Putain de merde !

Sa tentative de fuite tourna court lorsqu'il se retrouva coincé entre deux tabourets. Je le saisis alors par le col et le traînai jusqu'à l'escalier qui descendait au sous-sol. Il se débattit en vain. J'étais trop forte pour lui.

—Chrysandra, je te laisse la surveillance du bar pendant deux minutes.

—OK, chef!

Chrysandra était ma meilleure serveuse. Avant de nous rejoindre, elle avait un job de videur au *Jonny Dingo*, mais elle en avait eu assez de se faire harceler par des énergumènes pour une paie de misère. Ici, son salaire était meilleur et les clients ne s'en prenaient pas aux employés. *Du moins, la majorité*, pensai-je en observant le gobelin que je forçais à avancer. D'un geste vif, je le soulevai pour le porter dans l'escalier. Criant de surprise, il entreprit de m'assener des coups de pied dans le ventre.

—Du calme, mon gros. Tu peux me frapper jusqu'à épuisement, je n'aurai jamais aucune égratignure, le prévins-je en dévoilant mes dents.

Il pâlit à vue d'œil.

—Oh merde!

—Oui, ça résume plutôt bien la situation.

Être un vampire avait ses avantages. À notre approche, Tavah releva la tête. Derrière elle, le portail étincelait comme une nébuleuse prise entre deux blocs de pierre. Elle observa le gobelin avant de reporter son attention sur moi.

—Je ne crois pas qu'il soit censé être là, dit-elle d'un ton traînant, tandis que je laissais tomber Monsieur Pasdebol par terre.

—On ne peut pas prendre le risque de le renvoyer à travers le portail. Ça te dit, un en-cas? proposai-je.

Tavah cligna des yeux avant de m'adresser un grand sourire. Elle était moins regardante que moi sur sa nourriture.

— Merci, patronne, me répondit-elle.

Alors que je remontais, le gobelin laissa échapper un cri d'effroi qui s'interrompit presque aussitôt. Je m'arrêtai un instant. Le sous-sol était silencieux. Le seul bruit que je percevais était celui du lapement de Tavah. Refermant doucement la porte derrière moi, je retournai au bar. On ne pouvait pas prendre le risque de laisser parler un gobelin en Outremonde ou à Y'Elestrial. Ni la reine, ni ce qui restait de l'OIA ne savait que nous étions restées ici. Et il n'y avait pas de raison pour que ça change.

Le Voyageur marchait du tonnerre. Au départ, quand on m'avait demandé d'y travailler, je m'étais résignée à servir une bande d'ivrognes. Mais, à ma grande surprise, la majorité des Fae qui venaient ici buvaient seulement pour s'amuser et ne créaient pas de problèmes.

Il en allait de même pour les humains au sang pur. Ils payaient pour passer la soirée en compagnie de Fae et de créatures surnaturelles terriennes. Les seules qui m'agaçaient étaient les servantes des fées car elles ne buvaient qu'un seul verre en une soirée. C'était ça en moins sur les bénéfices. Il n'y avait qu'une raison à leur présence : la perspective d'une nuit de débauche avec un Outremondien.

Pour être franche, je ressentais davantage de pitié que de haine envers elles. Après tout, ce n'était pas leur faute si elles étaient plus sensibles aux phéromones sidhes. Le peuple de mon père devait prendre ses responsabilités. Nous savions mieux que quiconque à quoi le sexe pouvait mener. Les humains ne le comprenaient pas tous. Cependant, au fil des mois, j'avais appris à garder mon avis pour moi. Durant les rares occasions où j'avais essayé de leur faire entendre raison, aucune des servantes ne m'avait prise au sérieux. Pire, certaines s'étaient mises en colère.

Maintenant que je n'avais plus à me préoccuper du gobelin, je repris ma place derrière le bar. Au même instant, Camille et Trillian franchirent le seuil de la porte. Ma sœur aînée était magnifique avec ses longs cheveux noirs et ses yeux violets. Ses formes généreuses étaient mises en valeur par des vêtements frôlant le style SM : bustier en cuir et jupe à volants. Quant à Trillian, il avait l'air de sortir tout droit de *Matrix*, avec son long manteau, son jean et son pull à col roulé noirs. C'était un Svartan, cousin à l'âme sombre des elfes. Ses vêtements et la couleur de sa peau se confondaient, faisant ressortir ses cheveux argentés qui atteignaient le creux de ses reins. Bouclés et torsadés, ils semblaient avoir une existence propre. Leur couple faisait tourner bien des têtes.

J'attendis qu'ils s'asseyent, puis je m'essuyai les mains et jetai le chiffon à Chrysandra.

— Je prends une pause, la prévins-je.

J'apportai un verre de vin de fleurs à Camille et un scotch à Trillian. Je me serais bien passée de la présence du Svartan, mais je devais parler à ma sœur. Lorsque je m'assis à son côté, elle leva la tête vers moi.

Trillian m'adressa un sourire. Comme d'habitude, je fis semblant de ne pas l'avoir remarqué.

— Du nouveau ? demandai-je.

Secouant la tête, Camille se laissa aller en arrière.

— Ils se sont volatilisés. Trillian a cherché partout, mais il n'a trouvé aucune trace de Père, ni de tante Rythwar. Leurs maisons sont désertes. Tout a disparu.

— Merde, m'exclamai-je en contemplant mes ongles. (Ils étaient parfaits et il en serait toujours ainsi.) Personne ne pourrait savoir où ils se trouvent ?

— Non, répondit Trillian. Aucun de mes informateurs habituels n'a pu me renseigner. Je suis même allé sonner à la porte de personnes qui m'étaient redevables. Crois-moi, elles auraient préféré rester cachées un peu plus longtemps… Quoi qu'il en soit, personne ne semble savoir où se cachent votre père et votre tante.

— Tu ne crois pas que Lethesanar aurait pu les arrêter et les faire exécuter ? s'enquit Camille.

— Ce n'est pas ce que j'ai envie d'entendre, dis-je avec une grimace.

Néanmoins, la question était légitime.

— Non. Les statues de leur âme sont intactes. Je suis allé vérifier dans votre tombeau familial. Et puis, vous savez que la reine ne résisterait pas à l'envie d'annoncer une telle prise haut et fort. Nous en aurions entendu parler. Lethesanar adore se vanter de ses victoires. Elle aurait organisé une exécution publique en grande pompe. Non, je pense que votre père et votre tante ont tout simplement trouvé une cachette infaillible, en attendant de pouvoir sortir en sécurité.

S'adossant contre sa chaise, Trillian passa un bras autour des épaules de Camille. Un jour, je devrai accepter qu'ils se soient remis ensemble et que c'était bien parti pour durer. Les Svartan étaient synonymes de problèmes. Je n'appréciais pas que ma sœur en fréquente un. Mais je ne pouvais pas y faire grand-chose. De plus, il nous prêtait main-forte, je devais au moins lui accorder ça.

Après avoir réfléchi un instant, je me risquai à aborder un sujet sensible.

— Et pour notre autre problème ?

— Rien de neuf, répondit Trillian.

Camille soupira. Ses yeux étincelaient de paillettes argentées. Elle avait fait de la magie. De la magie très puissante.

— La garde de la reine Asteria n'a pas retrouvé Wisteria et le clan du sang d'Elwing semble avoir disparu de tous les radars. Ils ont déserté leur repère habituel. Personne ne sait où ils sont. Ils préparent quelque chose. On peut en être certains.

Wisteria, une floraède hors-la-loi, s'était alliée à une escouade de démons – des éclaireurs de l'enfer – pour nous tuer. Elle avait été surprise lorsque nous l'avions déposée dans le donjon de la reine des elfes. Malheureusement, elle s'en était échappée. D'après les rumeurs, elle s'était rapprochée d'une personne que j'aurais préféré oublier.

— Je sais de quoi le clan d'Elwing est capable. (Fermant les yeux, je repoussai ces souvenirs qui me hantaient. Au moins, la nuit, quand j'étais éveillée, je pouvais les combattre.) Alors, continuai-je en regardant ma sœur, qu'est-ce qu'on fait maintenant ?

Camille haussa les épaules.

— Je ne sais pas ce qu'on peut faire. Le mieux serait sûrement de continuer à surveiller le portail et les journaux en attendant que les elfes les retrouvent.

—Asteria nous a suggéré d'aller à Aladril, la cité des prophètes, pour y chercher un homme nommé Jareth.

Il fallait que j'agisse. Me tourner les pouces, à attendre que quelque chose se produise, me rendait nerveuse. Comme je le disais toujours, la meilleure défense était l'attaque. Surprendre le camp adverse avant qu'il ait une chance de le faire, pour ne pas craindre d'être poignardé dans le dos. Ou dans le cœur.

—Je sais, mais qu'est-ce qu'on va lui dire ? Si on ne connaît pas les questions, on ne peut pas s'attendre qu'il nous réponde.

Camille tapait du pied par terre. Je sentais sa jambe trembler à côté de moi.

—Je ne sais pas, répondis-je au bout d'un moment. Mais il faut se décider rapidement. Avec un clan de vampires dans son camp, Wisteria pourrait faire beaucoup de dégâts sur Terre.

—Tu penses vraiment qu'ils vont l'écouter ? demanda Camille en fronçant les sourcils.

Elle traçait des formes du bout des doigts dans la condensation qui s'était formée sur la table en tombant de son verre.

—Peut-être. Du moins, jusqu'à ce qu'ils arrivent ici. Les psychopathes ont tendance à se regrouper. N'oublie pas que Dredge est à leur tête : le plus grand psychopathe de tous les temps. On a vraiment de la chance. (Je jetai un coup d'œil au bar. De nombreux clients étaient arrivés.) C'est l'heure de pointe, je retourne travailler. Je vous retrouve à la maison. Soyez vigilants. Quelque chose se prépare. Je le sens.

Camille releva la tête. La lumière dorée jouait sur son visage.

— Tu as raison. Je le sens dans le vent, moi aussi. Ça ne va pas tarder à éclater. Mais je ne sais pas quoi, dit-elle en se tournant vers Trillian. Viens, Delilah et Iris nous attendent sûrement pour dîner.

Tandis qu'ils se levaient et se dirigeaient vers la sortie, Trillian se retourna.

— Garde les yeux grands ouverts, me prévint-il. Le clan d'Elwing se servira de toutes les connaissances de Wisteria. Surveille bien le portail.

J'acquiesçai d'un hochement de tête avant de le regarder s'éloigner. Même si je ne l'aimais pas, je devais admettre qu'il avait la tête sur les épaules. Retournant au bar, j'observai la foule grandir. En cinq minutes, la pièce fut pleine. Ces derniers mois, les créatures surnaturelles terriennes avaient appris l'existence du *Voyageur* et s'en servaient pour faire leur *coming-out*. En plus des quelques Fae habituels, j'aperçus deux lycanthropes qui parlaient dans un box du fond, une très belle femme puma-garou qui lisait *Rebecca* de Daphné du Maurier, une demi-douzaine d'esprits de maison, engagés dans un jeu à boire, et quelques HSP néo-païens qui prenaient des leçons de divination auprès d'elfes résidants sur Terre. Il y avait aussi quatre servantes de fées qui attendaient de se faire culbuter. En deux heures, elles avaient commandé autant de verres.

J'étais sur le point d'aller leur dire deux mots lorsque Chase enfonça la porte d'entrée. Il avait une vilaine tache de ketchup sur la chemise. Non. Je ravalai mes moqueries.

Ce n'était pas du ketchup. Chase était couvert de sang. Envahie par une vague nauséeuse, je me forçai à fermer les yeux et à compter jusqu'à dix.

Un... Deux... Ne pense pas à attaquer. Trois... Quatre... J'ai mangé avant de venir. Cinq... Six... Chase est le copain de Delilah. Elle m'en voudrait si je le blessais. Sept... Huit... Ne te laisse pas tenter. Chase est un gars bien. N'y pense même pas. Neuf... Ce n'est pas son sang. Il est seulement sur son costume. Dix... Respire fort. Même si tu n'en as pas besoin. Et expire doucement, bruyamment, laisse sortir la soif et la frustration.

Lorsque la dernière goutte d'oxygène me quitta, je rouvris les yeux. Je devenais meilleure à ce petit jeu. Quand je chassais, si je ne trouvais pas de pervers et que je devais me nourrir sur un innocent, j'utilisais cette technique. Ça m'évitait de lui causer des dommages permanents, tout en en retirant autant de plaisir. Certaines choses ne changeaient jamais.

— Chase ? Qu'est-ce qui se passe ? Tu es blessé ? demandai-je.

Lorsque son regard rencontra le mien, il écarquilla les yeux. Puis, il secoua la tête.

— De l'autre côté de la rue, dans le cinéma. On nous a appelés pour une bagarre. Quand on est arrivés, il y avait quatre cadavres. Deux hommes et deux femmes.

— Qu'est-ce qu'il y a eu ?

Si la situation n'était pas grave, Chase n'aurait jamais pénétré dans *Le Voyageur* dans cette tenue. Avec toutes ces créatures terriennes et outremondiennes dans les parages, c'était une règle tacite : on ne rentrait pas dans le bar avec des blessures fraîches ou durant ses périodes menstruelles. L'odeur du sang risquait d'en exciter plus d'un.

Aucun doute. Quelque chose de terrible s'était produit pour faire oublier à Chase ce détail.

— Des vampires, répondit-il enfin. Les victimes ont été vidées de leur sang, mais elles ne présentent aucune lacération visible. Sharah a examiné leur cou et y a trouvé deux petits trous. Ils se trouvaient au fond du balcon, à l'écart de tout le monde. Il n'y a aucun témoin.

Des vampires ? Il y en avait quelques-uns à Seattle, mais aucun d'assez stupide, à ma connaissance, pour attaquer des humains dans un cinéma. Ça n'avait aucun sens. Les Vampires Anonymes se battaient pour combattre les meurtres d'innocents.

Je secouai la tête.

— Vous les avez attrapés ?

— Non, répondit Chase. Aucune trace. J'ai pensé que tu pourrais peut-être nous aider. Les blessures sont fraîches, les vampires ne peuvent pas être loin. Si quelqu'un peut les retrouver, c'est bien toi.

Je laissai échapper un grognement.

— Tu veux que je joue à *Buffy* ? Donne-moi une seule bonne raison pour que j'accepte de tuer mes semblables.

Chase eut un rire rauque.

— Parce que tu fais partie de l'OIA. Parce que tu es du côté des gentils. Parce que tu sais que leurs actes sont condamnables. Si ça t'amuse, tu peux t'habiller en *drag-queen* et te faire appeler Angel. Ça m'est égal, du moment que tu acceptes de nous aider.

Génial. J'avais vraiment besoin de ça. Voilà ma

récompense pour être sympa avec le copain de ma sœur. Comment pouvais-je dire non à son regard suppliant? Je défis mon tablier et le jetai par-dessus le bar.

— Chrysandra, je reviens dans pas longtemps. Occupe-toi du bar, lui demandai-je avant de suivre Chase dans cette froide nuit de janvier.

Je m'appelle Menolly D'Artigo. Avant, j'étais une acrobate. En d'autres termes, j'étais très douée pour m'infiltrer n'importe où et espionner les gens. Du moins, la plupart du temps. Pour tout vous dire, je suis à moitié humaine, du côté de ma mère, et à moitié Fae, du côté de mon père. Le mélange ne fait pas toujours bon ménage. Les enfants issus de mariages mixtes ont des pouvoirs imprévisibles. Mes sœurs – Camille, une sorcière, et Delilah, un chat-garou – ont bien appris la leçon.

Lors d'une mission d'espionnage de routine, tout s'est court-circuité et je suis tombée. Ce fut la dernière erreur de ma vie. Le clan du sang d'Elwing m'a capturée. La torture m'a semblé durer une éternité. Et à présent, ça sera aussi mon cas. Après m'avoir tuée, Dredge m'a fait renaître dans le monde des morts-vivants, faisant de moi un vampire, comme lui. Mais j'ai refusé de le laisser gagner. Avec moi, personne n'a jamais le dernier mot. Surtout pas un sadique comme Dredge.

Mes sœurs et moi travaillons pour l'OIA, qui a été dissoute il y a deux mois. En effet, notre ville natale, Y'Elestrial, est sous le feu d'une guerre civile et notre reine, Lethesanar, a rappelé tous ses agents pour les enrôler dans l'armée. Personnellement, nous avons choisi de lui désobéir, surtout lorsque nous avons appris qu'elle avait mis notre tête à prix.

À présent, nous nous engageons dans une course contre la montre, face à un seigneur démoniaque du nom de l'Ombre Ailée, un grand méchant qui règne sur les Royaumes Souterrains. Avec son armée de démons, l'Ombre Ailée prévoit de raser la Terre et Outremonde pour en prendre possession. Nous avons quelques alliés dans notre monde natal. La reine des elfes, Asteria, fait tout son possible pour nous aider, mais ça reste très limité. En réalité, mes sœurs et moi, ainsi que l'équipe dont nous nous sommes entourées ici, sommes le seul rempart contre le mal qui nous menace.

Le Delmonico était le plus vieux cinéma du quartier de Belles-Faire, où se trouvait également *Le Voyageur*. La décoration n'avait pas changé depuis les années 1950, avec ses fauteuils grinçants et son balcon où les couples se pelotaient. Autant dire qu'il avait vu de meilleurs jours. Cependant, il en émanait un charme d'antan, d'une époque où les placeurs faisaient leur boulot, où il y avait du vrai beurre dans le pop-corn et des films de monstres diffusés le samedi après-midi.

Le cinéma était vide. Les spectateurs ne s'étaient pas rendu compte du drame qui s'y était déroulé, mais dans tous les cas, ils ne devaient pas être nombreux. Les dernières séances n'étaient pas populaires en milieu de semaine, à part s'il s'agissait d'un classique comme *The Rocky Horror Picture Show* ou *Plan 9 from Outer Space*. Une jeune femme, probablement la caissière, à en croire son uniforme, et deux vendeurs de pop-corn attendaient, assis sur un banc, que l'équipe de Chase les autorise à partir.

— Ils ne savent pas pourquoi nous sommes là, alors pas un mot devant eux, chuchota Chase. On leur dira qu'il y a eu du grabuge et que quelqu'un s'est cassé le nez.

Il ouvrit la marche dans un escalier recouvert d'un tapis en sale état. Heureusement que je savais me contrôler car je pouvais sentir l'odeur du sang frais. Je secouai la tête et me forçai à écouter ce que Chase me disait.

— Nous avons reçu un coup de fil anonyme, il y a une heure. L'appel m'était adressé. La personne savait donc que c'était un cas pour le FH-CSI.

La brigade Fées-Humains du CSI était le bébé de Chase. Il l'avait créée après avoir intégré la division terrienne de l'OIA. Elle avait servi de modèle dans les autres villes du monde. L'équipe s'occupait de tous les cas se rapportant à des créatures surnaturelles.

— Directement dans ton bureau ? Ton numéro n'est pas public, si ?

Quelque chose clochait. Chase secoua la tête.

— Non, mais je pense qu'il n'est pas difficile à trouver si on le veut vraiment. Le problème, c'est que nous n'avons pas pu identifier le numéro entrant et que la personne en question avait l'air sûre d'avoir besoin de notre brigade. Pourtant, quand on est arrivés ici, il nous a fallu un bout de temps avant de comprendre qu'on avait affaire à des vampires. Au premier abord, la scène n'avait rien d'anormal. Enfin, si on peut considérer un meurtre normal. Donc la personne qui m'a appelé savait que les victimes avaient été tuées par autre chose qu'un HSP.

Le terme me paraissait étrange dans la bouche de Chase, en particulier parce qu'il en était un, mais ça tombait sous le sens. C'était plus facile que de dire « humain au sang pur, né sur Terre ».

— Est-ce que les corps ont été déplacés ? Est-ce que quelqu'un aurait pu vérifier leur pouls et voir leurs blessures ?

J'observai les victimes. L'équipe médicale de l'OIA continuait ses examens. Jusqu'à quelques mois en arrière, elle faisait officiellement partie de l'organisation, mais, à présent, elle répondait à nos ordres.

— Non, je ne crois pas. Même s'il y a beaucoup de sang, selon Sharah, les corps n'ont pas été déplacés.

— En parlant de sang…, dis-je doucement en regardant les quatre personnes qui, plus tôt dans la journée, avaient été vivantes et sûrement heureuses.

Bien sûr, je n'étais pas un ange, mais je choisissais mes victimes parmi les pires spécimens de l'espèce. Ça me permettait de garder la conscience tranquille.

— Oui ? s'enquit Chase. (Il me tapa sur l'épaule, l'air inquiet.) Menolly, ça va ?

— Ouais, répondis-je. Tout va bien. J'allais simplement te dire que quelque chose cloche dans ce massacre. Il ne devrait pas y avoir autant de sang. Sauf si l'on a affaire à un vampire sans aucune manière. Même les pires buveurs de sang que je connais se nourrissent proprement. C'est une des raisons pour lesquelles les attaques de vampires passent inaperçues. À moins que…

Une pensée me traversa l'esprit mais je n'avais vraiment pas envie de m'y attarder. Il y avait eu beaucoup de sang lors de ma transformation. Mes cicatrices pouvaient en témoigner.

— Quoi ? demanda Chase, impatient.

Je ne pouvais pas lui en vouloir. Il devait encore réfléchir à l'excuse qu'il donnerait aux humains. Nous avions décidé de ne pas parler des démons, ni de dire aux gens que leurs êtres chers avaient été tués par un vampire ou une autre créature terrienne. Il y avait trop de cinglés dans le monde qui se mettraient à abattre tout et n'importe quoi.

— À moins qu'ils aient voulu les faire souffrir ou laisser leur signature. Ils ont des cicatrices ? Des signes de sévices ?

Lorsque je relevai la tête, je croisai le regard de Chase, empli de pitié. Troublée, je m'approchai des corps pour voir si leur expression faciale reflétait la douleur ou la colère.

Sharah finissait de prendre des notes. Elle et son assistant, qui paraissait à peine assez âgé pour se raser, étaient sur le point d'envelopper les corps dans des sacs de transport pour les conduire à la morgue. Sharah se tourna vers moi et me fit un signe de la tête.

— Je ne sais pas encore, intervint Chase. Il ne semble pas y avoir de dommages corporels. On en saura plus après l'autopsie.

En les observant, je n'arrivais pas à savoir s'ils avaient souffert. Ils avaient l'air étonnés, comme s'ils avaient été attaqués en même temps. La dernière surprise de leur nuit. De leur vie.

Soupirant, je reculai pour laisser l'équipe médicale faire son travail. Durant ces derniers mois, j'avais travaillé au côté de Wade Stevens, le fondateur des Vampires Anonymes. Nous avions réussi à récolter la promesse d'une quinzaine de vampires de la ville de ne pas attaquer les innocents. Ou du moins, de ne pas les tuer ou les blesser.

Forts de ce succès, nous espérions pouvoir contrôler les activités vampiriques de Seattle, à la manière d'une police secrète. Ceux qui refusaient de coopérer seraient obligés de quitter la ville ou finiraient avec un pieu dans le cœur. Pour résumer, nous voulions former une mafia de morts-vivants. Ainsi, nous inspirerions peut-être d'autres groupes dans d'autres villes, jusqu'à ce que les vampires puissent vivre auprès des humains, sans avoir peur de se faire embrocher.

—Je dois en parler à Wade, dis-je. Je vais le contacter pour voir si on peut découvrir quelque chose de notre côté.

—Merci Menolly, répondit Chase en hochant la tête. Je ne sais pas quoi faire contre des vampires, à part m'armer d'ail et de pieux. Tu m'as dit que les croix ne marchaient pas…

—Non. Même chose pour les pentacles, les ankhs, et tout autre symbole religieux. C'est de la poudre aux yeux, pour rassurer les gens qui en ont peur. En revanche, le soleil est une solution radicale. Il y a aussi le feu, mais ce n'est pas aussi efficace. Il existe quelques sorts pour éloigner les vampires. Camille en connaît deux ou trois, mais elle peut toujours courir pour que je la laisse s'entraîner sur moi. Donc, on ne sait pas s'ils sont efficaces.

Chase ricana.

—Ah ça, on ne peut jamais être sûr du résultat de ses sorts.

Je ne pus m'empêcher de lui rendre son sourire.

—Pas toujours. Elle s'améliore en magie offensive. Par contre, il ne faut rien espérer dans le domaine domestique. Ne la sous-estime pas, Chase. Elle peut causer beaucoup de dégâts quand elle veut.

Chase eut l'air de se détendre.

—Oui, je sais. Delilah aussi. Et je sais aussi ce que tu peux faire. Mais je vous fais confiance, les filles. À vous toutes sans exception, ajouta-t-il.

J'acceptai le compliment sans rien dire. Un mois auparavant, Chase sursautait dès que j'entrais dans la pièce où il se trouvait et je m'amusais de sa peur. Nous n'en étions pas encore à nous apprécier. Pas vraiment. Néanmoins, j'avais appris à respecter le grand et charmant inspecteur qui avait réussi à conquérir le cœur de Delilah. Elle ne le savait peut-être pas encore et j'étais pratiquement sûre que Chase était aussi aveugle qu'une chauve-souris, mais ces deux-là étaient en train de tomber amoureux. Je n'avais pas l'intention de le leur dire. Ils finiraient bien par s'en rendre compte tout seuls.

En silence, je me dirigeai vers l'escalier qui menait à l'entrée principale du *Delmonico*.

—Je t'appellerai après avoir parlé à Wade. En attendant, tâche de trouver une bonne excuse pour expliquer la mort de ces quatre personnes. La vérité doit rester entre nous si on ne veut pas qu'il y ait du grabuge. Tiens-moi au courant!

—C'est certain, répondit-il en se retournant vers

la scène du crime. On a déjà assez de problèmes sur les bras.

Acquiesçant, je quittai le cinéma pour retrouver mon bar. La nuit s'était transformée en pays des merveilles verglacé. Pourtant, la seule chose qui retenait mon attention était l'odeur du sang.

Chapitre 2

De retour au *Voyageur*, j'eus une nouvelle surprise qui, cette fois, était la bienvenue. Iris était assise au bar, devant un verre de vin de Granover, issu des vignobles aux alentours d'Y'Elestrial. Lorsqu'elle me vit entrer, son visage s'illumina et elle me fit signe de la rejoindre.

— Je me demandais où tu étais passée, dit-elle en finissant son verre. Un autre, s'il te plaît. C'est mon soir de congé et je n'avais pas envie de le passer enfermée à la maison.

Iris était une Talon-haltija, un esprit de maison finlandais qui vivait avec mes sœurs et moi. Elle nous aidait à nous occuper de la maison, de Maggie – notre petite gargouille – et de temps en temps, à mettre des ennemis KO à coup de casserole. Malgré ses allures d'hôtesse norvégienne, elle était plus vieille que nous toutes réunies et aussi dangereuse. Je la considérais comme l'une de mes meilleures amies.

— Je suis contente de te voir, dis-je en remplissant son verre. On a peut-être un problème.

Son expression s'assombrit.

— Génial… Qu'est-ce qui se passe ? Une nouvelle escouade de Degath ? Un métamorphe a décidé de venger la mort de son frère ? Des trolls complètement bourrés ?

Je secouai la tête et me penchai au-dessus du bar pour qu'elle soit la seule à m'entendre.

— Rien de tout ça. Je crois qu'il y a des vampires renégats dans la nature. Sûrement des nouveau-nés qui ignorent les règles des Vampires Anonymes.

Elle cligna des yeux et but une gorgée de vin. Son regard étincelait comme une matinée de printemps. J'avais eu les yeux bleus moi aussi, mais, au fil des ans, ils devenaient de plus en plus gris. Sauf bien sûr lorsque j'avais faim, que je chassais ou que j'étais de mauvaise humeur : ils prenaient alors une teinte écarlate.

— Ce n'est pas bon du tout, dit-elle. Tu en as parlé à Camille et Delilah ?

— Pas encore. Je rentrerai plus tôt. Je dois les mettre au courant avant que Chase découvre de nouvelles victimes. Il n'a jamais eu affaire à des vampires, mais il devait être capable de se reconnaître leurs crimes. Et je ferais mieux d'appeler Wade pour lui dire de nous rejoindre à la maison. Tu veux que je te raccompagne quand j'aurai fini ?

J'attrapai le téléphone et composai le numéro de Wade. Iris hocha la tête.

— Ça serait mieux, dit-elle en observant la salle. J'avais espéré… Peu importe.

Son regard s'était posé sur les elfes de maison. Ils avaient tellement bu que l'un d'eux s'était évanoui sur la table. Vu sa position, il allait avoir très mal au dos le lendemain matin. Je me tournai vers Iris.

— Tu espérais trouver quelqu'un ! m'exclamai-je.

Son embarras me fit sourire.

— Non... Oui... Je veux dire...

Faisant amende honorable, je lui pris la main.

— Tu n'as pas à en avoir honte. Pourquoi n'irais-tu pas leur parler pendant que je passe mon coup de fil. Qui sait ? Ils présenteront peut-être mieux une fois sobres ?

Tandis que j'attrapais le combiné, Iris prit une grande inspiration et glissa de son tabouret avant de s'approcher du groupe. Je la surveillais d'un œil en attendant que Wade décroche.

Wade était le premier vampire que j'avais rencontré sur Terre. Il était aussi le fondateur des Vampires Anonymes, un groupe d'aide pour les vampires qui avaient des problèmes à s'habituer à leur nouvelle vie. En théorie, ça pouvait paraître idiot, mais ça permettait de développer une vie sociale en dehors des bars à sang ou des clubs de créatures surnaturelles. Ceux qui respiraient ne comprenaient pas tous les dilemmes et les problèmes auxquels nous devions faire face. Parfois, nous avions besoin d'un sanctuaire pour nous ressourcer.

Quand je l'avais rejoint, Wade m'avait ralliée à sa cause : dissuader les vampires d'attaquer des innocents et leur apprendre à se nourrir sans tuer. Au début, je ne savais pas trop quoi penser de cette idée, mais, en me rappelant mes propres réactions, je n'avais pu m'empêcher de l'aimer de plus en plus. Le *self-control* ne faisait pas partie de notre nature. La vie de mort-vivant créait certains besoins dont je n'avais pas encore parlé à Camille et Delilah. Toutefois, avec un peu de patience et de précaution, on pouvait les combattre.

En revanche, j'avais clairement fait comprendre à Wade que je ne comptais pas appliquer ces nouveaux préceptes aux cinglés de ce monde. Lorsqu'un *geek* renfermé sur lui-même devenait un dangereux psychopathe, je n'avais aucune raison de me retenir : il devenait aussi mon dîner.

Quand Wade décrocha, je lui expliquai la situation et lui demandai de me rejoindre à la maison une heure plus tard.

— Oh, et encore une chose, dis-je, les yeux rivés sur le bar. Laisse ta mère chez elle, s'il te plaît.

Wade et moi étions sortis ensemble pendant quelque temps. Enfin, si on pouvait appeler ça comme ça. Si j'avais été gênée par ses avances, la rencontre avec sa mère, elle, avait été fatale aux prémices de notre romance. Désormais, nous étions seulement des amis.

— Pas de problème, je lui ai arrangé un rendez-vous avec le comte Creakula, dit-il en parlant d'un vampire de la vieille école que nous connaissions et qui aimait rester chez lui, entouré de ses livres pourrissants.

Soulagée, je raccrochai. On avait transformé Belinda Stevens pour se venger de Wade et il se retrouvait désormais avec une mère poule sur le dos. Pour l'éternité. À moins que quelqu'un s'amuse avec un pieu. J'y avais moi-même pensé plus d'une fois, mais j'avais réussi à me contrôler. Néanmoins, tôt ou tard, quelqu'un, quelque part, en aurait marre et lui ferait sa fête.

Après avoir poussé le téléphone, je me rendis compte qu'Iris n'était pas seule. L'esprit qui la raccompagnait au bar semblait presque sobre. En y regardant de plus près, il avait aussi l'air très mignon avec ses cheveux noirs ondulés qui tombaient sur ses épaules, l'éclat de ses yeux, et ses biceps qui brillaient dans la lumière tamisée. Si l'on passait outre l'odeur de l'alcool et la tache de moutarde sur son marcel, il était tout à fait présentable.

Quand mon regard croisa celui d'Iris, je lui désignai l'horloge.

— Je dois y aller, Bruce, lui dit-elle. Je t'appelle demain.

L'intéressé hocha la tête avec enthousiasme.

— D'accord, mais pas avant midi. Si je n'ai pas ma dose de théine dans le sang, j'ai tendance à parler en monosyllabes.

Il avait un accent anglais très prononcé. Peut-être avait-il fait partie de la haute société avant de faire la tournée des bars avec ses potes. Tandis que nous nous éloignions, il nous fit signe de la main.

La nuit était atypique pour un mois de janvier : bien plus froide que d'habitude et un vent glacial se levait. Une tempête se préparait. Camille l'avait confirmé avec sa magie. Les élémentaires du vent se pressaient depuis l'Arctique, entraînant avec eux une tempête de neige qui éclaterait d'ici le lendemain soir. Delilah et elle avaient passé la journée à vérifier que tout était bien fixé et ne risquait pas de s'envoler. Morio leur avait prêté main-forte, ainsi que Chase. Pour ma part, j'avais dormi pendant qu'ils travaillaient, mais à mon réveil, au coucher du soleil, j'avais remarqué les fenêtres protégées contre la tempête et, sous le porche, tout ce que nous avions accumulé pendant les fêtes avait disparu.

Tandis que nous marchions d'un pas vif, Iris ferma son manteau et fourra ses mains dans ses poches. Je ne ressentais pas le froid – plus jamais – mais j'étais consciente de la baisse de température. En nous dirigeant vers le parking ouvert toute la nuit où était garée ma voiture, trois pâtés de maisons plus loin, Iris entreprit de me faire la conversation.

— L'hiver est étrange, cette année, commença-t-elle. Quand Camille m'a dit que ce n'était pas naturel, j'ai cru que son imagination lui jouait des tours, mais, maintenant, je pense qu'elle a raison. Je le sens, moi aussi. Il y a quelque chose dans l'air… Une nouvelle tempête de neige va éclater. D'habitude, il ne neige qu'une ou deux fois, alors que, cette année, ça n'a pas arrêté.

Comme je ne savais pas quoi dire, je me contentai de hocher la tête. Je n'étais ni un mage des éléments, ni un météorologue. Néanmoins, l'énergie de la ville me semblait étrange à moi aussi. Iris changea de sujet.

— Je pense que Maggie ne va pas tarder à marcher.

À ces mots, je sentis un sentiment de fierté m'envahir. J'essayais de lui apprendre à se lever et à bien se positionner.

— J'espère que je serai réveillée pour le voir. Qu'est-ce qui te fait dire ça ?

— Elle prend appui sur la table basse pour se lever. Mais sa queue et ses ailes lui posent encore problème. Je ne pense pas qu'elle ait compris qu'elle devait se pencher en avant pour compenser leur poids. Elle a essayé une fois, mais elle est tombée la tête la première, expliqua Iris en riant. Je n'ai pas osé me moquer d'elle. Elle est susceptible, en ce moment. Elle passe du rire aux larmes, en un clin d'œil.

— Oui, je m'en suis rendu compte, répondis-je. (Hmm… Le poids de sa queue et de ses ailes. Je n'avais pas pensé à ça.) J'essaierai de lui apprendre à équilibrer tout ça.

— Bien, mais fais attention. Elle est très sensible, ces temps-ci.

— Je sais. (Maggie relevait le moindre changement de comportement. Aussi, j'essayais de ne pas trop la taquiner.) Elle y arrivera très bientôt et, à ce moment-là, il faudra faire attention. On va devoir sécuriser toute la maison. Elle est trop jeune pour comprendre le danger. Mieux vaut éviter les accidents.

Iris hocha vivement la tête.

— Tout à fait. Rappelle-toi ce qui s'est passé avec Delilah et le sapin de Noël. Si ça avait été Maggie, elle en serait morte. J'irai faire un tour dans des magasins pour enfant, demain, ça devrait marcher.

Nous n'étions qu'à un pâté de maisons du parking lorsque nous passâmes devant une allée où un bruit attira mon attention. Je m'arrêtai et fis signe à Iris de garder le silence. Des cris étouffés et des rires rauques. Quelque chose se passait entre les deux bâtiments en brique qui surplombaient Wilshire Avenue, et ça ne pouvait pas être une bonne chose. Les sons étaient assourdis par le bruit de la pluie frappant le bitume, mais j'entendis quand même une jeune fille crier : « Par pitié, arrêtez ! »

Je consultai Iris du regard qui acquiesça d'un hochement de tête. Lentement, nous pénétrâmes dans l'allée obscure, glissant sur les pavés humides. Il faisait assez sombre pour nous dissimuler. Tant que je ne secouais pas la tête pour faire claquer les perles qui décoraient ma chevelure, j'étais totalement silencieuse. Iris l'était presque autant que moi. La scène qui s'offrit à nous nous figea.

Dans la faible lumière provenant des immeubles alentour, on pouvait distinguer deux hommes qui avaient acculé une jeune adolescente. L'un d'eux avait passé son bras autour de sa taille et il s'efforçait de la bâillonner d'une main. L'autre avait déchiré sa chemise, si bien que ses seins pâles brillaient dans la nuit. Lorsqu'il fit mine de lui toucher les mamelons, je me raidis.

Iris prit une grande inspiration. Je posai une main sur son épaule pour l'empêcher d'avancer. Passant d'ombre en ombre, aussi silencieuse qu'une lame, je me postai en un clin d'œil près de l'homme qui maintenait la jeune fille prisonnière. Tandis qu'une poussée d'adrénaline m'envahissait, je sentis mes canines s'allonger.

L'homme était grand et pâle. Il portait un *trench coat* par-dessus un pantalon kaki, ainsi qu'un chapeau panama qui lui cachait une partie du visage. Son copain avait revêtu un jean et un pull épais.

— Vous ne vous attendiez pas à avoir de la compagnie, pas vrai, les gars ? demandai-je en attrapant le premier par le col.

Quand il lâcha l'adolescente, je la poussai hors d'atteinte.

— Qu'est-ce que… ? commença-t-il tandis que je le soulevais et le plaquais contre le mur.

Son complice essaya de s'échapper, mais Iris fut plus rapide. Elle murmura une incantation et, tout à coup, un flash l'éblouit.

— Putain ! Je vois plus rien ! s'exclama-t-il en passant près de moi.

Je lui fis un croche-patte. Il trébucha et s'effondra. Alors qu'il essayait de parler, Iris l'interrompit. Je ne savais pas ce qu'elle avait fait, mais il s'évanouit. Aussitôt, l'esprit de maison s'élança vers la victime qui s'était recroquevillée contre le mur opposé, fermant sa chemise d'une main pour cacher ses seins.

Retournant mon attention vers ma proie, je lui retirai son chapeau pour voir son visage. Il se débattit, mais il n'avait aucune chance de m'échapper. Lorsqu'il se rendit compte de son impuissance, face à une femme aux yeux rouges, atteignant à peine les 1 m 60, il écarquilla les yeux.

— Comment tu t'appelles, branleur ? (Comme il se débattait, je le poussai un peu plus contre le mur.) Je t'ai demandé ton nom !

— OK, OK ! Robert. Je m'appelle Robert. Bon sang, qu'est-ce que t'as pris ?

Je fis mine de l'étrangler pour qu'il se calme.

— Entendons-nous bien. Tu n'as pas besoin de savoir quoi que ce soit me concernant. La seule chose qui importe, c'est ce que tu étais en train de faire à cette fille. Alors dis-moi, connard, qu'est-ce que tu comptais lui faire ? Et n'essaie pas de m'embobiner avec le coup de la visite guidée. Je n'ai vraiment pas de patience, ce soir.

Je jetai un coup d'œil vers Iris. Elle essayait de réconforter l'adolescente. Ma proie déglutit bruyamment avant de me répondre.

— Qu'est-ce que ça peut te foutre, salope ?

— Dix, neuf, huit…, comptai-je en serrant un peu

plus ma main contre sa trachée, en faisant attention à ne pas la briser. Tu sais, il fait froid et j'ai passé une mauvaise journée. Tu ferais mieux de parler, et vite.

— Putain ! Lâche-moi ! Lâche-moi ! s'écria-t-il avant de se laisser tomber, comme s'il avait compris que je menais la danse. Très bien. On l'emmenait à une fête.

Il commençait à virer au bleu. Aussi, je relâchai légèrement son larynx.

— Ils essayaient de me violer, intervint la jeune fille en reniflant. (Lorsqu'elle avança dans la lumière, je m'aperçus qu'elle portait un jean moulant, une chemise et une veste en cuir. La pauvre petite semblait fatiguée et frigorifiée.) Il m'avait promis de m'emmener à une fête où je pourrais manger et dormir un peu, mais ils m'ont conduite jusqu'ici…

— Où est-ce que tu les as rencontrés ? demandai-je avant de me tourner vers Iris. Tu veux bien les fouiller ?

— À… la gare routière, murmura la jeune fille. Je viens d'arriver en ville. Je n'ai nulle part où aller. J'étais en train de chercher un endroit où me cacher dans la gare pour dormir quand ces types m'ont accostée. Il y avait une femme avec eux. Ils m'ont demandé si je voulais les accompagner à une fête. Ils m'ont dit que je pourrais y manger gratuitement et dormir un peu. Mais quand on est sortis, la femme a disparu et, eux, ils m'ont amenée jusqu'ici.

Une histoire vieille comme le monde, même en Outremonde. Je lui désignai les marches de l'immeuble de Whitmore.

— Assieds-toi un instant. Tu es en sécurité, maintenant.

Iris termina la fouille de Robert et découvrit un revolver. Le fer ne l'affectait pas, mais il me brûlerait les mains si je le touchais. Le métal n'était pas nocif pour tous les Fae. Néanmoins, certains d'entre nous, même les métisses, ne le portaient pas dans leur cœur. Je relâchai Robert et le regardai s'écrouler.

— Si tu fais un geste, tu es mort, dis-je en prenant le revolver des mains d'Iris.

Mes doigts réagirent à son contact, mais le fait que je sois un vampire jouait en ma faveur. Je ne sentais pas la douleur du fer qui me brûlait la chair. De plus, depuis ma transformation, la plupart de mes blessures guérissaient en quelques minutes ou quelques heures. Dommage que les marques que m'avait faites Dredge n'aient pas eu le temps de s'estomper avant ma mort. Il m'avait tuée trop rapidement pour ça.

— Pas mal…, fis-je en pointant l'arme sur Robert. Tu aimes jouer avec les revolvers, pas vrai ?

Face à mon léger sourire, il écarquilla les yeux. Ça risquait d'être drôle. Aussitôt, il s'éloigna de moi, se pressant un peu plus contre le mur.

— Ne tire pas ! Ne me fais pas de mal ! Je suis désolé ! Laisse-nous partir et…

— Ferme-là et ne bouge pas. (J'ouvris la chambre pour en retirer les balles. Puis je plaçai ma main sur le long canon de façon que Robert le voie bien, et je le pliai doucement en deux.) Voilà, c'est beaucoup mieux. Maintenant, il peut continuer à faire ce que le fer fait de mieux : rouiller.

Robert se mit à trembler pendant que je pulvérisais les cartouches en les écrasant, avant de les jeter dans le caniveau près duquel il était assis. Une fois les barreaux légèrement écartés, le revolver les suivit.

Je me rapprochai de ma proie.

— Tu ne devrais pas t'amuser avec des jouets qui risquent d'exploser, dis-je en lui caressant la joue du bout des ongles. Tu pourrais blesser quelqu'un ou même le tuer.

La terreur qui se reflétait dans ses yeux se mêlait à l'odeur de sa peau. Je laissai échapper un soupir en sentant une vague de désir m'envahir.

— Dis-moi, Robert, qu'est-ce que tu comptais faire à cette fille ? Quelle sorte de fête avais-tu prévue pour elle ?

En entendant les battements affolés de son cœur, ma faim devint de plus en plus forte, s'ajoutant à la soif de sang qui faisait partie de ma nature, depuis que Dredge m'avait obligée à boire à son poignet.

Je relevai Robert pour le plaquer contre le mur.

— Et n'essaie même pas de me mentir. Je m'en rendrai compte. Un seul faux pas et c'est fini pour toi, mon pote.

Bon, d'accord, je grossissais peut-être un peu les faits. Je n'étais pas un détecteur de mensonge magique. Mais il n'avait aucun moyen de le savoir. Il était tellement nerveux qu'il était sur le point de faire dans son froc. Ses phéromones se démenaient comme des pois sauteurs.

Il s'éclaircit la voix.

— D'accord ! Tu sais très bien ce qu'on allait faire…

— Non, je veux l'entendre de ta bouche. Je veux que tu l'avoues.

— OK, salope, répondit-il. Tu veux tout savoir ? Tu veux peut-être même regarder ? On allait se la taper avant de la faire travailler.

— Alors tu es un maquereau à deux balles ? (Je n'avais rien contre les prostituées. En revanche, j'avais une dent contre les maquereaux, ces sales extorqueurs…) Si je comprends bien, vous alliez la violer, puis lui faire faire le trottoir ? Ça aurait ruiné tous ses espoirs d'une vie normale.

— C'est aussi un dealer, m'informa Iris en me montrant un sac rempli de comprimés noirs et blancs. Du Z-fen. La nouvelle drogue à la mode. Parfaite pour les *rave parties*, les violeurs ou les accros au sexe. Elle réduit les inhibitions et provoque une perte de mémoire. Encore plus dangereuse que l'*extasy*. La sensation de manque et les risques d'overdose sont décuplés.

Je fronçai les sourcils.

— Comment est-ce que tu es au courant de tout ça ? demandai-je.

Elle haussa les épaules.

— J'ai vu une émission sur le sujet, il n'y a pas longtemps. Apparemment, ça se mâche comme du chewing-gum et ça a un goût de menthe. C'est plus facile pour rendre accros les gosses.

— Robert, Robert, commençai-je en riant froidement. Qu'est-ce que je vais faire de toi et de ton petit copain ? Je suis sûre que tu as l'habitude de t'attaquer aux fugueurs en leur promettant de les aider, je me trompe ? Une fois que tu as réussi à les convaincre de t'accompagner à une fête, tu leur donnes ta merde et tu laisses tes potes s'amuser ? (Son regard confirma mes doutes.) Les gosses se laissent faire à cause de la drogue, continuai-je. Et après, rien de plus facile que les mettre sur le trottoir et récolter leur argent en leur promettant leur dose quotidienne. Ils continuent à travailler. S'ils essaient de s'échapper, tu les tabasses. Tu les baises quand l'envie t'en prend.

J'avais trop souvent rencontré des types comme lui, lors de mes chasses nocturnes. Le côté obscur d'une ville pourtant si belle.

Il ferma les yeux. J'observai sa pomme d'Adam monter et descendre, tandis qu'il essayait de se débarrasser de la boule qui lui obstruait la gorge.

— Qu'est-ce que tu vas faire de moi ? Tu es un flic ?

Je jetai un coup d'œil à Iris qui s'était adossée contre le mur, les bras croisés pour se tenir chaud. Elle haussa les épaules.

— Fais ce que tu veux, me dit-elle. On doit se dépêcher de rentrer à la maison, mais…

En me tournant de nouveau vers Robert, je passai en revue tout ce que je pouvais lui faire subir. À mon avis, il ne s'était pas contenté de pointer ce revolver sur des gens.

— Combien de gosses est-ce que tu commandes ? Combien en as-tu tué ?

Robert pâlissait à vue d'œil.

— Putain, tu vas m'arrêter, oui ou non ?

Perdant mon sang-froid, je le balançai de nouveau contre le mur.

— Combien ? répétai-je.

— Quatre garçons et quinze filles, me répondit-il en se frottant la gorge. Qu'est-ce que tu veux savoir d'autre ? Et si t'es pas un flic, qu'est-ce que tu fous là ? Tu joues au super-héros ?

Son ton suffisant me tapait sur les nerfs. Je me tournai vers Iris.

— Donne-moi les pilules et emmène la fille avec toi.

Attendez-moi plus loin. (Une fois qu'elles furent parties, je reportai mon attention sur mon nouveau copain.) Super-héros ? Je préfère me voir comme la lame de la justice, dis-je en ouvrant le sac.

Son regard empli de nervosité se posa sur le bout de l'allée. Je le ramenai vers moi d'un doigt.

— Regarde-moi ! lui ordonnai-je en libérant mon glamour.

Avec mon sang de demi-fée et mon magnétisme de vampire, je pouvais charmer presque n'importe qui. Ils finissaient toujours par m'obéir, de gré ou de force. Incapable de résister, Robert cessa de se débattre et me regarda dans les yeux.

— Chut, murmurai-je.

Il se tut. Tandis que je cherchais en lui le moindre signe de remords, un voile d'énergie l'enveloppa. Comme des vrilles de vignes vierges, elle s'échappait de mon corps à la recherche de chair fraîche.

— Tu sais, continuai-je doucement, je suis un vampire. (J'ouvris la bouche pour dévoiler mes canines. Il essaya de se débattre, mais la transe dans laquelle il se trouvait l'en empêcha.) Le truc, tu vois, c'est que tu en es un aussi. Tu ne te nourris pas de sang. Toi, tu vides des garçons et des filles de leur énergie. Tu te nourris de leur corps en les vendant au plus offrant, pas vrai ?

Il hocha la tête comme un gentil garçon.

— Oui, c'est ça, c'est toujours mieux de dire la vérité. Mais tu sais, il y a une différence énorme entre nous. Contrairement à moi, tu es très facile à tuer.

Robert se mit à trembler de désir. Pourtant, je ne voulais pas qu'il y prenne plaisir. Je pouvais rendre cette expérience aussi sensuelle qu'affreusement douloureuse. Pas question de lui offrir le baiser de la mort.

Même si je n'avais pas soif, ses jours dans la rue étaient comptés. Je voulais qu'il ressente la peur, qu'il se mette à la place de ses victimes avant de quitter ce monde. Si je l'amenais chez les flics, il serait dehors en un rien de temps, car personne n'oserait le dénoncer. Comme il faisait mine de bouger, je le plaquai de nouveau contre le mur.

— Tiens-toi tranquille, murmurai-je.

Il se figea. Une goutte de sueur tomba de son front jusqu'au mien, mais je n'en tins pas compte. Mes lèvres contre son cou, je léchai doucement sa peau. Quand il frissonna, je sentis son érection pressée contre moi. Toutefois, aussitôt que mes canines s'enfoncèrent en lui et que je me mis à boire le sang qui affluait dans ma bouche, son désir disparut.

Il coulait dans ma gorge comme un liquide en feu. Un mélange de vin et de miel. Une vague d'apaisement et de désir m'envahit. Je n'y coupais jamais. J'avais envie de baiser, de m'envoyer en l'air, mais pas avec un pervers pareil, et je ne voulais pas utiliser mes amis pour satisfaire mes bas instincts. De plus, le souvenir des mains de Dredge sur moi me bloquait encore et m'empêchait d'avoir des contacts trop intimes.

Voilà ce que recherchaient les HSP qui voulaient devenir vampires : la communion des sens. Pourtant, la plupart d'entre eux ne le supporteraient pas parce qu'ils n'étaient pas assez forts pour contrôler la folie liée à la soif de sang. Aussi, en attendant de trouver un partenaire aussi fort et passionné que moi, avec lequel je me sentirais en sécurité, je ne me laissais jamais aller.

Quand je sentis Robert s'affaiblir, je donnai un dernier coup de langue à sa blessure et reculai. Je lui tendis le sac de pilules.

—Mange, lui ordonnai-je. (Comme il gémissait, je lui adressai un regard fiévreux.) Si tu refuses, tu me supplieras de t'achever, lui dis-je. Tu tiens vraiment à perdre ta voix en hurlant ?

Sans un mot, il se mit à avaler les pilules. J'attendis qu'il en ait pris une trentaine avant de me tourner vers son petit copain. Je le soulevai d'un geste vif et lui fourrai une poignée de la drogue dans la bouche. Même s'il était à peine conscient, je le forçai à mâcher en l'empêchant de recracher. Je continuai ainsi jusqu'à ce que toutes les pilules aient disparu.

Satisfaite, je reculai. Robert se débattait avec une main sur la gorge. Son pote n'était pas en meilleure condition. Prenant un instant pour me calmer, je m'essuyai la bouche du revers de la main. Une fois mes canines rétractées, je rejoignis Iris et la jeune fille qui m'attendaient au coin de la rue.

—Ne t'inquiète pas. Ils ne te feront plus jamais de mal, la rassurai-je. Maintenant, si tu me disais ton nom ?

Stupéfaite, elle cligna des yeux.

—Anna-Linda. Anna-Linda Thomas. Je viens de l'Oregon.

Elle pensait sûrement que la vie serait meilleure ici. J'essayai de lui donner un âge. Elle avait l'air d'avoir seize ans, mais quelque chose me disait que la vérité était plus proche de douze.

—Quel âge as-tu ? Et ne mens pas.

Baissant la tête, elle se mit à contempler ses baskets.

— Treize ans.

— Pourquoi est-ce qu'elle ne passerait pas la nuit à la maison ? intervint Iris. Elle pourra manger et dormir un peu. On réfléchira à la suite demain.

Je jetai un coup d'œil à l'adolescente. Elle n'avait pas l'air méchante, seulement extrêmement naïve.

— Viens, dis-je finalement. Tu dormiras en sécurité cette nuit. Tu as ma parole.

Comme la présence d'Iris semblait la rassurer, elle nous suivit sans problème.

— Tu vas bien ? me demanda l'esprit de maison dans un murmure.

Je hochai la tête.

— Et Robert et son copain ?

— Endormis pour toujours, répondis-je en me dirigeant vers le parking.

Iris marchait à côté de moi, suivie par Anna-Linda.

— Dis, je peux te poser une question ? continua-t-elle.

— Vas-y.

Nous nous arrêtâmes au passage clouté pour attendre notre tour. Une fois de l'autre côté, près du parking, Iris poursuivit en chuchotant :

— Camille est inquiète des effets que le sang des démons peut avoir sur toi. Elle pense que ça pourrait te transformer ou t'empoisonner. Mais est-ce que c'est la même chose pour les meurtriers, les violeurs et les maris violents ? Est-ce que leur sang a un goût différent ? Est-ce que ça a des effets indésirables ?

Je fronçai les sourcils. Maintenant qu'elle en parlait, je comprenais tout à fait leurs inquiétudes.

— Pour le sang de démons, je n'en ai pas la moindre

idée. Ils font partie d'une race à part. Leur génétique est très différente. Donc je ne sais pas si le fait de m'être nourrie sur eux me changera ou non. Mais en ce qui concerne les humains, le sang reste du sang. Même s'ils ont une maladie, ça ne me fera rien. Les virus ne peuvent pas vivre à l'intérieur de moi. Et pour le reste… c'est leur âme qui est affectée, pas leur sang. Le sang est pur. Il chante, mais pas les histoires de leurs crimes.

Iris hocha la tête tandis que nous entrions dans le garage. À peine avions-nous installé Anna-Linda sur la banquette arrière de ma Jaguar XJ qu'elle se laissa aller contre la vitre. Elle s'endormit presque aussitôt.

Quand je me glissai derrière le volant, Iris m'adressa un regard en biais.

— Merci, me dit-elle.

— Pour quoi ? demandai-je.

Je démarrai la voiture et pris la direction du nord-ouest de Belles-Faire où se trouvait notre maison. Le trajet durerait environ vingt minutes.

— Pour être toi. Pour te soucier du sort des autres, répondit-elle en riant, la tête rejetée en arrière.

— Non, merci à toi, dis-je, me sentant tout à coup bien plus légère. (Parfois, Iris me comprenait mieux que mes sœurs.) Tu peux être très efficace, tu sais ?

— C'est vrai, je l'avoue, lança-t-elle en ricanant.

Tout en changeant de sujet, j'insérai le CD des *Planètes* de Gustave Holst dans l'autoradio.

Arrivée près de la maison, je me demandai ce que Camille et Delilah penseraient de la présence d'Anna-Linda. Et vice-versa. La rencontre promettait d'être intéressante.

Chapitre 3

Quand nous arrivâmes chez nous, malgré l'heure tardive, toutes les lumières étaient allumées. Notre maison de style victorien possédait un sous-sol que j'avais aménagé pour en faire mon appartement. Notre mère avait l'habitude de dire qu'elle ressemblait à un vieil éléphant blanc. Elle nous avait beaucoup appris sur les coutumes et les usages terriens. Le moindre renseignement nous tenait à cœur. Contrairement à mes sœurs qui s'épanouissaient en Outremonde, j'avais toujours secrètement désiré visiter la Terre, faire l'expérience de sa technologie et sa façon de vivre, tellement exotiques. Pourtant, aujourd'hui, après y avoir passé un an, je ne savais toujours pas quoi en penser.

La forêt bordait les trois quarts de notre terrain. D'un côté, un chemin s'enfonçait dans les bois et menait jusqu'à un étang. Les autres servaient de frontière naturelle avec les propriétés des voisins. Dans le coin, tout le monde possédait un ou deux hectares, dont la majorité était laissée à l'état sauvage.

La maison en elle-même était suffisamment vieille pour que son prix se révèle abordable, sans pour autant nécessiter de travaux importants. L'appartement de Delilah se trouvait au deuxième étage, celui de Camille au premier et nous partagions le rez-de-chaussée. Quant à Iris, nous lui avions offert une petite chambre confortable, près de la cuisine.

En général, Maggie dormait avec elle. Toutefois, s'il y avait trop de remue-ménage, l'esprit de maison la portait jusqu'à mon antre et l'installait dans le lit qui lui était réservé, en sécurité, protégée des éléments extérieurs. Même si je me réveillais toujours du mauvais pied, je ne l'avais jamais attaquée. Tous les aspects qui poussaient les autres à me craindre avaient l'effet inverse sur elle : je l'avais prise sous mon aile.

Une fois hors de la voiture, Iris réveilla Anna-Linda et ensemble, elles me suivirent jusqu'à la maison. J'étais sur le point d'ouvrir la porte, lorsque Camille me devança et nous fit entrer à la hâte.

— Chase veut te parler. Chrysandra nous a dit que vous étiez parties, alors nous vous attendions…, dit-elle avant de s'interrompre. Qui est-ce ?

— Une invitée, répondis-je. Chase est là ?

— Il est dans le salon, lança-t-elle en essayant de jeter un coup d'œil derrière moi.

— Je t'expliquerai dans une minute, murmurai-je.

Dans le salon, Delilah regardait *Jerry Springer*, comme à son habitude. Cette fois, de futurs époux étaient sur le point d'avouer à leur fiancée qu'ils couchaient avec leur belle-mère. *Génial.* Je ne comprenais pas comment Delilah pouvait regarder cette émission, mais, comme elle était fan, je ne pouvais rien lui dire. Je la suspectais même de fantasmer sur Jerry Springer en personne.

Enfin, cette idée était tellement peu ragoûtante que j'essayai de ne pas y penser.

À côté d'elle, Chase s'était endormi, ronflant légèrement. En revanche, il n'y avait aucun signe de Trillian et Morio. Morio était le second amant de Camille. Encore un membre de son petit harem. C'était un *yokai-kitsune*, un démon renard. Il venait du Japon, et, comme tous les hommes qui se pressaient autour de Camille, il avait un physique de rêve. Depuis quelque temps, il avait commencé à lui apprendre à se servir de la magie mortelle, ce qu'elle faisait un peu trop bien, si vous voulez mon avis. Je jetai un coup d'œil à l'horloge. Wade n'allait pas tarder à arriver.

Réveillé par Delilah, Chase se redressa en bâillant. Ils formaient vraiment un couple surprenant. Même s'ils mesuraient la même taille, Delilah était aussi blonde que lui brun. Ses traits félins étincelaient d'énergie tandis qu'avec sa beauté méditerranéenne, il aurait pu faire la une du magazine *GQ*. Néanmoins, il n'était pas mon style. Les amants de Camille non plus. En fait, la plupart des hommes ne m'attiraient pas. J'avais de très bonnes raisons pour ça.

Je pris Iris à part.

—Tu veux bien emmener Anna-Linda dans la cuisine pour qu'elle mange un peu avant d'aller au lit ? Oh, et si tu connais un sort pour qu'elle ne s'échappe pas, c'est le moment de t'en servir.

Après avoir acquiescé d'un hochement de tête, Iris emmena Anna-Linda en lui demandant d'une voix rassurante ce qu'elle voulait manger. Autant que je puisse en juger, la jeune fille ne s'était pas rendu compte que j'étais un vampire. Je le lui dirais une fois qu'elle serait reposée et se sentirait en sécurité. Pas la peine de lui faire peur, elle risquerait de prendre la fuite.

Lorsqu'elles disparurent de mon champ de vision, je m'assis sur le repose-pieds et fis signe aux autres d'approcher.

— Je ne veux pas que la gamine entende ce que je vais vous dire, expliquai-je. Elle a été assez traumatisée pour la nuit.

Chase fronça les sourcils.

— J'ai des nouvelles pour toi, moi aussi…

Je secouai la tête.

— Tout doux ! Chase, tu vas retrouver les corps de deux dealers de drogue dans une allée près de Wilshire Avenue. Ils ont accidentellement avalé toutes les pilules de Z-fen qu'ils avaient sur eux. Je les ai empêchés de violer cette fille. Ils comptaient la droguer et la mettre sur le trottoir. Elle s'appelle Anna-Linda Thomas. Elle s'est enfuie de chez elle, dans l'Oregon. Je suppose qu'elle a des ennuis familiaux, mais tu ferais mieux de vérifier avant de faire quoi que ce soit. Elle paraît nerveuse.

— Eh bien ! Ta soirée a été mouvementée ! s'exclama Delilah, en clignant des yeux dans ma direction.

Au cours de ces derniers mois, elle avait beaucoup grandi. Ses yeux avaient perdu leur éclat de naïveté. Ce n'était pas seulement la faute des démons. Pour preuve, une cicatrice noire de la forme d'une faux ornait son front. Elle avait été marquée. Voilà ce qui l'avait fait changer. Toutefois, je ne comprenais pas encore jusqu'à quel point.

Je me tournai de nouveau vers Chase. Avec un bâillement, il ouvrit son carnet de notes.

— Est-ce que je peux avoir du café ? demanda-t-il. En attendant, répète-moi tout ça. Plus lentement.

Delilah se dirigea vers la cuisine, en quête de caféine. Lorsque mon regard croisa celui de Camille, elle leva les pouces en guise d'approbation. Nous nous ressemblions beaucoup toutes les deux… même si je pouvais me révéler bien plus impitoyable qu'elle.

De nouveau, je racontai l'incident pas à pas, incapable de dissimuler mon impatience lorsque Chase soupirait.

— Écoute, je me contrefous de ce que tu penses de mes méthodes, mais tu ferais bien de te faire à l'idée qu'on n'a pas le choix ! En plus de la guerre contre les démons, il faut aussi qu'on s'occupe de tous les pervers. Si Iris et moi n'étions pas intervenues, au moment où l'on parle, cette gamine serait bourrée de Z-fen, une bite dans la bouche. Ou peut-être qu'un homme d'affaires serait en train de se la taper. Tu aurais préféré ce scénario ? Ok. Mais moi, je ne supporte pas l'idée de devoir attendre les flics, ni de savoir que ces salauds seront libérés.

Chase avait les yeux rivés sur ses notes. Mes paroles l'avaient sans doute énervé ou blessé, car il referma son carnet et le rangea dans sa poche. Alors, il releva la tête vers moi, les yeux froids et brillants.

— Avant votre arrivée, je n'avais jamais enfreint une seule règle. J'étais un bon flic. Ou du moins, je le pensais. J'obéissais à mes supérieurs. Maintenant… je ne sais plus qui je suis.

Je me retins de l'attraper par les épaules pour le secouer un bon coup.

—Écoute-moi bien. Tu as appris à t'adapter à la situation. Comme nous tous. Grâce à ça, tu as une chance de survivre au chaos qui se prépare. Mais vas-y, redeviens le bon flic que tu pensais être et cache-toi la tête dans le sable ! On retournera en Outremonde en laissant les portails ouverts pour l'Ombre Ailée. À ce moment-là, ton règlement ne te servira plus à rien.

Quand il blêmit, un sentiment de culpabilité m'envahit, mais je le repoussai fermement. De nous tous, j'étais la plus objective. Puis, venait Trillian, suivi de près par Camille et Morio. Chase et Delilah, eux, avaient tendance à hésiter face à des choix difficiles. Je ne leur en voulais pas. Ce n'était pas dans leur nature, voilà tout. Pourtant, si nous devions empêcher l'invasion des Royaumes Souterrains, nous ne pouvions pas nous permettre de respecter les règles.

—Oui, je sais, répondit-il au bout d'un certain temps. J'ai compris le message, mais je ne l'aime pas pour autant.

Au même instant, Delilah réapparut avec un plateau sur lequel étaient posées une cafetière et des tasses. Elle y avait ajouté son verre de lait habituel et un verre vide qu'elle me tendit.

—Tu veux boire quelque chose ? me demanda-t-elle.

Je secouai la tête.

—Non merci. Je n'ai pas soif.

—Bon, ne parlons plus de ces maquereaux, lança Chase en prenant sa tasse. Dis-moi plutôt où tu déniches le sang que tu gardes au frais. Remarque, je n'ai peut-être pas envie de le savoir...

Je lui adressai un grand sourire.

—Je commençais à croire que tu ne me le demanderais jamais ! Camille le prend pour moi dans une ferme du coin.

Chase lui jeta un regard interrogateur.

—C'est vrai ?

—Le fermier me donnerait n'importe quoi pour un baiser, répondit-elle en riant. Ils conservent du sang de leur bétail pour nous. Comme ils ont le label bio, on n'a pas à s'inquiéter pour les pesticides.

—Alors le sang animal marche ? demanda Chase, l'air moins écœuré que je l'aurais pensé.

À mon avis, il s'attendait à une réponse bien plus terrifiante.

—Bien sûr ! Je n'en raffole pas, mais c'est pratique. Même si ça n'apaise pas complètement ma soif, ça me permet de ne pas avoir à chasser tout de suite. Notre congélateur en est rempli. Il y en a assez pour tenir quatre ou cinq mois au cas où. (Je m'arrêtai un instant avant de continuer :) Bon, qu'est-ce que tu as de ton côté, Johnson ?

Chase leva les yeux de son café pour croiser mon regard.

—Tu te souviens des quatre cadavres que l'on a découverts ce soir ? Victimes de vampires ?

Quelque chose dans le ton de sa voix me disait que je n'allais pas apprécier ce qu'il avait à m'apprendre. Camille et Delilah avaient le regard rivé au sol. Visiblement, elles étaient déjà au courant.

—Ils ont disparu.

—Quoi ? Qu'est-ce que ça veut dire ? m'exclamai-je. Les cadavres n'ont pas l'habitude de s'échapper ! Enfin... pas souvent.

— Sers-toi de ta tête, Menolly, me lança-t-il d'un air fatigué. Quatre nouveaux vampires affamés se promènent dans la nature. Un technicien du laboratoire les a vus se réveiller. Il a pu se cacher jusqu'à ce qu'ils partent. C'est un elfe qui travaille avec Sharah.

Chase porta la tasse de café à ses lèvres. Je savais que le café était brûlant, pourtant il ne cilla pas.

Il ne manquait plus que ça !

— Tu crois que c'étaient des fanatiques ? Un vampire aurait pu accepter de les transformer.

L'inspecteur secoua la tête.

— Non, j'ai fait des recherches sur eux. Aucun n'était impliqué dans ce genre d'affaires. Ils ne faisaient pas la fête, ils avaient tous un bon job, un appartement, une famille, des animaux de compagnie… D'ailleurs, je me demande si je dois avertir leurs proches. Qu'est-ce que je pourrais bien leur dire ? « Votre fille est morte, mais elle s'est relevée et elle est partie. » Ou est-ce que j'attends qu'ils rapportent leur disparition ? C'est une situation difficile. Je suis content que personne d'autre que le FH-CSI ne soit au courant pour le moment. Malgré tout, je ne serai pas tranquille tant que quelqu'un n'aura pas rattrapé ces vampires, avant qu'ils se mettent à chasser dans Seattle. C'est plus urgent que de coincer leur sire.

Génial. La nuit allait de mal en pis.

— Tu as une piste ? demandai-je.

— Je ne sais pas. Tu connais bien mieux la communauté vampirique que moi. Mes hommes ne peuvent rien faire dans les clubs qui sont apparus ces dernières années. Je ne crois pas vraiment savoir ce qui s'y passe. J'ai entendu parler des fêtes du *Dominick*. (Il posa sa tasse et haussa les épaules d'un air las.) Je sais que je t'en demande beaucoup, en plus de découvrir leur meurtrier, mais…

Je jetai un coup d'œil à Delilah et Camille.

—Je suppose que vous venez, vous aussi ?

Camille hocha la tête.

—Qu'est-ce qu'on peut faire d'autre ? demanda-t-elle.

Elle eut l'air de vouloir ajouter quelque chose, mais se ravisa.

—Dis-moi ce qui te passe par la tête.

Elle garda les yeux rivés au sol un moment, avant de reprendre la parole :

—Selon toi, est-ce que les vampires laissent souvent leurs victimes à des endroits où on peut les trouver ? S'ils veulent les transformer, est-ce qu'ils ne les ramènent pas dans leur repère ?

Sa logique était imparable, mais je ne voyais pas où elle voulait en venir.

—Continue.

—Je pense seulement que… j'ai l'impression qu'il s'agit d'un message. Comme si on nous avait menés à découvrir les corps. Après tout, Chase a directement reçu le coup de fil anonyme. De plus, le coupable n'a même pas essayé de cacher les traces de morsure, pas vrai ?

Elle fronça les sourcils. L'expression était si semblable à celle de notre père que je ne pus m'en détacher.

—Elle essaie de te demander si tu crois que le clan d'Elwing veut nous faire comprendre qu'il a traversé le portail, lança Delilah en toute franchise.

Quand elle frissonna, je compris qu'elle s'attendait que j'explose. Mes sœurs savaient que je détestais parler d'eux. Quand elles les avaient mentionnés, juste après les fêtes de fin d'année, je m'étais emportée. Ça prouvait que je n'étais pas encore prête à affronter mon passé.

Le problème, c'était que Delilah avait peut-être raison. Dans ce cas-là, ma souffrance ne faisait que commencer. Je m'approchai de la cheminée où les flammes crépitaient. L'hiver inhabituellement froid me paraissait soudain sombre et lugubre. Le printemps était encore loin et, de toute façon, je ne sentirais plus jamais sa lumière sur mon visage. Au bout d'un moment, je me retournai.

Comme toujours, Chase paraissait perdu. Camille, Delilah et Iris, elles, me jaugeaient du regard. J'avais vécu comme elles autrefois. Je respirais, mon cœur battait, je ressentais le froid, le chaud et la caresse du soleil sur ma peau. Puis, le clan du sang d'Elwing m'avait tout enlevé. Dredge m'avait tout enlevé.

Plus fort, plus vieux que les autres, comme un vin sombre par une chaude nuit d'été, il était leur chef. Dredge m'avait dépecée vive. Il m'avait appris le lien étroit entre le plaisir et la douleur intense et exquise. Pour cela, il s'était servi de toutes les armes existantes qui ne me tueraient pas, y compris son propre corps. Il avait déchiré mon âme en deux, mais personne n'avait pris la peine de recoudre la pauvre Menolly. Et pour finir… il m'avait obligée à presser mes lèvres contre son poignet ensanglanté. Son sang s'était écoulé dans ma gorge. Je n'avais pas eu le choix. Avale ou étouffe-toi. Alors j'avais avalé. Puis le tourment avait commencé…

Secouant la tête, je repoussai mes souvenirs. Certains sentiers étaient trop dangereux pour qu'on les emprunte. L'OIA m'avait ramenée à la raison, mais elle n'avait rien pu faire pour les cicatrices qui jonchaient mon cœur et mon corps. Certaines blessures ne guérissent jamais. Certains souvenirs ne s'effacent pas non plus.

— Dans ce cas-là, on ferait mieux de vérifier s'ils sont impliqués dans cette affaire, dis-je. Wade devrait être là d'une minute à l'autre. Il est le mieux placé pour savoir ce qui se passe au sein de la communauté vampirique. Il connaît la plupart des groupes et des clubs.

Wade savait toujours tout ce qui se passait dans l'ombre. Dans la communauté surnaturelle, il y avait trois types différents : ceux qui étaient sortis du placard et qui vivaient au grand jour, ceux qui n'avaient pas fait leur *coming-out*, mais qui pouvaient passer pour des humains, et enfin, ceux qui se cachaient, en bordure de la société. Du moins, de la société des HSP.

— Si ce sont bien eux…, commença Camille sans terminer sa phrase.

— S'il s'agit de Dredge, alors Wisteria sera avec lui et mon petit doigt me dit qu'ils vont chercher un moyen de rejoindre les Royaumes Souterrains pour rencontrer l'Ombre Ailée. (Je m'arrêtai pour me passer la main sur les yeux. Je ne ressentais jamais de fatigue, pourtant, à cet instant, j'avais l'impression d'avoir vécu des milliers d'années.) Je veux que vous promettiez une chose.

— Quoi ? demanda Chase en me dévisageant.

En baissant la main, je me rendis compte qu'elle était mouillée, remplie de larmes de sang. Je ne m'étais même pas rendu compte que je pleurais. Pas la peine de les essuyer.

— Si le clan du sang d'Elwing est derrière tout ça, Dredge est à moi. Personne n'aura un mot à dire sur ce que je lui ferai, d'accord ? Il est à moi !

Delilah laissa échapper un léger miaulement tandis que Camille, elle, se contentait de cligner des yeux. Je savais qu'elle me comprenait. Chase hocha la tête. Lorsque je me retournai vers la cheminée, Iris entra de nouveau dans la pièce avec une serviette sur l'épaule.

— Menolly ? Maggie est réveillée et elle te cherche. Tu veux bien venir la prendre pendant que je lui prépare sa crème à la sauge ? Elle doit avoir faim.

Ses cheveux lisses brillaient dans la lumière incandescente. Son regard ne trahissait aucune pitié, seulement un soutien franc et sincère. Reconnaissante, je me forçai à prendre une grande inspiration. Je n'avais pas besoin de respirer, mais ça m'aidait à me concentrer dans les situations stressantes.

— Merci, lançai-je. J'arrive.

Je la suivis dans la cuisine où Maggie était assise dans son parc. Elle avait de tout petits yeux.

— Tu l'as réveillée ? l'accusai-je.

Iris haussa les épaules.

— Difficile à dire. Je suis allée chercher un carnet dans ma chambre et j'ai dû faire trop de bruit. Elle s'est mise à gémir alors je l'ai prise avec moi.

Elle détourna le regard, mais je la connaissais par cœur. Maggie ne s'était pas réveillée toute seule.

— Merci, lui dis-je en chassant mes idées noires. Comment va Anna-Linda ?

— Elle dort. Je lui ai fait boire une potion. Elle a besoin de se reposer et je ne voulais pas qu'elle se lève en pleine nuit. (Iris indiqua sa chambre d'un geste de la main.) Je l'ai installée dans mon lit. Je prendrai le rocking-chair ou le canapé.

Dans une casserole, elle versa de la crème, de la sauge, du sucre et de la cannelle. Cette concoction permettrait à Maggie de devenir grande et forte. Et intelligente. Du moins, nous l'espérions.

— Tu veux une tasse de thé ? demandai-je en attrapant le thé préféré d'Iris, à la fleur d'oranger.

Au même instant, Maggie remarqua enfin ma présence et me tendit les bras. Elle était encore petite, comme un petit chien, et elle avait le pelage noir, blanc et roux. Il s'agissait d'une gargouille de forêt que Camille avait sauvée des griffes d'un démon. Durant ces derniers mois, je m'étais beaucoup attachée à elle, alors que, jusqu'à présent, je n'avais ressenti aucune affection particulière pour les animaux ou les bébés.

Je la pris dans mes bras, en évitant de plier ses ailes encore fragiles. Un jour, elles deviendraient grandes et résistantes, capables de supporter son poids. En attendant, nous devions faire attention de ne pas les abîmer. Elle n'avait pas encore dit un mot à part ses « mouf ». Nous n'étions même pas certaines que son intelligence se développerait. Après tout, elle avait été élevée par des démons et n'avait sûrement pas bénéficié assez longtemps du lait maternel. Dans tous les cas, nous continuerions à l'aimer, à nous occuper d'elle. Les gargouilles vivaient très longtemps. Par chance, nous aussi.

Tandis que je me dirigeais vers le rocking-chair, elle passa les bras autour de mon cou et se serra contre moi. Assise, je me balançai pour qu'elle s'endorme de nouveau.

Ainsi, j'enfouis mon nez dans sa nuque, respirant son odeur musquée. Son petit cœur battait au rythme de sa vie, pourtant, je ne ressentais aucun besoin, aucune tentation, aucune envie.

— *Chut, petit bébé, pas un mot ; maman va te faire un bon gâteau*, fredonnai-je, me rappelant la berceuse que notre mère nous chantait quand nous étions petites. *Si le gâteau est trop sucré, maman t'achètera une tour dorée…*

Le sourire aux lèvres, Maggie ferma les yeux et laissa le sommeil l'envahir. Je continuai à la bercer en tâchant de ne pas penser au clan du sang d'Elwing. Au bout d'un moment, on frappa à la porte.

— C'est sûrement Wade, dis-je à Iris en lui tendant Maggie à contrecœur, mais, au cas où, je ferais mieux de répondre.

Je jetai un coup d'œil à travers le judas. C'était bien Wade. Lorsque j'ouvris la porte, il me fit un petit signe de la main. À part moi, il était le seul vampire autorisé à franchir le seuil de notre maison. En règle générale, ce n'était pas une bonne idée d'autoriser un buveur de sang à entrer chez soi. Comme le disait la légende, nous ne pouvions pénétrer dans une propriété privée sans y avoir été invités. J'ouvris la porte et lui dis d'entrer.

Wade était un gars étrange. Avec ses cheveux blonds coiffés en brosse et ses yeux pâles, il aurait facilement pu passer pour un *geek*. Ce soir, il portait un jean, un tee-shirt en flanelle et ses éternelles lunettes. Il n'en avait plus besoin, mais, comme il les avait portées toute sa vie, il n'arrivait pas à perdre l'habitude.

— Comment ça va, ma jolie ? me demanda-t-il en me faisant un clin d'œil.

Voilà ce que j'aimais chez lui : il avait accepté sa nature de vampire et s'en servait pour aider les autres. Après sa transformation, il n'avait rien perdu de son humanité. Il appréciait toujours autant les blagues, les livres et les cigares.

— Mal, Wade. J'ai de mauvaises nouvelles.

Je tendis la main pour toucher ses doigts, notre façon de nous dire bonjour, avant de le mener jusqu'au salon. Là, il s'inclina devant mes sœurs et salua Chase. Ils s'étaient rencontrés une ou deux fois auparavant, mais n'avaient jamais eu le temps de vraiment discuter. Comme l'inspecteur était sur le point de lui tendre la main, je lui fis « non » de la tête. Pour m'aider, Delilah lui toucha le bras, ce qui arrêta son geste.

— Ah oui, c'est vrai. Désolé, s'excusa-t-il.

Wade haussa les épaules.

— Je n'ai pas faim et, même si c'était le cas, je n'ai pas l'habitude d'attaquer les invités des autres.

Une fois qu'il fut assis, nous lui racontâmes ce qui s'était passé.

— Nous avons besoin de savoir si quelque chose se prépare dans l'ombre, dis-je après m'être installée à califourchon sur une chaise. Je ne rigole pas, Wade, c'est sérieux. Nous devons savoir contre quoi nous nous battons.

Même s'il ne connaissait pas tout sur l'Ombre Ailée, il en savait suffisamment pour se battre à nos côtés. En fait, il était persuadé que l'on pourrait lever une petite armée de créatures surnaturelles pour combattre les démons. Ils seraient bien plus efficaces que n'importe quelle arme à feu.

Les mains derrière la tête, Wade se laissa aller en arrière.

—Et dire qu'on fait de si grands progrès avec les Vampires Anonymes ! Dis, qu'est-ce qui te fait croire qu'il s'agit de ton sire et pas d'un vampire terrien qui serait devenu fou ou arrivé depuis peu à Seattle ? Je ne veux pas me limiter dans mes recherches.

Chase me dévisagea. Je haussai les épaules.

—Nous n'en sommes pas sûrs, dis-je en me tournant de nouveau vers Wade.

J'avais l'impression que Chase avait plus de mal à affronter un vampire terrien qu'à me faire face. Après tout, je ne venais pas de ce pays, ni même de ce monde. Il pouvait facilement me cataloguer : « Menolly vient d'Outremonde. Bien sûr qu'elle est cinglée ! » Alors que Wade... Wade avait été transformé en plein Seattle. Comme son silence s'éternisait, je lui donnai une tape sur le genou. Lorsqu'il releva brusquement la tête, je ne pus m'empêcher de ricaner.

—Du calme ! J'allais simplement te demander de poursuivre ton raisonnement. Tu avais l'air dans la lune.

—Oui. Merci... Je crois, dit-il en clignant des yeux. Les filles pensent que le clan du sang d'Elwing est peut-être impliqué dans l'affaire. Mais tu as raison, il est plus prudent d'envisager toutes les possibilités. Ne fermons aucune porte.

—Alors, on commence par quoi ? demanda Wade en me regardant, le sourire aux lèvres.

Il avait l'habitude de la nervosité des mortels. Il la côtoyait suffisamment lors des soirées des Vampires Anonymes durant lesquelles les proches étaient conviés.

Je jetai un coup d'œil autour de moi. Camille et Delilah s'étaient blotties l'une contre l'autre pour manger des chips. Chase trifouillait son carnet de notes. Iris observait ses ongles. J'attendis un moment, mais il était clair que personne ne voulait poursuivre cette conversation.

— Ne parlez pas tous en même temps ! m'exclamai-je. Rassurez-moi, je ne suis pas la seule qui ait un cerveau dans cette pièce ?

Haussant les épaules, Camille s'essuya le coin des lèvres sans pour autant enlever son rouge à lèvres.

— Eh bien…

— Comment tu fais ça ? l'interrompis-je.

— Quoi ?

— Ton rouge à lèvres, il n'a pas bougé.

Elle m'adressa un grand sourire.

— C'est un *gloss* longue durée. Il ne s'enlève qu'avec du démaquillant. C'est plus facile pour manger dehors. Bon, je peux continuer ?

— Bien sûr, répondis-je, tout en me demandant comment la composition chimique de son *gloss* réagirait à mes lèvres de vampire.

Parfois les produits temporaires refusaient de partir. J'en avais vu un bon exemple sur un vampire, en ville. On aurait dit qu'il avait des boules de feu sur les joues. Le pire, c'était qu'il s'agissait d'un *geek* dont les copains mortels, toujours en vie à ce jour, s'étaient amusés pendant son sommeil. Et après, les gens se demandaient pourquoi on ne leur disait pas où l'on dormait.

— On pensait que tu aurais une idée. Après tout, tu connais mieux les habitudes des vampires que nous, dit Camille. En d'autres termes, à ton tour !

Après avoir roté sans se couvrir la bouche, Delilah hocha vivement la tête.

— Elle a raison. C'est toi le chef!

— Et comment avez-vous décidé de me faire cet honneur?

J'avais le sentiment que je n'allais pas pouvoir me défiler.

— Hé, vous m'avez bien laissé me débrouiller avec la troupe de Zach qui se faisait massacrer! répondit Delilah. Et Camille a pris les choses en main contre Luc le Terrible. Maintenant, c'est à toi, Menolly.

Je jetai un coup d'œil à Chase.

— Quelque chose à ajouter, Johnson?

Jouant nerveusement avec son col, l'inspecteur fronça les sourcils lorsque ma sœur fit tomber des chips sur son costume noir impeccable. Pourtant, il ne dit rien. Il se contenta de les retirer et de les poser sur la table basse. Lorsque mon regard croisa le sien, je souris. S'il lui en voulait d'avoir sali ses vêtements Armani, il n'en laissait rien paraître.

— Non, répondit-il au bout d'un moment. Elles ont raison. Je ne sais pas du tout par où commencer. Alors que toi… tu…

— N'aie pas peur de le dire, répliquai-je. (Je n'aimais pas que les gens prennent des gants avec moi.) Je suis morte. Morte-vivante. Un vampire. Je suis terrifiante, je bois du sang et si tu me paies suffisamment, je te ferai une imitation de Bela Lugosi.

Ils me regardaient tous comme si j'étais devenue folle. Sauf Wade qui rigolait si fort que, s'il avait été vivant, il aurait postillonné de partout. Je secouai la tête.

—Je sais ce que je suis. Tu ne vas pas me vexer en exposant les faits. Alors est-ce qu'on peut se détendre et continuer ? Je ne vais pas vous sauter à la gorge pour avoir été directs !

Au bout d'un moment, Camille toussa légèrement.

—Tu ne serais pas un peu sur les nerfs, ce soir ? En tout cas, tu ne peux plus mettre ça sur le dos des hormones.

Le sourire aux lèvres, je la dévisageai. Chase la regardait comme si elle avait perdu la tête. Quant à Delilah, ses chips semblaient accaparer toute son attention. Iris avait les yeux rivés au plafond, comme pour y chercher des toiles d'araignée. Et Wade… eh bien… Wade attendait simplement qu'on prenne une décision.

—Tu sais, dis-je doucement, tu pourrais être belle pour l'éternité si tu me laissais planter mes dents dans ta peau d'albâtre.

Camille porta une main à son cou, avant d'éclater de rire.

—Repose-moi la question dans deux cents ans, OK ?

—Marché conclu, répondis-je en riant avec elle. Est-ce qu'on peut finir cette conversation ? J'aimerais avoir du temps à moi avant d'aller me coucher. Le soleil se lève dans quelques heures seulement.

Chase leva les yeux au ciel.

—Alors, c'est réglé. Tu es le cerveau de l'opération parce que tu sais ce que ça fait d'être transformé en vampire. Wade et toi êtes passés par là. On commence par quoi ?

Je m'approchai de la fenêtre pour observer le ciel nocturne. L'hiver nous affaiblissait. Nous étions à bout de nerfs, fatigués et inquiets pour notre futur. Pourtant, nous n'avions pas le choix. Nous devions faire notre devoir.

— Si j'étais un vampire nouveau-né, où est-ce que j'irais ? Tout dépend si mon sire m'appelle... Wade ? demandai-je sans me retourner. Comment ça se passe ici ? Est-ce que les vampires terriens sont pris sous l'aile de leur sire, comme en Outremonde ?

Il fronça les sourcils.

— Je ne sais pas. On a tellement l'habitude de se cacher, je ne pense pas qu'il y ait un protocole pour les nouveau-nés. Quand on m'a transformé, je me suis réveillé seul dans mon bureau. Apparemment, même si personne ne m'avait vu depuis deux jours, ils n'ont pas pensé à me chercher là-bas car c'était les vacances. Ils me croyaient à la plage. Après mon réveil, je n'ai pas tout de suite compris ce qui s'était passé. Et puis, la soif est arrivée...

— Hmm... Tout est plus compliqué sur Terre, pas vrai ? Il n'y a personne pour vous dire ce qu'il faut faire ou vous protéger. En Outremonde, même les clans les plus sombres gardent un œil sur ceux qu'ils transforment, sauf si, comme dans mon cas, le but est de faire souffrir.

Je repoussai de nouveau le souvenir qui menaçait de refaire surface. Je ne pouvais pas me permettre de nous faire perdre du temps en piquant une colère.

— S'ils sont en train de chasser, ils pourraient se trouver n'importe où. Mais comme c'est leur première fois, ils ne sauront pas comment s'y prendre. Ils laisseront des indices derrière eux parce qu'ils ne savent pas ce qui leur arrive. On met un certain temps à comprendre.

Chase me regarda, l'expression neutre.

— Je ne vais pas faire semblant de comprendre ce que l'on ressent après une transformation, mais ça ne doit pas être agréable, même pour quelqu'un de consentant.

— Ce n'est pas agréable du tout, répondis-je.

Lorsque Wade émit un grognement d'approbation, je sus qu'il repensait à ses propres mort et renaissance.

— Je crois qu'on devrait d'abord chercher qui les a tués, intervint-il. Je vais placer des espions dans la communauté. En attendant, Menolly, garde l'œil ouvert au *Voyageur*. Ce qui m'inquiète le plus, c'est que ce vampire en a créé quatre d'un coup. Je n'ai jamais entendu parler d'un cas pareil. Normalement, les vampires ne transforment qu'une personne à la fois. Qu'est-ce que tu en penses, Menolly ?

— Je ne sais pas…, répondis-je. (Je repensais au clan du sang d'Elwing et à ce qu'ils étaient capables de faire.) Dredge ne tue pas n'importe qui. Je l'ai su avant qu'ils m'attrapent. Ça m'étonnerait qu'il choisisse ses victimes dans la rue, en particulier des humains. Les vampires qui veulent créer leur propre clan sont pointilleux, eux aussi. Après tout, une fois transformées, ces personnes seront liées à eux pendant très longtemps.

— Peut-être que quelque chose a changé ? Ou peut-être que Dredge n'est pas du tout impliqué dans l'affaire ? demanda Wade en fronçant les sourcils. Dans tous les cas, il faut agir rapidement car les nouveau-nés ont besoin de se nourrir et ils ne vont pas s'en priver. Si on ne fait rien, ils risquent de s'attaquer à tout ce qui bouge.

Je me tournai vers Chase.

—Sors ton carnet de notes, demandai-je. (Il s'exécuta.) Ok, donne-le-moi. D'abord, il faudrait que tu vérifies les registres des hôpitaux et des morgues pour voir s'il y a une recrudescence d'attaques violentes. Quatre nouveau-nés peuvent boire beaucoup de sang et, franchement, avec le peu d'indices que l'on possède, on doit se préparer à les suivre à la trace jusqu'à ce qu'on les localise.

—Tu sais, intervint Delilah. Peut-être qu'il est temps de réunir la communauté surnaturelle. Je sais que c'est dangereux de diffuser ce genre d'information, mais on a besoin d'aide. Après cette soirée, on pourra établir une liste de nos alliés potentiels. Avec l'Ombre Ailée et les escouades de Degath qui menacent de nous attaquer à tout moment, nous ne réussirons pas à défendre la Terre tout seuls.

Camille soupira bruyamment.

—Elle a raison, commença-t-elle. On doit s'organiser. Maintenant que les rênes de l'OIA sont entre nos mains, on ne peut plus compter sur personne pour nous aider. Delilah, tu t'occupes de la base de données. Peut-être qu'on pourrait rassembler tout le monde au *Voyageur*? Du moins, les chefs de clans, de nids ou de meutes? Qu'est-ce que tu en penses, Menolly?

—Ça m'a l'air parfait, répondis-je. Sauf qu'il va nous falloir une armée pour éviter que les différents garous s'entre-tuent, sans parler des vampires et des Fae, et de tous ceux qui n'ont pas vraiment l'air humain. Vous ne voulez pas le faire ailleurs? D'une part, *Le Voyageur* n'est pas conçu pour accueillir une telle foule et, d'autre part, la réunion sera déjà assez tendue comme ça, pas la peine d'y ajouter de l'alcool. Ils risqueraient de casser leur verre ou leur bouteille sur la tête de leur voisin.

— C'est une façon comme une autre de communiquer, répondit Camille.

— Pour le moment, j'ai besoin de décompresser, lui dis-je. Si quelqu'un me cherche, je serai dans ma chambre. Wade, tu ferais mieux de rentrer avant le lever du jour.

Après l'avoir raccompagné jusqu'à la porte et rejoint la cuisine, je me sentis soudain très seule. Les autres pouvaient continuer à parler, ils pouvaient rester éveillés. Ils n'avaient pas à se préoccuper de l'aube approchante. Alors que pour moi, c'était une contrainte imposée par ma nouvelle vie. J'évoluais durant les heures obscures, dans l'ombre de la vie. Parfois, j'avais envie de laisser éclater ma colère, mais je n'en faisais jamais rien. Ce n'était pas mon style de gâcher de l'énergie pour rien.

Pendant que je me faufilais à travers l'entrée secrète qui menait au sous-sol et descendais l'escalier, je me demandai pour la énième fois ce qu'aurait été ma vie si le clan du sang d'Elwing ne m'avait pas attrapée.

Pour chasser ma tristesse, je portai mon attention sur la pile de livres posés sur la table de nuit, près de mon lit aux draps verts. J'attrapai le premier, l'histoire d'un groupe d'hommes escaladant l'Everest, avant de m'installer confortablement. Aussitôt, je me perdis dans ce monde de glace où les jours se révélaient intensément blancs et aveuglants, où la neige étincelait, pure et immaculée, et où le soleil ne vous voulait aucun mal.

Chapitre 4

« *Est-ce que les vampires rêvent ?* »

Un jour, à mon réveil, Camille m'avait posé cette question. Comment pouvais-je lui expliquer ? Elle évoluait dans trois mondes différents : la Terre, Outremonde et le royaume de la Mère Lune. Pourtant, son chemin était très éloigné du mien.

J'aurais voulu lui répondre « Oui ». Les vampires rêvaient de sang, de sexe et de passion. Mais ce n'était pas tout à fait vrai, même si mes pensées s'emplissaient souvent d'images effrayantes qui me rappelaient de ne pas me laisser envahir par ma nature de prédateur, trop éloignée de moi-même.

Peut-être aurais-je dû lui dire que, pendant leur sommeil, les vampires rejoignaient les morts. Nous marchions à travers les champs et les forêts, déambulions dans les villes, glissions sur les flots. Nous marchions sur les vents et l'eau. Nous étions des marche-aux-vents à proprement parler. Néanmoins, ce n'était encore qu'une partie de la réalité.

En fait, la plupart du temps, lorsque la force du soleil me poussait à sombrer dans le sommeil obscur des morts-vivants, je rêvais de la maison, d'Outremonde et de notre enfance. Je rêvais de mon premier baiser avec un homme, mon voisin Keris. Puis avec une femme, un agent de l'OIA. Je rêvais de devenir une prêtresse de la communauté des Anciennes, espoir qui s'était évanoui lorsque j'avais perdu ma virginité. Je rêvais de mouvement, de motifs et de fractures, de danse, de musique et de poésie.

Après des nuits stressantes, il m'arrivait de rêver de Dredge. Malheureusement, je ne possédais pas le luxe d'échapper à mes cauchemars en me réveillant. Une fois endormie, si les souvenirs remontaient à la surface, je n'avais pas d'autre choix que de les subir, que de revivre la torture et le viol jusqu'à ma mort tant attendue. Je revoyais ma transformation encore et encore. La renaissance de Sisyphe. Seulement, au lieu de me moquer des dieux, j'avais commis la faute d'espionner un vampire mal luné et son clan. Pour cette raison, j'étais condamnée au châtiment éternel : évoluer dans le monde des morts-vivants jusqu'à ce que je sois prête à recevoir la mort définitive.

Je n'avais jamais parlé à Camille et Delilah de mes cauchemars. Pas la peine de leur faire porter ce fardeau. Elles ne pouvaient rien faire pour changer ma destinée et je ne voulais pas qu'elles sachent à quel point certains êtres, vivants ou non, pouvaient se révéler vicieux. De toute façon, en combattant les démons, elles ne tarderaient pas à s'en apercevoir toutes seules.

Après avoir posé mon livre, j'ôtai mon jean et mon pull à col roulé. Penser à Dredge avait fait remonter trop de souvenirs douloureux à la surface. Je baissai la tête pour observer mon corps. À présent, me regarder dans un miroir ne servait plus à rien. Mon reflet avait disparu. Pourtant, chaque fois que je me déshabillais, mes cicatrices m'empêchaient d'oublier.

Leur réunion était pratiquement terminée…

Encore quelques minutes et je peux sortir d'ici, libre et avec tous les renseignements qu'il me faut. En prenant une grande inspiration, je tâche de ne pas bouger contre la paroi supérieure de la grotte, malgré mes prises précaires. À cette distance, le clan du sang d'Elwing ne peut pas sentir ma chaleur corporelle. Mais moi, grâce au sang de mon père et à mon ouïe surdéveloppée, je suis capable de percevoir ce qu'ils disent. Dans la pièce voisine, j'entends quelqu'un marcher.

Voilà. Je n'ai plus qu'à attendre qu'ils s'en aillent. En cinq minutes, j'ai récolté assez d'informations pour les mettre hors d'état de nuire. Dredge est très intelligent, mais il n'a pas compté sur le fait que quelqu'un pourrait essayer de le coincer. Personne d'autre que des membres de l'OIA ne serait assez fou ou courageux pour l'espionner. C'est là que j'entre en scène.

Maintenant, tout ce que j'ai à faire, c'est attendre qu'ils quittent la grotte. Après leurs réunions, ils partent chacun de leur côté pour chasser. Je suis déjà venue ici trois fois et je n'ai jamais eu aucun problème pour ressortir. Et aujourd'hui, c'est la dernière, j'ai tout ce qu'il me faut. J'ai confirmé tout ce que l'OIA suspectait : Dredge et ses sbires planifient de créer leur propre cour avec Dredge comme roi, alors que les cours vampiriques sont illégales en Outremonde et dans tous les gouvernements Fae. Leurs clans ne doivent jamais dépasser les treize membres.

Cette règle, Dredge l'a déjà brisée. Le clan d'Elwing en comporte vingt-trois. Et il envisage de régner sur beaucoup plus. Il veut devenir un seigneur vampire. Nous le suspectons de vouloir s'allier aux guildes d'assassins et de voleurs. S'il y parvient, il n'aura pas à se soucier des représailles. Les gens auront trop peur d'attaquer une cour, même vampirique.

Avec ce que j'ai découvert, dès demain, l'OIA aura le droit d'envoyer une équipe pour embrocher tous ces suceurs de sang. Les menacer de les exiler dans les Royaumes Souterrains ne sert à rien. Ils s'échappent toujours.

Encore un peu de patience, aucun bruit et je serai bientôt à la maison, libre. Je recevrai peut-être même une promotion pour mon travail, une première pour les filles D'Artigo. En fait, avec nos antécédents, c'est peut-être la seule solution pour échapper à une mutation dans une ville paumée du sud. Nous ne sommes pas paresseuses, seulement très malchanceuses.

Malgré ma combinaison en fil de soie d'araignée, un courant d'air froid me fait frissonner. Mes cheveux sont coiffés en chignon pour éviter qu'ils tombent sur mon visage. Je me suis échauffée avant de venir ici, mais, à présent, tous mes muscles me font souffrir. Je ne pense qu'à une chose : rentrer chez moi et prendre un bon bain chaud. Avec Camille, on a l'intention d'aller à une fête à minuit. Il y a une dégustation d'opium au *Collequia*. Camille veut me présenter quelqu'un qu'elle a rencontré il y a quelques semaines. Je crois qu'il s'appelle Trillian. Comme elle ne nous en a pas parlé tout de suite, je suis certaine que quelque chose cloche chez lui. Camille a un penchant pour les rebelles.

Tout à coup, mon bras me fait très mal. *Putain, pourquoi les vampires ne partent pas ?* Je plisse les yeux pour distinguer la scène en dessous. De ma position, je ne peux pas vraiment les voir. L'avantage, c'est qu'eux non plus.

Encore une dizaine de minutes. Rien que dix minutes. Pour oublier mes muscles endoloris, il faut que je pense à autre chose. Père nous a promis de prendre des vacances avant la prochaine pleine lune, pour aller rendre visite à de la famille dans la vallée du saule venteux ou pour passer quelques jours à Aladril, la cité des prophètes. Peu importe. Nous avons tous les quatre besoin de vacances. Je suis tellement fatiguée que je m'endors dès que je pose la tête sur l'oreiller.

Merde. Ma nuque me démange, ça me rend dingue. J'essaie de bouger pour me débarrasser de cette sensation, mais la prise de ma main gauche commence à se désagréger et ne me laisse plus rien où m'accrocher.

Putain de merde ! Je tâtonne pour trouver autre chose à saisir : un renfoncement, une craquelure, n'importe quoi. Rien. Que de la pierre lisse. Pendant que mes doigts glissent contre le granit, mes pieds se dérobent. Je perds tout contrôle et me mets à tomber vers le sol.

On dit qu'aux portes de la mort, on voit sa vie défiler devant ses yeux, mais à cet instant-là, étant donné les créatures qui peuplent cette grotte, je prie pour avoir la chance de me briser la nuque, avant de m'effondrer sur le sol dans un grand fracas.

C'est pas vrai ! Je suis toujours vivante, et en plus, j'ai fait un bruit de tous les diables ! Ça veut dire que si je veux réussir à m'échapper, je vais devoir courir comme une dératée. En me levant pour trouver une sortie, j'entends du raffut derrière moi. Ils m'ont entendue et viennent voir ce qui se passe. Merde. Est-ce que tout est fini ?

Je cours à travers les couloirs. Je n'ai plus rien à perdre. Je sais ce qu'ils me feront s'ils m'attrapent. Le clan du sang d'Elwing sont des prédateurs arrogants, sans foi ni loi, dirigés par un vampire qui se baigne dans le sang de ses victimes. Ils ne font pas cas des règles d'éthique vampiriques. C'est pour ça qu'on m'a demandé de les espionner en premier lieu.

À un tournant, j'ai une crampe au mollet, qui n'apprécie pas d'être sollicité à froid, mais la faible lumière au bout du chemin me rassure. Je serai bientôt dehors. Peut-être que je peux les perdre dans la forêt. J'ai toujours été douée pour le camouflage. Avec une grande inspiration, je pousse mon corps réticent à aller plus vite, les yeux rivés sur l'entrée de la grotte.

Encore dix mètres et la liberté est à moi. Neuf mètres. J'attrape un pieu accroché à ma ceinture et étends le bras, prête à me battre pour survivre. Plus que quelques pas. Quelques mètres.

Soudain, un homme apparaît à l'entrée de la grotte. Grand, basané avec de longs cheveux bouclés, tout de cuir vêtu. Son sourire pourrait faire trembler la pierre. Je l'aurais reconnu entre mille. Dredge. Le chef du clan du sang d'Elwing, qui glorifie la torture et se délecte de la souffrance.

Je freine et me précipite dans le passage dont il vient de sortir. Dredge ne bouge pas pour me rattraper, il se contente de crier :

— Amenez-la-moi quand vous en aurez marre de jouer. Mais surtout, ne la marquez pas. Je me la réserve.

Un frisson d'horreur m'envahit lorsque je me rends compte que le passage ramène au centre de la grotte. Juste avant qu'il s'arrête, j'aperçois un rayon de lune qui entre par une fissure dans la roche supérieure. En la regardant de plus près, je me rends compte qu'elle est assez grande pour que je m'y faufile. Je commence alors à escalader le mur, à la recherche de prises. À présent, toutes mes articulations sont en feu et je me suis au moins froissé cinq muscles. Sans penser à la douleur, je me force à concentrer mon attention vers la sortie. Passer à travers la fissure. M'échapper.

À moins de un mètre du but, je sens une main m'attraper la cheville. J'essaie de repousser mon assaillant, mais il est si fort qu'il parvient à me déloger du mur en un rien de temps. Lorsqu'il me lâche, je tombe par terre, sur le dos.

Le son de mes côtes qui se cassent résonne avant que la souffrance m'envahisse. Avec un gémissement, je chasse mes larmes en clignant des yeux et me retrouve face à face avec un elfe. Ou du moins, il l'a été. Maintenant, il est éternel et pâle. Quand il se penche pour me prendre dans ses bras, je me rappelle le pieu que j'avais avec moi. Où est-il passé ? Je l'ai remis à ma ceinture lorsque j'ai commencé à escalader. Je le cherche, mais le vampire me force à le regarder dans les yeux.

— Du calme… calme-toi.

Sa voix est relaxante, douce comme une brise printanière. Elle me donne envie de fermer les yeux, de lui obéir… jusqu'à ce qu'il sourie et me laisse entrevoir ses longues canines, ces aiguilles brillantes qui vont m'arracher à la vie.

— Non, murmurai-je, en me battant pour reprendre le contrôle de mes sens.

Je porte la main à ma ceinture où je sens le pieu contre ma peau.

— Tout serait tellement plus simple si tu me laissais t'aider, susurre le vampire. Je m'appelle Velan, et toi ?

Clignant des yeux, je m'humecte les lèvres. Ce n'est pas mon ami. Il ne va pas m'aider. Sa voix m'offre la promesse d'une douce étreinte, mais je dois me souvenir de ce qu'il est et de l'endroit où je me trouve. Au même moment, je parviens à me saisir du pieu. Ma poitrine me fait mal à cause des os fracturés.

Velan est tellement concentré sur mon regard qu'il n'a même pas conscience de mes gestes.

— Approche-toi, lui dis-je. Aide-moi.

J'attends qu'il se penche et prends le temps d'attaquer, car je n'aurai pas de deuxième chance. Je pointe l'arme vers lui et la plante dans son torse le plus fort possible, sans écouter la peine qui envahit mes flancs, ma poitrine et mes poumons.

Contact réussi ! Le choc que je lis sur son visage est la plus belle chose que j'aie jamais vue. Il ouvre la bouche, mais avant d'avoir pu dire quoi que ce soit, il se transforme en nuage de cendres, me recouvrant de ses restes.

En toussant, je me relève et me mords la lèvre pour m'empêcher de crier. La moindre fibre de mon corps me fait mal. Chaque muscle, chaque os… comme si mes nerfs étaient à vif, râpés au couteau. Je réussis néanmoins à me relever. Le passage est vide, mais il ne le restera pas longtemps. Ma seule chance est de retourner dans la salle principale, à moins que… Je jette un coup d'œil à la fissure au-dessus de moi. Peut-être que je peux encore réussir à m'y faufiler. Même si je suis blessée, j'en ai la motivation. Après tout, la souffrance sera beaucoup plus intense si les sbires de Dredge m'attrapent.

Doucement, en essayant de trouver des prises pour mes pieds et mes mains, je recommence à escalader. En même temps, j'essaie de contrôler ma respiration car chaque inspiration fait tressaillir mes muscles endoloris.

Durant mon ascension, des milliers de pensées me traversent l'esprit. Dès mon retour à Y'Elestrial, je donne tout de suite ma démission à l'OIA. Du moins, si j'y retourne un jour. Pourquoi est-ce qu'on m'a assigné cette mission ? Il y a d'autres éclaireurs, d'autres acrobates dans l'agence beaucoup plus doués que moi. Est-ce que c'est une punition ? Ou le QG pense peut-être que ce n'est pas une mission essentielle ? À cause de leur stupidité, je vais aller grossir les rangs des statistiques ! Je jette un coup d'œil aux alentours, surprise de constater que je me rapproche de la sortie. Apparemment, ça marche d'être en colère, ça me permet de ne pas penser à la douleur. Dans mon esprit, je m'imagine mon chef avec une arbalète pointée vers lui. Encore un peu. Plus que quelques centimètres et je suis dehors.

La voilà : la lueur bénie des étoiles sur mon visage. J'essaie de me hisser, sortant doucement mon corps de la crevasse, avant de rouler sur l'herbe qui recouvre la colline. J'ai réussi. Je me suis échappée. Maintenant, je n'ai plus qu'à me cacher dans la forêt jusqu'au petit matin. Le soulagement me submerge comme une vague d'eau fraîche. Je tente de me lever tant bien que mal.

— Besoin d'aide ?

La main qui se pose sur mon épaule me fige. Sa voix est grave et sombre. Elle me fait tourner la tête. Je frissonne. Le chant des criquets et des grenouilles me remplit les oreilles et le vent caresse doucement ma peau. Je me retourne lentement, priant pour me tromper sur l'identité de l'inconnu. Pitié, faites que j'aie tort.

Mais ma prière n'a pas été entendue. Devant moi, se trouve un homme grand et basané, au sourire charmeur. Dredge. Quand il se penche pour me regarder de plus près, je laisse échapper un léger gémissement. Ses yeux sont aussi noirs qu'un ciel nocturne rempli de givre et, quand il sourit, la pointe de ses canines brille dans la lueur des étoiles. J'ai envie de bouger, de m'échapper, mais je n'arrive pas à détourner le regard de lui. Il porte une main à ma joue pour la caresser de ses doigts froids comme la mort.

— Tu t'es égarée, petite fille ? L'OIA doit avoir perdu la raison pour croire que tu peux faire face au clan du sang d'Elwing. Je vais te ramener à la maison pour qu'on ait une petite discussion, dit-il en me prenant dans ses bras. Au fait, au cas où tu ne le saurais pas, je m'appelle Dredge. Et toi, ma douce, tu vas me dire tout ce que tu sais. On va jouer à des jeux amusants, tu verras.

Je gémis en sentant mes côtes bouger et m'élancer de nouveau.

— Oh, pauvre bébé ! Tu as mal ? (Un sourire amusé aux lèvres, il se penche pour me murmurer à l'oreille :) Ne t'inquiète pas, tes côtes cassées seront bientôt le cadet de tes soucis. D'abord, je vais commencer par te saigner, incision par incision, jusqu'à ce que la douleur te rende folle. Puis, je vais te prendre tant de fois et si fort que tous les nerfs de ton corps seront sur le point de céder. Alors, tu me supplieras de te tuer. Oh oui, ma belle, je vais te montrer à quel point un corps peut résister à la souffrance sans mourir. (Il s'arrête. Une lueur de folie éclaire son regard.)

» Tu sais quoi ? Je vais faire un petit cadeau à l'OIA. Je me sens d'humeur généreuse. Je ne vais pas te tuer… Du moins, pas définitivement. Non, je vais faire de toi l'une des nôtres et te ramener chez toi pour que tu te nourrisses de tes amis et ta famille. Qu'est-ce que tu penses de ça ? La vie éternelle ? La beauté éternelle ? Une éternité à penser aux proches que tu as tués ? Voilà ce que je t'offre et tu n'as même pas eu à me le demander !

Terrifiée, j'essaie de me débattre, mais mes bras refusent de m'obéir. Je réussis toutefois à prendre une inspiration pour pouvoir parler.

— Je ne te laisserai pas faire ! Je ne deviendrai pas l'une d'entre vous !

— Chut, murmure-t-il, m'ôtant de nouveau la parole. Tu ne peux rien faire pour m'arrêter. Viens, ma belle, la plus longue nuit de ta vie est sur le point de commencer.

Je pense alors à la maison. On vient juste de recueillir deux lapins : Trevor et Harlis. Est-ce que Delilah pensera à s'en occuper ? Elle ramène tout le temps des animaux errants, mais parfois elle oublie de les nourrir. Comme Camille est déjà occupée avec les tâches ménagères, je le fais à sa place.

La fête des moissons approche. J'avais l'intention de mettre ma nouvelle robe et d'y aller avec notre voisin, Keris. On sort ensemble depuis quelques mois, maintenant. Ses lèvres sont douces et tendres contre les miennes. Quand je suis dans ses bras, je me sens en sécurité. À présent, tous mes projets partent en fumée sous mes yeux.

Comment ma famille va-t-elle réagir à l'annonce de ma mort ? Camille a l'air forte en apparence, mais sous son masque se cache une réserve inépuisable de larmes. À la mort de notre mère, elle a mis son chagrin de côté pour s'occuper de nous. Est-ce qu'elle fera la même chose quand on découvrira mon corps ? Delilah… Chaton se repose beaucoup sur moi. Elle a besoin de moi. Et Père… Il déteste les vampires. Est-ce qu'il me détestera, moi aussi ? Est-ce qu'il m'en voudra ?

Quand ils découvriront ce qui s'est passé, est-ce qu'ils me pourchasseront pour me planter un pieu dans le cœur ? Est-ce qu'ils me pleureront longtemps ? Ou est-ce que je ne serai plus qu'un lointain souvenir qu'ils voudront enterrer comme la statue de mon âme ? Si seulement je pouvais abandonner maintenant, perdre conscience et mourir… mais mon esprit est trop fort. Je ne peux pas l'y forcer. Et quelque chose me dit que Dredge ne me laissera rien manquer de son plaisir.

Souhaitant n'avoir jamais vu le jour, j'observe une dernière fois le ciel étoilé avant qu'il saute dans la cavité, flottant jusqu'au bas de la grotte. C'est le dernier souvenir de beauté que j'ai gardé…

— Menolly ! C'est l'heure de se lever !

Une voix douce s'immisça dans mes rêves pour me réveiller juste à temps. Tout mauvais souvenirs oublié, je me redressai vivement, la rage au ventre, prête à attaquer l'importun qui avait eu l'audace de déranger mon sommeil.

Puis, j'observai la pièce autour de moi. J'étais en sécurité dans ma chambre. Mes beaux draps verts étaient éclairés par la faible lumière de la lampe posée sur mon bureau. Iris s'était installée dans le rocking-chair, suffisamment loin pour éviter mes attaques incontrôlées au réveil. Camille l'avait appris à ses dépens. Moi aussi.

— Le soleil s'est couché. Debout! (Le sourire aux lèvres, elle se leva et épousseta son tablier. Iris m'avait vue de nombreuses fois avec les canines sorties et les yeux rouges, pourtant, elle n'avait jamais semblé mal à l'aise.) Anna-Linda s'est levée en fin de matinée. J'ai pu discuter longuement avec elle. Au fait, elle sait ce que tu es. Apparemment, tu n'es pas le premier vampire qu'elle rencontre.

— Tu rigoles? Où est-ce qu'elle a bien pu rencontrer un vampire? demandai-je.

Ouvrant mon placard, je réfléchis à ce que j'allais mettre. Pratiquement tous mes vêtements étaient longs pour couvrir mes bras et mes jambes. Avec le temps, les cicatrices s'étaient atténuées, mais elles n'avaient pas disparu. Je préférais les cacher plutôt qu'expliquer leur présence. Après avoir parcouru les cintres, j'attrapai un jean à taille basse, un pull à col roulé vert forêt, ainsi qu'une veste en velours marron. Ça irait très bien avec mes bottes à talons aiguilles.

Iris m'adressa un sourire amusé.

— Ça t'arrive de porter un soutien-gorge et une culotte ? demanda-t-elle.

— Jamais, répondis-je en me glissant dans mon jean et en le boutonnant. (L'avantage de ne pas respirer était que je pouvais porter des jeans très serrés comme celui-ci. Je devais simplement faire attention à ne pas les craquer en m'asseyant.) Du moins, pas sur Terre. J'en mettais quand j'étais vivante, mais pourquoi je m'embêterais avec ça, maintenant ? Mes seins ne tomberont jamais, de toute façon.

— Comme tu veux, dit-elle en secouant la tête. Quoi qu'il en soit, Anna-Linda m'a parlé d'un clan de vampires à Portland dans l'Oregon. Son frère traînait avec un groupe de délinquants qui n'arrêtait pas de les défier. Finalement, ils les ont pris au mot, sauf qu'ils ne les ont pas transformés. Ils se sont contentés de les vider de leur sang. Les journalistes ont parlé de meurtres rituels, mais Anna-Linda a espionné son frère cette nuit-là, cachée dans les bois. Peu de temps après, sa mère a eu un nouveau petit ami qui l'a maltraitée. C'est pour ça qu'elle a décidé de fuguer.

Je m'assis sur le lit pour enfiler mes bottes. Tout en caressant le velours du bout des doigts, je réfléchis à ce que venait de m'apprendre Iris. Si cette gamine disait la vérité, nous ne pouvions pas la renvoyer chez elle. D'un autre côté, nous n'avions pas le temps de nous occuper d'une humaine.

— Tu crois qu'on peut lui faire confiance ? demandai-je à Iris.

Elle avait toujours été douée pour cerner les gens. Si Anna-Linda mentait, elle s'en serait aperçue. Elle haussa les sourcils.

— C'est marrant que tu me poses la question. Je pense que oui, mais j'ai quand même demandé à Chase de vérifier son histoire. Il a passé un coup de fil dans l'Oregon. Il y a bien eu un massacre qui correspond à ce qu'elle nous a raconté sur la mort de son frère. Selon les flics, il s'agissait de meurtres rituels. Ils ont retrouvé cinq corps, vidés de leur sang. Les vampires leur avaient ouvert les veines pour brouiller les pistes. L'une des victimes s'appelait Bobby Thomas… Le frère d'Anna-Linda.

Pendant qu'Iris tapait les coussins, je fis mon lit. Elle était une experte dans tout ce qui touchait à la maison. Avant son arrivée, nous n'avions jamais de draps impeccables ni de coussins qui murmuraient au contact de nos têtes. En fait, nous n'avions même pas un fer à repasser alors que, maintenant, nous possédions une buanderie qui marchait toutes les semaines. Iris refusait d'utiliser la magie pour effectuer cette tâche. Je tirai sur le drap pour bien le lisser avant de faire passer les extrémités sous le matelas.

— Idiots ! C'est tellement stupide ! Je ne sais pas si je ressens de la pitié pour ces gamins ou si je regrette que quelqu'un ne leur ait pas filé une bonne correction. De toute façon, c'est trop tard, dis-je en plaçant l'édredon.

Iris posa les coussins.

— La plupart d'entre eux ne sont pas conscients de ce qu'ils font. Ils traversent une période difficile durant laquelle ils sont dirigés par leurs hormones. Certains n'ont plus de famille. Alors que vous, les vampires, vous êtes des prédateurs. Vous n'êtes peut-être pas complètement immortels, mais vous ne craignez pas beaucoup d'ennemis. Vous avez des pouvoirs. Voilà ce que ces enfants recherchent. Ils veulent enfin contrôler leur vie. Je ne peux pas leur jeter la pierre. Je crois qu'on a fini, ajouta-t-elle en regardant autour d'elle. Tout semble à sa place. Je viendrai faire la poussière demain pendant ton sommeil.

— Merci, répondis-je en la suivant dans l'escalier. Tu as sûrement raison. Beaucoup sont aveuglés par le glamour et n'arrivent pas à voir la réalité. La plupart des vampires commencent leur nouvelle existence avec de bonnes intentions. Boire seulement pour rester en vie. Ne pas prendre celle d'un innocent. Mais la vérité, c'est qu'au fil du temps, cette résolution devient de plus en plus difficile à tenir, sauf si on nous rappelle l'importance d'une vie humaine.

— Malgré ce qui s'est passé avec son frère, Anna-Linda n'a pas paniqué quand elle a appris que tu étais un vampire. En fait, bizarrement, je pense que ça lui a même fait plaisir, dit Iris alors que nous pénétrions dans la cuisine.

Des voix nous parvenaient depuis le salon. L'une d'elles était celle d'une jeune femme, sans doute Anna-Linda, mais je ne reconnaissais pas l'autre.

— Qui est là ? demandai-je.

— Chase, Zachary Lyonnesse et une femme de sa troupe, répondit Iris sur un ton qui ne m'était pas familier. Je l'aime bien. Elle s'appelle Nerissa et elle aide les jeunes à problèmes. Elle travaille pour les services sociaux. Elle a suggéré que l'on trouve une famille d'accueil surnaturelle pour Anna-Linda. Comme ça, personne ne serait étonné de ce qu'elle pourrait raconter.

Delilah a tout de suite pensé à Siobhan et l'a appelée. Elle a accepté de l'héberger pendant quelque temps.

Siobhan Morgan était une amie à nous, une selkie originaire d'Irlande. Malgré son apparence d'humaine au sang pur, elle était un phoque-garou. Douce et gentille, elle aimait les enfants à un point que je ne pouvais comprendre. Elle savait également se révéler diplomate, intelligente et capable de garder une situation sous contrôle.

— Vraiment ? Je sais qu'on ne peut pas garder Anna-Linda ici, mais... je n'aime pas l'idée de lui faire encore changer de maison. Enfin, la laisser aux soins de Siobhan est plus rassurant que la confier à des étrangers.

Iris secoua la tête.

— Ce matin, Anna a refusé de se rendre dans un foyer. Elle a menacé de s'échapper si on lui demandait de quitter la maison. Même s'il ne dit rien, Chase n'aime pas la situation. L'aide de Nerissa ne peut être que bénéfique. Elle l'a convaincu qu'une famille surnaturelle serait la meilleure solution. Vas-y, je vais faire du thé.

En entrant dans le salon, je me rendis tout de suite compte de la tension qui y régnait. L'air mal à l'aise, Delilah était assise entre Chase et Zachary. Depuis que Chase avait découvert son aventure avec le puma-garou, les deux hommes avaient pris leurs distances. Après s'être beaucoup disputés, Chase et Delilah semblaient avoir trouvé un accord.

À mon avis, l'inspecteur ne posait pas d'ultimatum parce qu'il avait peur qu'elle ne le choisisse pas. Même si je ne l'aimais pas beaucoup, ça me faisait de la peine pour lui. Je doutais que Delilah soit capable d'entretenir une véritable relation avec un HSP, mais c'était sa vie, pas la mienne.

Pendant que je faisais un signe de la tête à nos invités, la dernière lueur disparut à l'horizon. Je me dirigeai vers la fenêtre pour observer le manteau blanc qui recouvrait le jardin. La température n'avait pas bougé depuis des jours.

Anna-Linda m'adressa un sourire timide.

— Merci, me dit-elle. J'ai oublié de vous remercier hier soir parce que j'étais épuisée, alors merci de m'avoir sauvée. (Elle s'assit sur le canapé et tapota la place à côté d'elle.) Vous pouvez vous asseoir à côté de moi.

Tandis que je pesais le pour et le contre, j'aperçus une lueur dans ses yeux et je compris : j'étais son héroïne, sa sauveuse. Vampire ou non, elle voulait se rapprocher de moi.

Je jetai un coup d'œil à Nerissa, installée dans le fauteuil. Il n'y avait aucun doute quant à son appartenance à la troupe de pumas. Elle possédait les mêmes yeux topaze et les mêmes cheveux blonds que le reste du clan. Elle portait une jupe de tailleur et des escarpins. Avec son chignon, elle avait l'air de sortir du travail.

— Tu dois être Nerissa. Menolly D'Artigo. C'est moi qui ai découvert Anna-Linda dans l'allée avec Iris, hier.

Elle accepta ma main tendue. Si elle remarqua que ma main était plus froide que la sienne, elle ne fit aucun commentaire.

— Vous voulez dire que vous m'avez sauvé la vie, intervint Anna-Linda.

Nerissa lui sourit.

—Anna-Linda, tu devrais nous laisser parler seule à seule. Je crois avoir entendu Mlle Kuusi dire qu'elle préparait du thé. Tu veux bien aller l'aider ?

Nerissa avait une belle voix. Et la peau délicate… Elle paraissait douce et ferme. Et je ne parlais pas seulement de son caractère. La vision de sa nuque hâlée me fit un instant entrer en transe, si bien que je sentis mes canines s'allonger. Surprise par mes pensées, je me mis à hocher la tête avec conviction.

—Elle a tout à fait raison. Iris a sûrement besoin d'aide. Pourquoi ne vas-tu pas voir ce qu'elle est en train de faire ?

Malgré sa mine déconfite, Anna-Linda se dirigea vers la cuisine. Lorsqu'elle disparut de mon champ de vision, j'invitai Nerissa à me suivre dans le petit salon.

—On revient tout de suite, informai-je Delilah. (Puis, en regardant les deux hommes, j'ajoutai :) En attendant, personne ne sort ses griffes, d'accord ?

Delilah rougit, tandis que Zach baissa la tête. Chase, lui, se contenta de lever les yeux au ciel. Néanmoins, tous trois acquiescèrent d'un signe de la tête. Satisfaite, je guidai Nerissa jusqu'au petit salon et fermai la porte, au cas où Anna-Linda reviendrait avant la fin de notre conversation.

—Iris et Chase t'ont fait un rapport complet ? demandai-je.

Elle s'assit sur l'accoudoir d'un fauteuil en se balançant doucement d'une main. Quand elle croisa les jambes, la gauche par-dessus la droite, je dus détacher mon regard à contrecœur du spectacle. Déstabilisée par l'intensité de mon attirance, je me forçai à la regarder dans les yeux.

— Oui. Cette pauvre fille n'a vraiment pas eu de chance. Cependant, je ne te conseille pas de la garder ici. Crois-moi, beaucoup d'enfants défilent dans mon bureau. Même s'ils vous idolâtrent, vous ne pouvez pas leur faire confiance. Anna-Linda est une victime. Son sort aurait été bien pire si tu ne l'avais pas arrachée aux griffes de ces maquereaux, mais elle est toujours en mode de survie. Et les gens dans son cas…

— Sont capables de choses qu'ils ne feraient pas en temps normal, terminai-je. Elle a encore peur. On ne peut pas prévoir ses réactions.

— Exactement, répondit-elle en soupirant. Je n'aime pas dire ça, mais tu ne peux pas te laisser aveugler par la pitié. Elle a été traumatisée à un tel point qu'elle n'agit plus que sur des coups de tête. Pour le moment, elle t'aime parce que tu l'as sauvée. En revanche, dans quelques jours, quand elle se sera calmée, elle repensera à son frère et à ce que les vampires lui ont fait. Non, ça vaut mieux pour tout le monde de l'emmener chez Mlle Morgan.

Nerissa avait raison. Anna-Linda était une bombe à retardement sur pattes. Avec toutes nos responsabilités, nous ne pouvions pas nous occuper d'un enfant HSP. De plus, si sa mère découvrait qu'elle se trouvait ici, nous serions dans de sales draps. Nerissa, elle, était intégrée dans la société et connaissait bien le système. Elle savait comment le faire marcher à notre avantage et serait capable de cacher la véritable nature de la discrète Siobhan.

— C'est très bien, tout ça, mais comment allons-nous convaincre Anna-Linda de rester là-bas ? Si je me souviens bien, elle a déjà menacé de s'échapper, lançai-je.

Mon nez me chatouillait. Nerissa sentait le savon à la rose et le talc. Tandis que je l'observais, le rouge de ses joues s'intensifiait et sa poitrine se levait à chacune de ses inspirations. J'avais envie de faire courir mes doigts sur la peau douce que je devinais sous sa chemise en soie. Aussitôt, je battis en retraite de l'autre côté de la pièce, me postant devant la fenêtre.

La pièce semblait rapetisser à mesure que le silence, lui, grandissait. Comme je me demandais pourquoi elle ne m'avait pas répondu, je me retournai d'un geste vif pour la trouver devant moi. Nerissa s'était avancée sans bruit jusqu'à moi.

— Tu peux peut-être nous aider, murmura-t-elle.

Surprise, je sentis mes canines s'allonger tandis que je lui attrapais le poignet. J'avais tellement soif que je ne pensais qu'à planter mes lèvres dans son cou délicat et à en fendre la chair avec mes dents dans un moment d'abandon total.

Les yeux écarquillés, Nerissa resta figée.

— Menolly, tu me fais mal au poignet ! dit-elle d'un ton ferme.

Même si je sentais sa peur, elle ne me la montrait pas. Après l'avoir lâchée, je flottai jusqu'au plafond, le temps de retrouver mon sang-froid. En sentant mes canines reprendre leur taille normale, je me demandais ce qui avait bien pu se passer. D'habitude, je ne perdais pas le contrôle de mon corps, mais elle m'avait surprise. Elle se déplaçait aussi silencieusement que Delilah, que j'avais déjà mise en garde à ce propos.

— Tout va bien ? me demanda-t-elle.

C'était la première fois depuis ma mort que je

ressentais un tel désir. Aussi, quand je redescendis, je mis une certaine distance entre nous.

— Satanés garous. Je vais te donner un conseil que tu devrais faire circuler dans ta troupe : ne jamais surprendre un vampire ! Les garous, en particulier les félins, font partie des rares créatures à en être capables. Et, crois-moi, tous les buveurs de sang ne seront pas aussi cléments que je le suis.

En colère d'avoir été prise au dépourvu, je croisai les bras et lui lançai un regard noir. Rougissante, elle porta une main à son cou.

— Désolée. J'ai encore beaucoup à apprendre à ce sujet. Je m'excuse.

— Oui, oui… Fais simplement en sorte de ne pas l'oublier. Bon, comment est-ce que je convaincs Anna-Linda de te suivre ?

J'avais besoin de temps pour me calmer. Le problème n'était pas qu'elle soit une femme. J'avais toujours été bisexuelle. Non, ce qui me perturbait, c'était que Nerissa n'avait pas reculé quand je l'avais attaquée. En y réfléchissant, ça avait été pour le mieux. Si elle avait essayé de s'échapper, je l'aurais sûrement blessée. Toutefois, il y avait autre chose. L'éclat de son regard me disait que la rougeur de ses joues n'était pas seulement due à l'embarras.

— Tu pourrais peut-être la charmer. Ce serait le plus simple. Ou l'une de tes sœurs. Il me semble que vous possédez toutes ce pouvoir ?

L'idée ne m'avait même pas traversé l'esprit.

— Oui, ça fait partie de l'héritage de notre père. Les Fae sont capables d'ensorceler quelqu'un avec un baiser, un contact ou même un regard. Ma nature de vampire me confère un pouvoir similaire. Tu as sans doute raison. Si elle est persuadée que c'est la bonne solution, elle n'aura pas l'impression d'être abandonnée.

— Exactement, répondit Nerissa. Alors, tu le feras ?

— Je n'ai aucune raison de refuser, répondis-je en haussant les épaules.

— Bien, c'est réglé ! (Tandis qu'elle se dirigeait vers la porte, elle s'arrêta et se retourna.) Au fait, je l'ai senti, moi aussi, me dit-elle avec un sourire enjôleur. Je parle de la chaleur. Je ne suis avec personne en ce moment. Appelle-moi quand tu veux. Je ne recule jamais devant un défi et, de toute façon, Vénus m'a spécialement entraînée.

Lorsqu'elle reprit son chemin vers la porte, je la suivis en me demandant ce que je devais faire de son invitation. Vénus l'avait entraînée à quoi, au juste ? C'était un vieux chaman sauvage et Nerissa ne voulait pas devenir vampire. Au moins, je savais à présent que sous son chignon et son tailleur se cachait une facette beaucoup plus délurée de sa personnalité. La question était de savoir si je comptais découvrir à quel point.

Chapitre 5

Il n'y avait rien de plus simple à faire. Sans rire. Je m'assis à la table de la cuisine avec Anna-Linda et lui pris les mains. Puis, lorsqu'elle leva la tête vers moi, je laissai libre cours à mon glamour de Fae et de vampire.

Clignant des yeux, la jeune fille capitula rapidement. Son jeune âge la rendait facile à contrôler. Je sentis un sentiment de culpabilité m'envahir. J'étais sur le point d'altérer son esprit, de lui insuffler des pensées qu'elle croirait siennes.

Je m'arrêtai un instant pour me convaincre qu'il n'y avait pas d'autre solution. Après tout, si elle pétait un câble et décidait de venger la mort de son frère, je serais sa première cible. Je ne pouvais pas prendre ce risque. Les enfants avaient le don de découvrir les secrets. Elle ne tarderait pas à trouver l'entrée de mes appartements. Plus de doute. Je remis une couche de glamour.

— Anna-Linda, écoute-moi, commençai-je d'une voix grave.

L'adolescente me regarda comme si j'étais la seule personne existante dans l'univers.

— Tu veux aller chez Siobhan. Elle prendra soin de toi. Tu ne lui causeras aucun souci. Tu penseras qu'il s'agit de ton idée et tu ne t'enfuiras pas, à moins que ta vie soit en danger. S'il se passe quelque chose, tu viendras m'en parler immédiatement. Tu comprends ?

Ma voix se déversait en elle comme du miel chaud. Son visage se fit serein.

— Je veux aller chez Siobhan, répondit-elle en hochant la tête.

— C'est ça. Et tu ne lui causeras pas de souci. Tu l'aideras et tu l'écouteras.

Tandis qu'elle répétait mes instructions, je retirai lentement mon influence de son esprit, comme une vague qui retourne à la mer en laissant derrière elle les débris d'une tempête. Ainsi, elle n'opposa aucune résistance lorsque Nerissa lui demanda de la suivre et promit d'appeler le lendemain matin. Quand je refermai la porte derrière elles, je sentis Camille poser la main sur mon épaule.

— Anna-Linda sera bien mieux chez Siobhan, me dit-elle. Nous ne pouvons pas garder un enfant ici. Tu le sais bien.

Je ne pouvais détacher mon regard de la porte silencieuse.

— Ça fait bien longtemps qu'elle n'est plus une enfant, Camille. Elle a fait et vu des choses qui ne devraient pas être imposées à une fille de son âge.

Des images de Dredge emplirent alors mon esprit. Je n'avais pas été sa seule victime. Des dizaines d'Anna-Linda avaient sûrement subi ses fantasmes malsains. Pour ma part, j'avais été chanceuse car, en tant qu'adulte, me remettre sur pied avait été plus facile.

Camille déglutit péniblement. Aujourd'hui, son sang était plus chaud que d'habitude. Je pouvais le sentir, et ses émotions transparaissaient dans son aura. Elle était en colère. Elle voulait s'adonner à la Chasse, traquer, détruire quelque chose. Toutefois, elle se contenta de me répondre ainsi :

— Je sais, Menolly. C'est pour ça que l'on fait ce qu'on a à faire.

— Je vais aller au *Voyageur* un peu plus tôt, sauf si Chase a des nouvelles de nos vampires disparus. À cette heure-ci, j'y verrai peut-être des gens différents. On ne sait jamais.

Alors que j'enfilais une veste en cuir, pas pour le froid, mais parce qu'elle m'allait bien et me donnait l'air sévère, Camille m'arrêta.

— Tu n'as rien à te reprocher, Menolly. C'était la meilleure chose à faire.

Soupirant, je lui racontai le mensonge que je ne cessais de répéter à mes proches et à moi-même.

— Je ne ressens plus la culpabilité. Du moins, pas vraiment.

— Ok, murmura-t-elle pendant que j'ouvrais la porte. Mais au cas où ça t'arriverait, souviens-toi que tu ne peux pas te le permettre. Dans cette bataille contre les démons, nous devons utiliser n'importe quel moyen pour arriver à nos fins.

J'acquiesçai d'un hochement de tête. Ma sœur me ressemblait de plus en plus. Personnellement, je trouvais ça inquiétant. Puis, me déplaçant aussi silencieusement qu'une ombre, je me dirigeai vers ma Jaguar. Camille avait raison. J'avais sauvé Anna-Linda. Alors pourquoi avais-je le sentiment de l'abandonner ?

À mon entrée au *Voyageur*, je fus assaillie par le bruit. Par-dessus la musique, les conversations créaient une cacophonie qui résonnait contre les murs. Depuis quelques semaines, les affaires marchaient de mieux en mieux, si bien qu'aujourd'hui le bar était plein à craquer. Comme l'OIA ne nous payait plus et que nous devions trouver de l'argent ailleurs, c'était plutôt une bonne chose.

Toutes les tables et les chaises étaient occupées. À l'origine un point de rassemblement pour les Fae, *Le Voyageur* s'était transformé en un lieu de débauche où se retrouvaient aussi bien les Fae que les HSP, en passant par les créatures surnaturelles terriennes.

Lorsque je me glissai derrière le bar, Luke, un loup-garou que je venais d'embaucher, m'adressa un regard reconnaissant.

— Je suis content de vous voir. Il y a de plus en plus de monde chaque soir. Vous n'envisagez pas d'engager un autre barman, par hasard ? demanda-t-il en chassant une mèche de cheveux qui lui tombait sur le front.

Il avait la trentaine et était plutôt mignon. Malgré sa petite taille, il était musclé aux bons endroits. Ses cheveux blonds, relevés en queue de cheval, lui arrivaient au bas du dos. Une vieille cicatrice, presque invisible, lui traversait le visage. Même si je ne savais pas comment il se l'était faite, je n'avais aucune intention de le lui demander. Il m'en parlerait s'il en avait envie. Tout ce qui m'importait, c'était sa vitesse à préparer des boissons et à les servir sans recevoir de plainte des clients.

Après avoir noué mon tablier, je m'attelai à la tâche. La commande suivante consistait en deux thés glacés Long Island, un shot de bière cryptozoïde, et un Cracheur de

Feu, un cocktail outremondien qui contenait beaucoup trop d'alcool et nécessitait l'utilisation d'une allumette. Tout en attrapant la bouteille de brandy, je parcourus la pièce du regard. Soudain, je reposai le tout.

— Luke, tu n'as rien remarqué de bizarre, ce soir ?

Il y avait quelque chose d'inquiétant dans l'air, quelque chose qui ne tournait pas rond, et je n'aimais pas ça du tout.

Luke secoua la tête.

— Non. J'ai seulement mis fin à une bagarre, il y a une heure. (Il m'indiqua une table d'un mouvement de tête.) Tu vois le gars, là-bas ?

L'homme qu'il me désignait ressemblait à un Fae d'Outremonde. Toutefois, son aura possédait un je-ne-sais-quoi en plus.

— Qu'est-ce qu'il a fait ? demandai-je à voix basse.

Normalement, personne ne pouvait m'entendre avec ce raffut. Néanmoins, mieux valait être prudente. Une grande partie des clients possédait une ouïe surdéveloppée.

— J'ai vu ce type apparaître à côté du box. Puis, un autre l'a rejoint et ils se sont assis. Très vite, ils sont devenus bruyants et désagréables. Je ne sais pas pourquoi ils se disputaient, mais ce gars-là est effrayant. J'étais sur le point d'aller les arrêter avec mon revolver quand son copain a disparu. Pouf.

Merde. De la téléportation ?

— Donc, il s'est rassis et je suis allé prendre sa commande. J'espérais aussi en apprendre un peu plus. Mais… Putain, Menolly, j'avais tellement peur que j'y ai envoyé Chrysandra. Elle est revenue en souriant comme une idiote. Il lui a donné 20 dollars de pourboire !

Étant donné que Luke ne se laissait pas facilement impressionner, le fait qu'il ait eu peur ressemblait à une sonnette d'alarme.

— Vingt dollars ? Qu'est-ce qu'il a commandé ?

— Rien d'étrange. Juste un verre de cognac, répondit Luke, l'air ailleurs.

— Quoi ? Qu'est-ce que tu me caches ?

— Ça va te paraître idiot, surtout avec notre clientèle, mais…

Clignant des yeux, il releva la tête. Il n'avait pas peur de moi. C'est ce que j'aimais chez lui. Enfin, il ne m'avait jamais vue avec de longues canines et un regard ensanglanté, non plus.

— Oh, pour l'amour du ciel ! Crache le morceau ! Tu sais à qui tu parles, je ne te prendrai pas pour un fou ! m'exclamai-je en croisant les bras.

— Ok. Quand je me suis approché… Menolly, tu sais que j'aime les femmes, mais j'ai eu envie de tout laisser tomber et de lui sauter dessus. C'est à ce moment-là qu'il m'a dit : « Demande à la jolie rousse qui tient ce bar de venir me voir. Je dois lui parler. »

Je fronçai les sourcils. Pas étonnant que Luke flippe. Il ne plaisantait pas quand il disait aimer les femmes. En fait, il était pratiquement homophobe… ce qui me faisait parfois penser qu'il était refoulé.

— Alors comme ça, il veut me parler ? (Ça suffisait à m'inquiéter.) Tu as remarqué autre chose ?

— Voyons voir… Oui… Je ne l'ai pas vu passer par la porte.

— Ce n'est pas étonnant. Tu es occupé et la salle est pleine.

— Sauf que je surveillais la porte parce que j'attendais Tavah pour qu'elle m'aide à attraper un truc dans la réserve. Je ne voulais pas la manquer. (Il s'arrêta et passa un coup de chiffon sur le comptoir.) Et tout à coup, je les ai vus se disputer. Aucun des deux ne se trouvait dans la pièce avant. Je peux te le garantir.

Je faisais confiance à Luke et à ses capacités d'observation. En fait, plus je regardais l'homme en question, plus je me rendais compte qu'il était autant Fae que Luke l'était.

— C'est pas possible ! m'exclamai-je alors qu'une étincelle de reconnaissance apparaissait dans mon esprit.

— Ça ne va pas ?

— Avec la chance que j'ai ? Sûrement pas. Je vais aller lui parler.

Après avoir tendu à Luke la commande que j'étais en train de préparer, je me frayai un chemin à travers la salle, en direction d'un box en particulier. Les clients qui me connaissaient s'écartèrent de mon chemin. Tout le monde savait que j'étais un vampire et ma réputation n'était pas à refaire. Quand je travaillais, nous n'avions pas besoin d'un videur car la peur que je leur inspirais les empêchait de mal se comporter.

Pendant que j'approchais, j'en profitai pour l'observer. Pas un Fae, du moins pas vraiment. Pas un Sidhe non plus. Cependant, il avait quelque chose de sauvage. Il descendait sûrement d'une branche atypique de la famille. Lorsqu'il m'aperçut, il me regarda de haut en bas, mais demeura silencieux.

— On m'a dit que tu me cherchais ? demandai-je en attrapant une chaise pour m'y asseoir à califourchon.

Apparemment, tu as eu des ennuis. Luke était prêt à sortir son revolver et je n'aime pas ça du tout. Alors, peut-être pourrais-tu m'expliquer ce qui s'est passé ? (Je lui souris. Mes lèvres étaient suffisamment retroussées pour dévoiler le bout de mes canines.) Et te présenter, par la même occasion.

L'homme cligna des yeux avant de se redresser. Il portait un long manteau noir, un jean bleu et un pull à col roulé gris. Ses cheveux bruns tombaient sur ses épaules et ses yeux verts débordaient de magie.

—Je m'appelle Roz.

—Tu viens d'Outremonde, je suppose ? De quelle communauté fais-tu partie ?

—Aucune, répondit-il en souriant. Je suis un mercenaire. Je travaille pour le plus offrant, mais pour l'instant, je ne suis pas sous contrat.

Je me penchai en avant. Je me méfiais de son air confiant.

—Tu ferais peut-être mieux de me donner le nom de celui qui t'a engagé avant que je décide de te mettre à la porte. Certains groupes outremondiens ne sont pas les bienvenus ici.

Roz ricana.

—Pas la peine de me menacer. Je sais qui tu es, je sais ce que tu es et ça n'a aucune importance. Je n'ai rien à voir avec la mangeuse d'opium. Elle est le cadet de nos soucis… mais je ne t'apprends rien.

Il se dirigea vers le juke-box et y inséra une pièce pour choisir une chanson. Se retournant vers moi, il me tendit la main.

L'esprit engourdi, je le rejoignis. Les premières notes

de *Lithium Flower* de Yoko Kanno résonnèrent. Roz m'entraîna sur la piste et me serra contre lui, sous le tonnerre musical. Il passa ses bras autour de ma taille et posa sa tête dans le creux de ma nuque. L'odeur de cognac de son haleine, la sensation de son pouls sous mes doigts m'enivraient tandis qu'il bougeait en rythme contre moi, ses hanches ondulant contre les miennes.

— Qu'est-ce que tu fais ici ? murmurai-je.

Malgré le vacarme, je savais qu'il pouvait m'entendre.

— La reine Asteria m'a chargé de vous aider, répondit-il. Je suis un tueur à gages spécialisé en vampires et démons supérieurs.

Toutefois, il y avait encore quelque chose qui me dérangeait. Je concentrai mon énergie sur lui et compris.

— Tu n'es pas un Fae. Tu es un démon mineur.

— Tu y es presque, lança-t-il d'un air taquin.

Pendant que j'observais son visage, je sentis sa magie émaner de tous les pores de son aura. Peu de démons possédaient un glamour comme le sien. La réponse me parut soudain évidente.

— C'est une blague ? La reine Asteria a engagé un incube pour nous aider ?

Il ricana.

— Ça te pose un problème ?

Je le repoussai à bout de bras. Pas la peine de tenter le diable quand on essaie de se contrôler. En tant que vampire, je n'étais pas sensible au charme de la plupart des créatures. Mais pour les incubes, celui-ci en particulier, je ne répondais de rien. Je n'imaginais même pas l'effet qu'il aurait sur Camille. Autant tuer cette éventualité dans l'œuf.

—À part le fait que tu sois un démon…

—Toi aussi, rétorqua-t-il.

D'accord, il avait de la repartie. Je levai la main pour l'arrêter avant qu'il continue.

—À part le fait que tu sois un démon? répétai-je. Eh bien, tu as réussi à causer des problèmes dans mon bar alors que tu n'es pas sur Terre depuis vingt-quatre heures, pas vrai?

—C'est vrai, dit-il en secouant la tête. Comment tu le sais?

—Tu sens encore Outremonde. (C'était la stricte vérité. Je pouvais percevoir l'odeur des baies étoilées et des arbres à ushas sur lui. Il avait sûrement traversé un portail dans le sud.) Est-ce que Roz est ton vrai nom, au moins?

Je lui fis signe de me suivre jusqu'au bar. Les lèvres étirées en un sourire satisfait, il m'obéit. Les incubes n'étaient pas tous mauvais. Si la reine Asteria le pensait qualifié, il l'était sûrement. Cependant, ils avaient tendance à semer la zizanie sur leur passage. Ils étaient également capables de faire baisser son pantalon à n'importe qui, gay ou non. Y compris des maris jaloux qui les laissaient s'échapper après qu'ils se soient tapé leur femme. Les incubes étaient tout simplement faits pour donner et recevoir du plaisir.

Il m'observa un moment avant de hausser les épaules.

—Je m'appelle vraiment Roz. C'est le diminutif de Rozurial.

—Pourquoi te bats-tu contre ta propre race?

Je me méfiais d'un démon qui se battait contre des démons, même si, techniquement, on pouvait m'accuser d'en faire autant.

— Je ne me soucie que de mon bien-être personnel. J'aime l'argent, répondit-il. Et puis, je ne pourchasse pas les miens, seulement des démons supérieurs et des vampires. Ça fait sept cents ans que je fais ce boulot à travers Outremonde et la Terre, à la recherche d'un vampire en particulier. Je l'avais enfin localisé en Outremonde, mais, quand j'ai réussi à pénétrer dans son antre, il s'était déjà volatilisé. Ses traces m'ont mené jusqu'à la reine des elfes. Elle m'a écouté sous l'œil attentif d'un clairvoyant avant de m'envoyer ici.

La gravité de son expression me donnait l'impression de me tenir au bord d'un gouffre.

Avant même d'avoir posé la question suivante, j'en connaissais la réponse. Néanmoins, j'avais besoin de l'entendre.

— De quel vampire est-ce que tu parles ?

Aussitôt, Roz se pencha vers moi par-dessus le bar et me répondit d'une voix aussi glacée que ma peau :

— Tu veux que je te fasse un dessin ? Dredge... Le fléau de notre monde.

Je m'appuyai contre le bar. C'était la première fois depuis très, très longtemps que je ressentais un vertige. La reine Asteria nous avait prévenus que le clan d'Elwing risquait de débarquer sur Terre. Visiblement, elle avait raison. Sinon, pourquoi nous envoyer un chasseur de primes ?

— Tu es certain qu'il se trouve ici ?

— Lui et plusieurs de ses sbires, oui, guidés par l'herbe folle que vous avez laissée devant la porte d'Asteria. (Face à mon air surpris, il leva la main pour m'empêcher de parler.) Je connais tout de la situation. Je sais aussi que Dredge t'a capturée. Je sais ce qu'il fait à ses victimes,

Menolly, mais tu es la seule qu'il ait transformée. Dans le cas de ma mère, ma sœur et mon frère, il s'est contenté de s'en débarrasser lorsqu'ils ne l'ont plus amusé. Il y a sept cents ans, il les a vidés de leur sang, leur a arraché les membres et les a donnés en pâture à des chiens de l'enfer. Moi, j'étais caché dans le grenier. J'ai assisté à la scène à travers les planches du parquet. J'avais sept ans et j'ai tout vu.

Il disait la vérité. Je le voyais à son visage, je l'entendais dans sa voix. Dredge avait détruit sa famille.

— Tu n'étais pas encore un incube à cette époque, je me trompe ?

— Non, répondit-il en secouant la tête. C'est une autre histoire que je réserve pour plus tard.

— Alors nous avons quelque chose en commun, dis-je en me redressant. (À travers la fenêtre, j'observai la neige tomber dans l'obscurité de la nuit.) Est-ce que tu sais où il se trouve ?

— Pas encore, mais je le saurai bientôt.

— Tu n'as pas intérêt à le tuer, lançai-je. Tu n'as pas intérêt à le réduire en poussière sans me laisser l'occasion de lui transpercer le cœur. Ta famille est morte. Je comprends ta douleur. Mais moi, je suis toujours là et je sais exactement comment Dredge s'amuse avec ses victimes. Je ne pourrai jamais l'oublier. (Je réfléchis un instant.) Avec qui t'es-tu disputé tout à l'heure ? Luke m'a dit qu'il avait disparu d'un seul coup.

— Un vampire du coin, répondit Roz en souriant innocemment. J'ai couché avec sa fille en pensant pouvoir en apprendre plus sur les clubs vampiriques. Finalement, tout ce que j'ai récolté, c'est un coup de poing de son père lorsqu'il nous a surpris au lit. Apparemment, elle ignore qu'il est un vampire. C'est pour ça qu'il la surveillait. Si je touche encore une fois à sa fille, il m'a menacé d'appeler un Protecteur et de m'expédier dans les Royaumes Souterrains.

Alors comme ça, ce vampire était capable de contacter un Protecteur ? D'habitude, seuls les mages et les sorcières les plus puissants pouvaient communiquer avec les chiens de garde spirituels. On s'en servait pour attraper et exiler les créatures indésirables. Est-ce que ce buveur de sang possédait réellement ce pouvoir ? Pas de doute, je devais en parler à Wade.

— Alors ? Marché conclu ? On cherche Dredge main dans la main et, une fois qu'on l'a trouvé, je te laisse le soin de nous en débarrasser.

Vu son sourire, Roz était persuadé que j'allais accepter. Même si je ne lui faisais pas confiance, je ne pus m'empêcher de le lui rendre. Après tout, le vieil adage était de circonstance : *Les ennemis de mes ennemis sont mes amis.*

— Je vais y réfléchir, répondis-je finalement. À une condition : que tu me fasses une promesse. Sinon, tu sais où se trouve la porte. Je suis sûre que tu découvriras des tas d'indices sur Dredge dans les chambres de ces dames.

— Quelle promesse ?

Les bras croisés, il se pencha par-dessus le bar. Quand il me fit un clin d'œil, je choisis de ne pas relever. Pour les incubes, séduire les femmes qui les entouraient était une seconde nature. Je n'avais pas l'intention de figurer dans la liste interminable de ses conquêtes.

— Mes sœurs sont de très belles femmes. Ne t'approche pas d'elles. Si tu essaies de les séduire, je t'expédie *illico* dans les Royaumes Souterrains. Elles ont assez de problèmes comme ça, pas la peine d'ajouter un incube aux mains baladeuses au tableau.

Il ricana.

— Si elles font le premier pas…

— Dans ce cas-là, un « je suis très flatté, mais non merci » suffira. Compris ?

Les mains sur les hanches, je m'approchai de lui, toutes dents dehors. Il se redressa en toussant.

— Compris. Aucun problème. Quand est-ce que j'aurai la chance de les rencontrer ?

— Dès que je finis de travailler, marmonnai-je. Retourne t'asseoir. (Alors qu'il se dirigeait vers sa table, je l'arrêtai.) Au fait, comment as-tu réussi à traverser le portail sans qu'on s'en rende compte ?

Ma question le fit éclater d'un rire guttural.

— Je ne me suis pas servi du portail du *Voyageur*. Disons que les incubes ont une façon particulière de voyager.

À ces mots, il me salua et retourna s'asseoir.

À la première occasion, j'appelai la maison pour leur parler de Roz et leur demander s'ils préféraient le rencontrer en ville plutôt que chez nous. Camille et Delilah trouvèrent plus sûr de ne pas lui dévoiler où nous vivions. Elles nous rejoignirent donc vers 2 heures du matin pour la fermeture du *Voyageur*.

Sous le poids de mon regard assassin, Roz cessa de les reluquer et se concentra de nouveau sur son verre de cognac. Tandis qu'avec l'aide de Chrysandra je rangeais les derniers verres et nettoyais le bar, un bruit retentit à l'entrée. Je m'étais contentée de placer l'écriteau « fermé » sans verrouiller la porte. Avant que j'aie pu dire quoi que ce soit, elle s'ouvrit pour révéler Chase et Sharah.

— Qu'est-ce qui ne va pas ? demandai-je en les rejoignant.

Ils avaient tous les deux l'air choqué, Chase en particulier. Il semblait sur le point de vomir. Je l'aidai alors à s'asseoir pendant que Delilah s'accroupit à côté de lui. Derrière le bar, Camille lui prépara un verre d'eau pétillante avec des glaçons.

En attendant qu'il se calme, nous nous tournâmes vers Sharah dont les yeux étaient remplis de tristesse.

— Les vampires ont encore frappé..., expliqua-t-elle.

— C'est ce que je craignais, dis-je. Attends, tu parles des premiers ou...

— Des quatre petits nouveaux ? finit-elle en tressaillant. Aucune idée, ça pourrait être n'importe lesquels. Les nouveau-nés pourraient aussi s'être alliés à leurs sires. Quoi qu'il en soit, nous avons trois corps sur les bras, susceptibles de se relever. De combien de temps disposons-nous ?

Je jetai un coup d'œil à l'horloge.

— Tout dépend de l'heure de leur mort, de la façon dont ils ont été tués et de la quantité de sang qu'ils ont ingérée. Venez, dis-je en jetant le torchon sur le bar. Chrysandra, termine de nettoyer. Une fois qu'on sera partis, ferme la porte à clé et appelle Togo pour qu'il te raccompagne à ta voiture. S'il râle, dis-lui que je lui trancherai la gorge. Je ne plaisante pas.

Contrairement à Tavah, Chrysandra n'était pas un vampire. Elle était vulnérable. Les yeux rivés sur le bar, elle hocha la tête.

Nous suivîmes alors Chase et Sharah dans la rue. L'inspecteur avait amené son 4x4.

— Montez, on n'a pas le temps de prendre plusieurs voitures, dit-il.

Le fait qu'il n'ait pas posé de questions sur Roz en disait long sur son état d'esprit. D'habitude, Chase agissait toujours avec prudence.

Entassés sur la banquette arrière, nous nous dirigeâmes vers l'hôpital. Pendant tout le trajet, je priai pour qu'ils aient tort, pour que ce soit l'œuvre d'un cinglé qui se prenait pour Freddy Krueger. Nous n'avions vraiment pas besoin d'un baby-boom vampirique. Des nouvelles comme celles-ci ne demeuraient pas longtemps secrètes.

Lorsque Chase enclencha la sirène de sa voiture, je me tournai pour observer Roz. Le regard qu'il m'adressa reflétait tant de haine que je priai pour trouver Dredge en premier. Il était clair qu'il ne ferait pas de prisonnier. Du moment qu'on me laissait m'occuper de mon sire, ça m'était égal.

Chapitre 6

Un vent froid soufflait sur le port, faisant trembler les fenêtres de la voiture, tandis que les lumières de la ville défilaient sur notre route vers la morgue. Les gratte-ciel s'élevaient à l'horizon comme une rivière de diamants. À cette heure-ci, l'interdépartementale était vide. Nous devions faire vite, pourtant, j'ignorais de combien de temps nous disposions. Je n'avais jamais transformé quelqu'un et je ne comptais pas le faire de sitôt, mais, à présent, je regrettais de ne pas en avoir parlé avec des vampires plus âgés que moi. La connaissance, même obscure, vaut toujours mieux que l'ignorance.

— Chase, est-ce que les corps ont été découverts dans la même situation que la dernière fois ? Ça serait une preuve que c'est l'œuvre du même vampire, ou du même groupe. Nous n'avons vraiment pas besoin de buveurs de sang attaquant des innocents aux quatre coins de Seattle.

L'inspecteur soupira.

— Oui… Sauf qu'on ne les a pas trouvés à côté du *Delmonico*. Ces trois-là sont morts dans la région de Green Lake. Dans le parc.

Lorsque Delilah hoqueta de surprise, je lui donnai un coup dans les côtes et lui fis signe de se taire. Sassy Branson habitait tout près. Était-elle impliquée dans cette affaire ? Le mois dernier à peine, nous avions fêté Noël chez elle.

Sassy était une femme très entourée, dont les amis ne savaient rien de sa nature vampirique. En jouant son rôle d'excentrique à la perfection, elle avait réussi à garder le secret de sa mort. Néanmoins, elle vivait avec la peur d'être découverte, et, avec ses manières parfaites, je ne l'imaginais pas capable d'une telle sauvagerie. Bien sûr, l'instinct de prédateur nous envahissait tous un jour ou l'autre. Était-il possible qu'il ne s'agisse pas de Dredge ? Sassy avait-elle changé tout à coup ? Non, je me refusais à y croire… mais peut-être possédait-elle des informations sur les meurtres.

Silencieuse, je suivis mes compagnons jusqu'à la porte d'entrée, puis dans l'escalier, me soumettant aux capteurs magiques de la morgue. En bas, des techniciens de l'OIA surveillaient les corps, telles des sentinelles. Le couloir empestait tant le formol et le désinfectant que Delilah et Camille eurent la nausée. Quant à moi, concentrée, je remarquai à peine l'odeur.

Les casiers qui couraient le long du mur me rappelaient une gare routière. Ou une école. À la différence près que, derrière ces compartiments métalliques, gisaient des restes de carnages ou du passage du temps. Des tables pleines d'instruments remplissaient la pièce. Scalpels. Ciseaux. Scies. Au plafond, les lampes étaient très vives afin de détruire toute illusion, afin d'envahir, d'explorer et de découvrir. Sur une étagère, des objets non identifiés flottaient dans des bocaux.

Regarde bien. Regarde ailleurs. Voilà tout ce qui reste à la fin du voyage. Je tentai de détourner les yeux, mais la farandole de couleurs et de formes me fascinait.

Au centre de la pièce se trouvaient six tables, dont trois supportaient des corps recouverts d'un linge blanc comme la mort. Trop brillant. Pas naturel. Pourquoi n'y avait-il pas de taches ? Aucune lessive ne pouvait effacer les cicatrices sanglantes des cadavres.

Chase me fit signe de le rejoindre.

— Il est peut-être plus prudent que les autres reculent, au cas où il y aurait du grabuge, dit-il.

— Au cas où les victimes se réveilleraient, tu veux dire ?

Hochant la tête, il se pencha vers moi.

— Si ça arrive, tu te crois capable de les arrêter ? Je n'ai jamais combattu un vampire, alors je ne sais pas comment m'y prendre. Les techniciens non plus. (Après avoir jeté un coup d'œil aux autres, il ajouta :) Je ne veux pas que Camille et Delilah soient blessées... ni personne d'autre.

Il avait raison de s'inquiéter. Pour dire la vérité, je n'étais pas persuadée de pouvoir empêcher nos trois vampires de les approcher. S'ils se relevaient, ils seraient affamés et se jetteraient sur la première jugulaire venue pour satisfaire leur soif. Dans leur élan, ils videraient leur victime de leur sang, puis une deuxième et une troisième. À mon réveil, sur le chemin du retour, j'avais fait un massacre. Encore maintenant, lorsque je m'autorisais à m'en souvenir, je revoyais clairement la scène. Arrivée à la maison, j'avais été suffisamment rassasiée pour m'enfermer dans ma chambre et hurler à Camille d'aller chercher de l'aide. Après ça, c'était le noir total. Durant des mois. Un abysse sans fond, un trou dans ma mémoire que je ne me rappellerai jamais. Et de toute façon, je n'y tenais pas.

Après avoir réfléchi à la question, je me tournai vers les autres.

— Sortez tous. Sauf toi, Roz. Tu es un incube, tu pourras m'aider. Mais tous les autres, même toi, Chase, sortez de la pièce et bloquez la porte jusqu'à ce que je vous le dise. N'oubliez pas de vérifier à travers la vitre que personne n'imite ma voix.

Camille et Delilah étaient sur le point de protester mais un geste de ma part suffit à les persuader de faire sortir tout le monde. Je reportai mon attention sur Roz.

— Tu es prêt ? S'ils se relèvent, il y a de grandes chances pour que leurs sires appartiennent au clan d'Elwing. Que les choses soient bien claires entre nous : si tu travailles avec moi, je veux que tu obéisses à mes ordres. Tu n'agis pas en solo, pigé ?

— Tu as des pieux sur toi ? lança-t-il, tout sourires.

Clignant des yeux, je me rendis compte que je ne me baladais pas avec des objets pointus.

— Euh…

— Non ? C'est bien ce que je pensais, répondit-il en déboutonnant son manteau.

Lorsqu'il fit mine de l'ouvrir, il avait tellement l'air d'un exhibitionniste que je dus me retenir de pouffer. Toutefois, à la vue de l'arsenal qui se cachait à l'intérieur, mon amusement retomba aussitôt : pieux, dagues, semi-automatique, sarbacane, étoiles de lancer, nunchakus, et diverses armes que je ne reconnaissais pas. Ce mercenaire savait ce qu'il faisait et, visiblement, il avait passé beaucoup de temps sur Terre. Mon étonnement le fit sourire.

— Attrape ! dit-il en me lançant des pieux, partie plate la première.

Je les inspectai. Ces simples pieux pouvaient me réduire en poussière. Évidemment, avec un peu de force, ils pouvaient aussi tuer des humains, mais ces cure-dents bourrés de stéroïdes avaient quelque chose de mystique qui me donnait l'impression de tenir une bombe à retardement entre les mains.

— Merci… Je crois, marmonnai-je tandis qu'il s'armait à son tour. On ferait mieux de regarder à qui on a affaire.

M'approchant du premier corps, je retirai le drap qui le recouvrait, d'un geste vif. Je me plaçai aussitôt hors de sa portée.

Allongé sur la table se trouvait un homme imposant. Grand, cheveux gris, torse musclé. Malgré quelques kilos en trop, il avait quand même une tablette de chocolat à la place des abdos. Aucun doute, il serait difficile à battre dans un combat à mains nues. Et d'après ce que je voyais plus bas, il avait dû rendre plus d'une femme heureuse. Peut-être était-il un homme des montagnes, un vieil hippie ou encore un ancien joueur de football américain transformé en ZZ Top. Dans tous les cas, il ne reverrait plus jamais la lumière du soleil. Les plis de ses rides s'étaient figés en une expression de terreur.

— Qu'est-ce qu'il a autour de la bouche ? demanda Roz en désignant des éclaboussures marron.

Je me penchai pour les sentir.

— Du sang. (J'ouvris les lèvres du cadavre. Il y en avait également sur ses dents. Tout à coup, ses canines s'allongèrent et je retirai vivement la main.) Il se transforme. Je pense qu'il ne va pas tarder à se réveiller.

Aussitôt, nous observâmes les deux autres : une jeune Japonaise, si belle qu'elle aurait pu être mannequin, et un jeune homme quelconque d'une vingtaine d'années. Tous les deux étaient sur le point d'entrer dans mon univers. Nerveuse, je jetai un coup d'œil à Roz. Jusqu'à présent, je n'avais jamais tué l'un des miens. Je n'avais pas de doute à avoir, mais il me semblait injuste de les tuer sans leur laisser une chance.

— Tu sais très bien que sans leur sire pour les guider, dès qu'ils sortiront, ils feront un massacre. (Il donna un coup sur la table en acier inoxydable.) Nous n'avons pas le choix.

Je savais qu'il avait raison. Pourtant, par ce geste, j'avais l'impression de m'éloigner davantage de mon ancienne vie. Petit à petit, mes sœurs et moi empruntions un chemin réservé aux agents les plus endurcis de l'OIA.

Tout à coup, une idée me traversa l'esprit.

— Et s'ils allaient rejoindre leurs sires ? On devrait peut-être suivre l'un d'eux ? Il pourrait nous mener à Dredge et à son clan.

— Pour ça, il faudrait le lâcher dans la nature, répondit Roz en fronçant les sourcils. Est-ce que tu es prête à sacrifier la vie d'innocents ? Parce que, dans ce cas-là, je veux bien te laisser faire, mais tu en prendras toute la responsabilité.

Et merde, je ne voulais pas choisir ! Je pesai le pour et le contre. Si le vampire retournait auprès de Dredge, il nous mènerait tout droit au clan du sang d'Elwing. Mais que se passerait-il s'il ne s'agissait pas de Dredge ? Si les nouveaux vampires assoiffés laissaient tout simplement des corps derrière eux ? Pouvais-je miser la vie d'innocents sur cet espoir ?

Pas la peine de poser la question à Camille et Delilah. Je connaissais déjà leur réponse. Après avoir pris une grande inspiration, je me dirigeai vers l'homme des montagnes.

— Mieux vaut les embrocher avant qu'ils se réveillent, déclarai-je finalement.

J'observai le cadavre. Je savais parfaitement ce qu'il penserait en ouvrant les yeux. Les images de sa mort défileraient dans son esprit, puis, il comprendrait qu'il passerait l'éternité enfermé dans ce corps totalement mort. À ce moment-là, la soif se ferait sentir, suivie de la colère. Plus rien d'autre n'aurait d'importance.

Tout à coup, l'homme se releva, les yeux grands ouverts pour observer la pièce.

— Merde !

Remerciant mes réflexes, je fis un bon en arrière à l'instant où il essayait de m'attraper. La soif d'un nouveau vampire était si intense qu'elle décuplait sa force physique.

En une fraction de seconde, il se leva, les yeux rouge sang, et s'avança vers moi. Tandis que je me baissais pour parer son attaque, un second linge tomba pour révéler la jeune Japonaise. Pieu à la main, Roz s'approcha avec précaution.

— Fais attention, Roz. Elle est plus costaude qu'elle en a l'air !

Le son de ma voix sembla surprendre mon adversaire bien en chair. Déconcerté, il tourna la tête vers Roz.

Cependant, il ne perdit pas sa concentration et, aussitôt, la bataille commença.

Un pieu dans la main gauche, je plaçai l'autre à ma ceinture, côté pointu sur le côté, afin d'éviter tout accident. Puis, je lui fis signe d'avancer.

— Allez, mon gros. Viens me chercher.

Nu, cheveux frisés tombant sur ses épaules et yeux flamboyants, le monstre allait se jeter sur moi quand, soudain, il s'arrêta pour renifler l'air.

— Tu ne sens pas de pouls, tu as raison. C'est parce que je suis une des vôtres.

Lorsqu'il plongea vers moi, je le manquai de peu et laissai échapper un juron. Autant combattre à mains nues. Il m'attrapa par les épaules pour me plaquer au sol. Aussitôt, je me cambrai et pris appui pour me relever. Grâce à mon entraînement, mes facultés d'acrobate avaient grandi après ma mort. En fait, j'étais deux fois plus rapide que la plupart des vampires. Mon adversaire jeta un coup d'œil aux portes qui menaient hors de la morgue. S'il parvenait à les atteindre avant moi, il serait libre d'aller chasser.

— Si tu veux te nourrir, tu devras me passer sur le corps, dis-je en me plaçant d'un bond entre le vampire et la sortie.

Pendant que j'attendais son attaque, j'aperçus Roz engagé dans un combat à mort. La jeune femme… Non. Le jeune vampire essayait d'atteindre son cou.

Elle pouvait le tuer, mais la nature démoniaque de Roz le sauverait peut-être.

Le troisième corps n'avait toujours pas bougé. Pourtant, quelque chose me disait qu'il ne resterait pas longtemps ainsi. En reportant mon attention sur le tas de muscle qui me servait d'adversaire, je me rendis compte qu'il essayait de me contourner pour arriver à ses fins. Je fis alors mine de me déplacer vers la gauche pour lui faire croire qu'il avait une ouverture. Puis, au moment où il s'apprêtait à passer, je me retournai, pieu à la main, et le frappai en pleine poitrine. L'arme de bois s'enfonça profondément dans la chair.

Les bras levés, il se tourna vers moi avec un air suppliant. Il réagissait comme un animal, comme une créature affamée et apeurée. La souffrance et la confusion que je lisais dans son regard me retournèrent l'estomac. J'étais passée par là, moi aussi, et je n'aimais pas m'en souvenir. Soudain, il se changea en cendres, éclata en un nuage de fumée et de poussière. Le pieu, lui, tomba par terre.

Après l'avoir récupéré, je m'élançai vers le troisième cadavre, écartant un chariot de mon chemin. Un plateau se renversa et des instruments s'éparpillèrent sur le sol. Le bruit du métal et du verre brisé fendit l'air comme une alarme. Je sautai par-dessus le carnage pour positionner mon pieu au-dessus du corps.

Mouvement. Le dernier vampire était sur le point de se réveiller. Et merde! Je plongeai le pieu dans sa poitrine sans lui laisser le temps de se redresser. Un soupir s'échappa de ses lèvres, comme une légère brise s'engouffrant dans un coquillage vide. Puis il se décomposa en un nuage de poussière et de cendres.

Et de deux! Je me tournai vers Roz à l'instant où il donnait le coup fatal à la jeune femme. Elle laissa échapper un son strident avant de disparaître à son tour. L'incube me rejoignit.

— Ça va? me demanda-t-il.

— Oui, dis-je en haussant les épaules, mais seulement par la grâce de Dieu…

— Non. Ce n'est pas ça. Je t'ai observée te battre avec ces vampires. Tu es une battante, Menolly. C'est pour cette raison que tu as réussi à te défaire de Dredge et à sortir de la folie dans laquelle il t'avait plongée.

Comme je le regardais avec étonnement, il repoussa une mèche de cheveux qui tombait devant ses yeux.

— J'en sais plus que tu le crois. Quoi qu'il en soit, nous ne savons toujours pas où se planque le clan du sang d'Elwing. Mais nous les trouverons. Ne t'en fais pas pour ça.

— Bien sûr.

Même s'il en savait long sur moi, je n'arrivais pas encore à lui faire confiance. Pourtant… Roz semblait vouloir nous aider à tout prix. Et si Dredge était réellement impliqué dans cette affaire, nous aurions besoin de son aide. Me relevant, je retirai la poussière de mon jean et lui offris ma main pour se redresser.

— Allez, viens. Il faut dire aux autres que tout va bien et découvrir ce qui se passe avant que les choses empirent.

Sur le trajet du retour, j'interrogeai Chase.

— Qu'est-ce que tu vas dire à leurs familles? Et à celles des quatre premiers?

Il pâlit à vue d'œil.

— Officiellement, nous n'avons retrouvé aucune des personnes disparues. Je déteste ça, mais, comme toutes nos actions sont gérées par le FH-CSI, nous pouvons facilement falsifier des documents. Tous les agents qui ont enquêté au cinéma font partie du service et nous avons dit aux employés qu'un informateur de la police avait été passé à tabac. Affaire top secrète. Si l'un d'eux était surpris en train d'en parler, il pourrait aller en prison.

— Voilà un bon moyen d'utiliser ton insigne, murmura Camille, tout sourires, mais, tôt ou tard, la presse l'apprendra.

— Sûrement. Je ne peux pas surveiller tout le monde, répondit-il en levant les yeux au ciel. Tu sais aussi bien que moi que l'affaire doit demeurer secrète parce qu'elle concerne des vampires. Il n'y aura jamais de trace de l'existence de ces corps. Je déteste laisser les familles dans l'ignorance, à se demander où sont passés leurs proches, mais, pour l'instant, c'est la seule chose que l'on puisse faire pour éviter la panique générale.

— Quelqu'un les a portés disparus ? demanda Delilah.

— Pas encore, dit-il en secouant la tête. Demain, je pense. Officiellement, nous étudierons leur cas. Nous ne pourrons pas continuer à mentir longtemps. Sept morts en deux nuits ? Camille a raison : ce genre d'histoire ne reste pas longtemps secrète. Bientôt, les journalistes s'en empareront. Au mieux, on nous accusera de ne rien savoir.

Tout à coup, le portable de Delilah se mit à sonner. Elle l'attrapa et parla doucement. Au bout d'un moment, elle raccrocha, le sourire aux lèvres.

— J'ai une bonne nouvelle. J'ai fait passer le mot pour un rassemblement de la communauté surnaturelle. Visiblement, Zach, Siobhan et Wade ont fait du bon boulot : c'est demain dans la salle de réunion des V.A.

Enfin quelque chose allait dans notre sens. Néanmoins, il y avait un je-ne-sais-quoi qui me perturbait. Je me tournai vers Roz.

— Tu es déjà allé à Aladril ? lui demandai-je.

— Non, répondit-il, étonné. La cité est protégée contre les démons astraux, comme moi. J'ai essayé d'y pénétrer une fois : impossible d'en franchir les portes. Au moins, avec leur magie, ils n'ont pas besoin d'une armée pour se protéger.

Pas étonnant qu'ils ne s'inquiètent pas du conflit opposant Lethesanar et Tanaquar ! Une ville capable d'éloigner les démons par magie était plus puissante que la reine d'Y'Elestrial ou la sœur qui voulait prendre sa place.

Camille m'observa attentivement.

— Tu penses vraiment devoir y aller ? demanda-t-elle.

— Oui, répondis-je en hochant la tête. Je n'aurais pas dû repousser l'échéance. La reine Asteria nous a demandé de rencontrer Jareth. Elle semble convaincue de l'implication du clan d'Elwing dans cette affaire. C'est pour ça qu'elle nous a envoyé Roz. Alors, peut-être que ce Jareth pourra nous aider. De toute façon, nous n'avons pas d'autre piste, pas vrai ?

— Nous ne savons même pas contre qui nous nous battons, confirma-t-elle en jetant un coup d'œil à Delilah. Du moins, pas vraiment. Je crois que Menolly a raison. Il faudra partir au coucher du soleil et revenir avant l'aurore.

Demain, ça ne sera pas possible à cause du rassemblement. Pourquoi pas après-demain ? Dimanche ?

Delilah se contenta de hausser les épaules.

— Ça me va. Qu'est-ce que tu en penses ? me demanda-t-elle.

— Puisque nous ne pouvons pas faire autrement, dis-je d'un air contrarié, nous attendrons jusqu'à dimanche. Mais ne soyez pas étonnées si l'on découvre de nouveaux corps.

— Quelles sont les motivations du clan du sang d'Elwing ? intervint Chase. Je pensais que Wisteria les aiderait à se rendre dans les Royaumes Souterrains.

Je jetai un coup d'œil par la fenêtre.

— Peut-être que ce n'est pas leur but. Peut-être qu'ils veulent provoquer la zizanie.

— Ce n'est pas rassurant, lança Camille.

Chase nous déposa au bar. Pendant qu'il disait au revoir à Delilah de façon plus affectueuse, je discutai avec Roz, adossée contre un mur.

— Je te contacterai demain soir, m'informa-t-il. Je viendrai à votre petite réunion. En attendant, reste vigilante et fais attention à toi.

Lorsqu'il regarda Camille se diriger vers sa voiture, son regard s'illumina de désir.

— Souviens-toi de ce que je t'ai dit, murmurai-je. Un faux pas et je ferai en sorte que ce soit le dernier.

La tête baissée, il ricana.

— Alors tu ferais mieux de m'occuper l'esprit…

Si je n'avais pas été un vampire, il m'aurait séduite sans aucun problème. Je pouvais sentir la sensualité se dégager de ses mots, presque palpable. Les incubes étaient le sexe personnifié. Ils n'avaient jamais aucun problème à trouver des partenaires.

— Méfie-toi de tes souhaits, l'avertis-je. Crois-moi, il y a des chemins qu'il vaut mieux éviter d'emprunter, même pour un démon comme toi. À ton avis, pourquoi est-ce que je ne prends pas d'amant ?

Tandis que Roz s'éloignait, Delilah et Chase se séparèrent.

— Rentre bien.

— Je vais repasser au laboratoire chercher Sharah, répondit-il.

Après lui avoir envoyé un baiser, Delilah rejoignit Camille près de sa Lexus. Quant à moi, je regardai la voiture de Chase disparaître. Il avait l'air fatigué. Sharah aussi. Je me demandais ce que ça faisait de travailler avec des morts et des blessés toute la journée.

Faire partie des morts-vivants était complètement différent. Même si nous étions enfermés dans nos corps, nous évoluions toujours dans le monde des vivants, alors que les guérisseurs et les médecins qui travaillaient en silence auprès de ceux qui mouraient, qui soignaient les blessés et leur tenaient la main… étaient un cas à part.

Quelqu'un comme Sharah, la nièce de la reine Asteria, ne se laissait pas impressionner quand une horde de démons nous menaçait. Elle avait plus de cran que la plupart des hommes que j'avais rencontrés alors qu'il ne s'agissait même pas de son monde. Toutefois, Outremonde ne se trouvait qu'à quelques pas de la Terre. Son tour ne tarderait pas à arriver. Sans notre aide, nos deux mondes étaient perdus.

La confrontation paraissait inévitable.

À la maison, Iris nous attendait. L'air joyeux, elle agita une caméra sous notre nez.

— J'ai une merveilleuse nouvelle ! s'exclama-t-elle.

Camille se laissa tomber dans le rocking-chair.

— Crois-moi, nous en avons bien besoin, répondit-elle.

Assise sur le canapé, Delilah ôta ses chaussures.

— Je suis crevée ! Ah, au fait, j'ai été contactée pour une affaire. Ça me permettra de gagner un peu d'argent. Encore une histoire de tromperie. Il n'y a pas plus barbant, mais ça paie les factures.

Maintenant que toutes nos dépenses étaient à nos frais, nous travaillions beaucoup plus dur. C'était plus marrant lorsque l'OIA payait pour nous et que nos emplois n'étaient que des couvertures. À présent, nous nous démenions pour joindre les deux bouts. Heureusement, *Le Voyageur* et *Le Croissant Indigo* avaient tous les deux été achetés par l'OIA avant qu'ils s'en désintéressent à cause du conflit engendré par Lethesanar.

Les sourcils froncés, Iris observait Camille et Delilah.

— J'ai remarqué que vous n'aviez pas touché votre dîner. Il est encore au frigo. Quelque chose n'allait pas ?

— Non, non, répondit Camille en bâillant. Nous sommes allées retrouver Menolly au bar, alors nous n'avons pas eu le temps de manger. Mais là, tout de suite, je n'aurais rien contre une assiette de lasagnes.

— Moi non plus ! acquiesça Delilah en adressant un sourire plein d'espoir à l'esprit de maison.

— D'accord, répondit Iris avec un léger rire. Vous mangez comme des ogres, toutes les deux. Je vais aller réchauffer vos assiettes, mais avant… (Elle s'interrompit et me regarda.) Je sais que vous avez appris de mauvaises nouvelles. Je peux le lire sur votre visage. Attendez un peu avant d'en parler.

Levant la main, je secouai la tête.

— Pas un mot, c'est promis.

— Bien, répondit-elle d'un air satisfait. (Elle reprit alors sa caméra et nous fit signe de la rejoindre. Camille et Delilah protestèrent, mais Iris n'eut aucune pitié.) Ramenez vos fesses ici. Je ne me plains pas alors que je suis beaucoup plus vieille que vous. Dépêchez-vous !

Une fois que nous fûmes réunies autour d'elle, elle lança la vidéo : Maggie faisait ses premiers pas en couleur. La petite gargouille se tenait debout au bord de la table basse. Puis, un doigt à la fois, elle la lâcha. Tout en tentant de garder l'équilibre, elle avança vers la caméra, les bras grands ouverts.

On pouvait entendre Iris murmurer en fond. Après avoir fait deux pas, Maggie laissa échapper un « mouf » et tomba sur les fesses, la queue sur le côté. Quand elle se mit à pleurer, la vidéo s'arrêta. Les premiers pas de Maggie dans toute leur splendeur.

Aussitôt, Delilah applaudit tandis que Camille s'élançait vers la cuisine. Quant à moi, je pris Iris dans mes bras et la fis tournoyer. J'étais si fière de notre petite fille !

— Repose-moi tout de suite ! s'écria Iris. (Je lui obéis sur-le-champ. Lorsqu'elle utilisait ce ton, personne n'osait la contredire. Pas même moi.) Et où est-ce que tu comptes aller ? dit-elle à l'intention de Camille.

Cette dernière s'arrêta net.

—Nulle part, répondit-elle, tout sourires.

1 – 0 pour Iris.

—Tu comptais réveiller Maggie, pas vrai ? Pas question ! À cause de vous trois, la pauvre petite n'arrive pas à avoir un rythme de sommeil régulier. Il va falloir que vous vous mettiez d'accord pour que cela change. J'ai enfin réussi à l'endormir il y a une heure, alors il est hors de question de la réveiller. N'entrez pas dans ma chambre. Vous l'embrasserez demain. Quant à toi, Menolly, tu pourras aller la voir avant de te coucher mais rien de plus.

Mains sur les hanches, Iris semblait prête à se battre contre le monde entier. Lorsqu'elle était comme ça, je n'aurais voulu la contredire pour rien au monde. Après tout, nous ne connaissions pas l'étendue des pouvoirs d'une Talon-haltija. Ceux qu'elle avait partagés avec nous étaient déjà impressionnants et elle en possédait davantage.

—Iris a raison, dis-je à l'attention de Camille et Delilah. Nous devrions établir un emploi du temps. Nous aimons toutes nous occuper de Maggie, mais il faut penser un peu à elle.

Delilah attrapa son ordinateur portable, posé sur la table basse.

—Bon, faisons-le pendant qu'Iris réchauffe notre dîner.

—Parfait, répondit Iris en hochant la tête. J'ai pensé que la nouvelle vous ferait plaisir. Vous pourrez me raconter votre nuit après avoir fini votre emploi du temps. Placez-en une copie dans la cuisine pour me tenir au courant.

Lorsqu'elle sortit de la pièce, Delilah ouvrit un document Word.

— On va faire une semaine d'essai. Quand est-ce que Maggie a besoin de faire la sieste ? Vous le savez ? s'enquit-elle.

Mettant de côté toute pensée de vampires renégats et de meurtres sinistres, je m'installai à sa droite tandis que Camille se pelotonnait de l'autre côté. Nous nous regardâmes en silence, visiblement soulagées d'avoir enfin un sujet de réflexion qui n'était pas couvert de sang et n'empestait pas le démon.

Chapitre 7

Tandis qu'Iris apportait le dîner de Delilah et Camille, j'accrochai le planning convenu dans la cuisine. Puis, nous abordâmes le sujet de Roz et des trois nouvelles victimes.

— Vous ignorez la façon dont elles sont choisies ? demanda Iris en remplissant de nouveau les assiettes de mes sœurs.

Je n'aimais pas beaucoup regarder les gens manger. Ça me rappelait trop mon ancienne vie et ma gourmandise d'alors. Toutefois, je mis ma gêne de côté et secouai la tête pour répondre à l'esprit de maison.

— Non. On n'a rien appris de nouveau, sauf que les meurtres ont été perpétués du côté de Green Lake.

— Près de chez Sassy, intervint Delilah.

— C'est pour ça que je vais aller lui rendre une petite visite cette nuit, répondis-je en me laissant aller contre le dossier de la chaise, les jambes croisées.

— Tu penses qu'elle a quelque chose à se reprocher ? demanda Iris, les sourcils froncés.

À ces mots, mes sœurs relevèrent brusquement la tête. Apparemment, contrairement à moi, cette pensée ne leur avait pas effleuré l'esprit.

— Sassy n'a pas l'air du genre à se mettre hors-la-loi, répondis-je en secouant la tête, mais si… si sa nature de prédateur prenait le dessus, le sens de l'éthique qu'elle avait conservé jusque-là risquerait de s'envoler en fumée.

Camille se tourna vers moi.

— Qu'est-ce que te dit ton instinct ? s'enquit-elle.

Pendant un instant, les yeux rivés sur la table, je tâchai de rassembler mes idées.

— Mon instinct n'a rien à voir avec le vôtre, répondis-je enfin. Et les vampires aiment cacher leur vraie nature. Je ne pense pas qu'elle soit impliquée dans cette affaire, mais je ne peux pas l'affirmer à cent pour cent. Je suis persuadée qu'on se bat contre Dredge. (Lorsque je relevai la tête, je me rendis compte que Camille me dévisageait.) Tu t'inquiètes pour moi, pas vrai ?

— Non, pas du tout, bafouilla-t-elle. Ce n'est pas ce que je…

Blanche comme un linge, Delilah laissa tomber sa serviette. En soupirant, je penchai la tête en arrière pour regarder le plafond.

— C'est pas grave. Je vous assure. Je sais que vous n'êtes pas encore tout à fait à l'aise avec moi. Et vous avez raison. Je ne vous ferai jamais de mal… tant que je pense clairement. Il ne faut pas se leurrer. Je suis un démon. On ne sait jamais ce qui peut arriver.

Je sentis les larmes me monter aux yeux. Saletés d'émotions ! Je ressentais les choses différemment maintenant, mais je n'étais pas de marbre pour autant.

L'air sombre, Camille repoussa son assiette et se pencha en avant.

— Qu'est-ce que tu veux qu'on fasse, si un jour…

— Si je perds le contrôle de mon corps ? Si le prédateur à l'intérieur de moi finit par gagner la bataille ? demandai-je sans ciller. Enfoncez-moi un pieu dans le cœur. Tuez-moi. Je refuse de laisser gagner Dredge. Je refuse de ressembler à ce psychopathe. Je préfère encore rejoindre nos ancêtres que devenir un monstre.

Delilah frissonna. Ses lèvres tremblèrent. Aussitôt, Camille accourut auprès d'elle.

— Delilah, murmura-t-elle. Chérie, tout va bien. Tout ira bien.

— Ce ne sont que des hypothèses, chaton. Ne t'inquiète pas…

J'avais à peine prononcé ces mots qu'une aura dorée enveloppa ma sœur, signe qu'elle se transformait. Merde. Nous savions pourtant qu'il ne fallait pas aborder de tels sujets sans prévenir. Même si Delilah servait le seigneur de l'automne, même si, grâce à lui, elle pouvait se transformer en panthère, au fond d'elle-même, elle restait un petit chat fragile.

Lorsqu'elle leva la tête vers Camille et miaula, celle-ci lui ouvrit les bras. D'un bond, elle vint se nicher entre ses seins volumineux.

— Je ne pensais pas qu'elle réagirait comme ça, fit Camille. Sinon, je t'en aurais parlé en privé avant d'aborder le sujet en sa présence. (Une fois assise, elle laissa courir ses doigts dans les poils longs du félin et lui embrassa le sommet du crâne.) Tu as beau faire ta courageuse, tu es toujours aussi sensible. Je me fais du souci pour elle, lança-t-elle à mon encontre. Jusqu'à présent, les sbires que l'Ombre Ailée nous a envoyés, c'était de la rigolade. Comment réagira-t-elle lorsque ça deviendra sérieux ?

Je secouai la tête.

— On verra bien. Delilah s'en remettra. La marque sur son front la rend plus forte que les démons. Personne ne peut vaincre la mort… ni ses hommes de main. Que tu le veuilles ou non, notre sœur est officiellement l'épouse du seigneur des moissons. Ça lui prendra du temps, mais je te parie qu'elle deviendra plus forte que nous.

Tout au long de notre conversation, Iris était restée silencieuse. Elle s'approcha de Camille et lui prit le chat des bras. Les yeux écarquillés et rivés sur le mur, Delilah ne protesta pas lorsqu'elle l'installa contre son épaule.

— Vous êtes toutes plus fortes que vous le pensez, s'exclama Iris. De toute façon, vous n'avez pas le choix. Quoi qu'il arrive, je serai à vos côtés. Et à la réunion de demain, vous verrez que vous êtes loin d'être seules. Le bouche à oreille a bien fonctionné.

— Qu'est-ce que tu veux dire ? demandai-je.

Tout sourires, elle pencha la tête sur le côté.

— Réfléchissez. Le clan des chasseurs de la lune que tout le monde craignait a disparu. (Elle claqua des doigts.) Tous tués en l'espace d'une nuit. Et tout le monde sait qui remercier. Les gens savent également que vous êtes alliées à un dragon. Ils connaissent même le nouveau statut de Delilah. Vous ne vous rendez pas compte à quel point vous êtes célèbres ! Quand la communauté surnaturelle apprendra les desseins de l'Ombre Ailée, ils feront tout pour y survivre. Y compris vous suivre.

Après avoir dépoussiéré sa robe, Camille reprit son repas. Quant à moi, je fermai les yeux.

—Bien las est celui qui porte la couronne du roi, dis-je.

—Ne monte pas trop tôt sur ton trône, m'avertit Iris. Ceux qui voudront t'en faire descendre seront prêts à tout. Les clans ne sont pas encore formés. (Les yeux fermés, elle se rassit. L'atmosphère de la pièce se fit lourde. Installée contre sa poitrine, Delilah ronronnait.) Durant les prochains mois, la communauté surnaturelle se serrera les coudes. Les temps futurs promettent d'être difficiles. J'ai peur que les humains pensent qu'on complote contre eux. Et si c'est le cas…

—Une guerre intercommunautaire…, conclut Camille en s'asseyant aux pieds de l'esprit de maison. Iris ? Tu as des prémonitions ?

Un sourire étira les lèvres de la Talon-haltija.

—Seulement quand le besoin s'en fait sentir, murmura-t-elle. Dans le passé, j'ai fait beaucoup de choses que vous ignorez. Croyez-moi, je ne suis pas ici par hasard. (Puis, les yeux toujours clos, elle se tourna vers moi.) Tu dois te rendre à Aladril. Il t'attend. Tu comprends ?

Un frisson me parcourut, refroidissant davantage ma peau d'immortelle. L'air était chargé de magie, de la magie de la vue, de la prémonition, du vent et de la glace, dont Iris se servait avec doigté.

—Nous avons prévu d'y aller dimanche, répondis-je.

Camille posa la main sur le genou d'Iris.

—As-tu besoin de quelque chose en particulier ? demanda-t-elle.

—Ramenez-moi un cristal, dit-elle avec un soupir. Vous devrez peut-être l'acheter. Une aqualine, une pierre bleu pâle qu'on trouve seulement dans l'océan de

Wyvern. Les mines sont exploitées par des sirènes qui traitent directement avec les marchands. Vous n'aurez pas les moyens de vous l'offrir. Dites-leur que vous venez de la part d'une prêtresse d'Undutar. Ça devrait suffire.

— Undutar ? demandai-je tandis qu'Iris sortait de sa transe en clignant des yeux.

Avant que j'aie eu le temps de reposer ma question, Delilah laissa échapper un rot sonore et descendit de l'épaule d'Iris pour se diriger vers les rideaux. À mi-chemin, une aura dorée l'entoura. Secouée par des convulsions qui semblaient douloureuses, elle se mit à se transformer, mélange de chair et de fourrure, subissant les affres de notre magie familiale. Lorsqu'elle tomba enfin à genoux, en laissant échapper un « ouf », Camille accourut près d'elle.

Pendant ce temps, Iris et moi nous dévisagions. Quand j'ouvris la bouche pour parler, elle secoua la tête.

— Ne me demande rien. Pas tout de suite. Le temps n'est pas encore venu, Menolly. Même si tu me menaçais, je serais incapable de te parler de ce qui me lie à Undutar. Certains événements de mon passé doivent rester dans l'oubli…

Sa voix mourut mais un tourbillon de lumière étincelante apparut dans ses yeux. L'argent de la lune, l'indigo du crépuscule, des nuages blancs emportés par le vent.

Cependant, lorsqu'elle soupira, ils reprirent la couleur d'un ciel matinal. Je mourais d'envie d'avoir des réponses, mais je savais qu'elle ne reviendrait pas sur sa décision. Elle nous raconterait tout quand elle le voudrait. Du moins, si elle en était capable. Sans un mot, j'acquiesçai d'un hochement de tête, avant de rejoindre Camille et Delilah qui paraissait un peu désorientée.

— Tu vas mieux, chaton ? demandai-je en la regardant s'asseoir sur une chaise.

De son côté, Camille resservit une tasse de thé à tout le monde.

— Oui, répondit Delilah, le rouge aux joues. Désolée. Je pensais avoir appris à contrôler mes transformations. Visiblement, j'avais tort. Ou alors, elles deviennent aussi imprévisibles que la magie de Camille.

— Hé ! s'écria l'intéressée en posant un instant la théière. Pour ta gouverne, je me suis améliorée sur certains sorts !

— Oui, si tu prends en compte la magie de la mort. Moi, je parle de la magie de la lune, de tes capacités héréditaires, lança Delilah, tout sourires. Je n'essaie pas d'être sarcastique, Camille. Tu as l'air d'être douée pour la magie noire que Morio t'enseigne, mais, franchement, est-ce que tu as retenu le moindre sort que tu as appris étant enfant ?

Camille soupira.

— Je ne sais pas. Et je ne comprends pas pourquoi la magie de la mort me paraît si naturelle. C'est stressant mais je sais que je dois l'apprendre. Ça me paraît important. Je ne sais pas pourquoi. (Elle jeta un coup d'œil à l'horloge.) Nous avons tous besoin de sommeil. Malheureusement, Delilah et moi ne pourrons dormir que quelques heures. Menolly, nous te réveillerons avant la réunion. Nous irons ensemble.

Après m'avoir embrassée sur la joue et fait signe à Iris, elles disparurent toutes les deux dans l'escalier. Elles vivaient le jour. Moi, la nuit. Deux mondes entièrement différents, séparés par le soleil.

— Je vais chez Sassy, annonçai-je à Iris. (En me levant de mon siège, je regardai l'horloge : encore quatre heures avant l'aube. Tout le temps de mener mon enquête.) Garde la maison.

Elle me tapota la main.

— Comme d'habitude, ma belle. Sois prudente.

— Je te le promets, répondis-je avant d'attraper mes clés et mon sac.

À cette heure-ci, il fallait vingt minutes pour aller chez Sassy en voiture. Les rues de Seattle étaient désertes. Seules quelques voitures traversaient les routes mal éclairées. Sur le trottoir, la glace brillait sous la lumière des lampadaires. Le monde semblait en sourdine, étouffé par la couverture de neige qui s'était consolidée durant les derniers jours. De nouveau, je me promis de demander à Camille ce qu'elle pensait de l'hiver que nous traversions. S'il y avait quelque chose de magique derrière le froid arctique qui s'était soudain abattu sur Seattle, Iris et elle le découvriraient.

La maison de Sassy était en fait un manoir, construit sur une propriété de un hectare, entourée d'une clôture à pointes. Au portail, il y avait un interphone. Rassurée de ne pas avoir à sortir de ma voiture pour l'ouvrir moi-même, j'appuyai sur la sonnette. Le froid et le fer n'auraient pas eu le moindre effet sur moi, si je me dépêchais, mais la nuit avait été assez stressante comme ça. Je voulais que cette visite passe comme une lettre à la poste.

— Oui ?

La voix de Janet résonna. Il s'agissait de l'assistante de Sassy, qui travaillait pour elle depuis quarante ans.

— C'est Menolly. Je dois parler à Sassy. Est-ce qu'elle est là ?

Janet me connaissait. Mis à part mes sœurs, elle était la seule humaine à savoir que Sassy possédait une carte de membre du club des suceurs de sang. Apparemment, elle avait accepté la nouvelle aussi facilement que s'il s'agissait du changement du jour de débarrassage des ordures ou de soldes au supermarché du coin.

Elle avait aussi pour habitude d'économiser sa salive. Ainsi, pour seule réponse, elle m'ouvrit le portail. J'attendis de pouvoir passer sans égratigner ma voiture et avançai à 30 km/h pour éviter d'écraser un quelconque animal. La propriété Branson était recouverte de saules pleureurs, de chênes, de pins et d'arbres à lilas. Sassy avait fait un mariage réussi. À la mort de son époux, Johan, elle avait hérité d'assez d'argent pour ne plus jamais s'en soucier. Évidemment, il n'avait pas pensé qu'elle en aurait besoin pour l'éternité…

Je me garai devant le manoir à trois étages qui ressemblait à une maison coloniale, avec son porche bien distinctif. Tandis que je gravissais l'escalier, je me demandai comment Sassy entrevoyait l'avenir. Dans trente ou quarante ans, les gens s'attendront qu'elle meure. Que ferait-elle alors ? Mettrait-elle en scène sa propre mort ?

Sur la porte, le heurtoir avait la tête de Marley, comme dans *Un conte de Noël* de Charles Dickens. Sassy avait un sens de l'humour un peu particulier. Lorsque je frappai, le générique de la série *Les Monstres* retentit.

Quelques instants plus tard, Janet vint m'ouvrir.

— Bonsoir, la saluai-je avec un léger sourire.

L'assistante avait beaucoup d'influence sur Sassy. Si je la traitais avec respect, elle m'aiderait peut-être en cas de besoin.

— Bonsoir, mademoiselle Menolly, répondit-elle.

Grande, avec des cheveux aussi noirs que ceux de Blanche-Neige, et une peau presque aussi pâle que la mienne, elle s'était voûtée avec le temps. Cependant, elle ne s'était jamais plainte de douleur ou de fatigue et était toujours élégante avec son tailleur-jupe en lin.

— Mlle Sassy vous attend dans le petit salon, me dit-elle en désignant la première porte à droite.

— Merci.

Lorsque j'ouvris la porte, je fus un instant éblouie par la blancheur de la pièce, qui jurait avec le rouge brique du hall d'entrée.

Le petit salon de Sassy était aussi luxueux que l'avait été sa vie tout entière. Aucune trace de poussière sur la table lustrée. Plantes vertes luxuriantes. Tous les matins, Janet ouvrait les lourds rideaux de velours et les fenêtres qu'ils dissimulaient pour aérer la pièce.

Vêtue d'un pantalon de tailleur bleu pâle, Sassy était assise dans un fauteuil en jacquard. Comme d'habitude, elle avait coiffé ses cheveux à la perfection. Depuis quelques semaines, elle hésitait à les teindre.

« — Si ça ne me va pas, je devrais me les teindre en noir, avait-elle dit.

— Alors ne le fais pas, avais-je répondu.

— Mais le roux me manque. Je veux des cheveux comme les tiens. »

En secouant la tête, je lui avais rappelé que, vampire ou non, si elle abîmait trop ses cheveux, elle finirait chauve.

Je savais que ce n'était pas politiquement correct, mais j'étais contente d'avoir été transformée jeune et en bonne santé. Enfin, si on passait outre les petits souvenirs laissés sur mon corps par Dredge.

— Menolly! s'exclama Sassy, tout sourires, en se levant d'un bond. (Lorsqu'elle m'ouvrit les bras, je la laissai m'étreindre à contrecœur. Elle m'embrassa sur les deux joues. Ses baisers étaient légers, mais je n'aimais pas être touchée par d'autres personnes que mes sœurs et Iris.) Qu'est-ce qui t'amène?

— Est-ce que je peux? demandai-je en désignant le rocking-chair.

Ainsi, Sassy ne pourrait pas s'asseoir trop près de moi.

— Bien sûr, fais comme chez toi.

J'observai la pièce, m'arrêtant sur les tableaux et le piano à queue qui rappelaient d'anciennes richesses.

— Je me demandais si tu avais entendu quelque chose d'étrange dans la communauté vampirique, ces derniers temps.

Elle plissa les yeux.

— Qu'est-ce que tu veux dire? Il s'est passé quelque chose? demanda-t-elle.

— Il y a eu sept meurtres en une semaine. Du moins, à notre connaissance. Trois des victimes ont été retrouvées dans le coin, hier soir. Toutes tuées par des vampires. Toutes transformées.

Je guettai la moindre de ses réactions: elle avait simplement l'air choqué.

— Non, répondit-elle en portant une main à son cou. Sept ? Tu es sûre ? C'est terrible !

Je la croyais. Sassy était une bonne comédienne, mais pas suffisamment pour cacher sa culpabilité. Contrairement à beaucoup de vampires, elle avait conservé sa conscience.

— J'en suis certaine. Je les ai tuées moi-même ce soir. Je leur ai enfoncé un pieu dans le cœur avec l'aide d'un incube chasseur de primes. (Je m'arrêtai un instant avant de poursuivre.) En fait, nous pensons que les vampires qui m'ont torturée avant de me transformer ont traversé un portail vers la Terre. Dans quelle intention, je ne le sais pas encore, mais dans tous les cas ça ne présage rien de bon. Leur chef, Dredge, mon sire, est un sadique. Son plus grand plaisir est de faire souffrir les autres.

Le regard incrédule de Sassy se fit sidéré.

— Oh, mon Dieu, Menolly, tu crois qu'ils en ont après toi ?

Je me figeai. Cette pensée ne m'avait pas traversé l'esprit. Dès le début, nous avions supposé qu'ils cherchaient un moyen d'accéder aux Royaumes Souterrains, mais peut-être que nous faisions fausse route. Après tout, Wisteria avait une dent contre moi… contre nous tous. Si elle s'était alliée avec le clan du sang d'Elwing et pas un autre, c'était peut-être à des fins personnelles et non pas à cause de l'Ombre Ailée.

— Merde ! Je n'avais pas pensé à ça ! m'exclamai-je.

Sassy secoua la tête.

— Je ne connais peut-être pas toute l'histoire, mais c'est la première idée que j'ai eue. Est-ce que ton sire a des raisons de t'en vouloir ?

Je clignai des yeux.

— C'est comme si tu demandais à Hannibal Lecter s'il avait des raisons d'en vouloir à ses victimes. C'est simple… mon sire aime s'amuser avec ses jouets.

— Mais tu t'es échappée ! Tu ne fais pas partie du clan ! (Son regard me donnait l'impression qu'elle lisait en moi comme dans un livre ouvert.) Qu'est-ce qu'il t'a fait, au juste ?

Je pesai le pour et le contre. Pourrait-elle le supporter ? Même si elle était un vampire, elle avait conservé cette douceur qui la rendait si populaire auprès de ses amis.

— Tu sais, intervint-elle en se laissant aller contre le divan dans lequel elle était assise, j'ai des secrets, moi aussi. S'ils avaient été dévoilés pendant ma vie, ils auraient gâché ma place dans la société. Surtout au moment de mon adolescence, à la fin des années 1960.

Comme je ne savais pas où elle voulait en venir, je penchai la tête sur le côté d'un air curieux.

— Ah bon ?

— Oh oui, si tu savais ! répondit-elle en hochant la tête. Pour moi, les années 1960 étaient synonymes de fêtes, de clubs d'étudiants et de fin d'études. Au soulagement de mes parents, je ne me sentais pas concernée par le mécontentement des jeunes. Alors, persuadés de perfectionner mes manières en société, ils m'ont envoyée en France.

— Ça ne s'est pas passé comme ça ?

Lorsqu'elle me sourit, je compris qu'elle avait dû être magnifique dans sa jeunesse. Elle était encore très belle, mais elle avait dû l'être davantage.

— Mes parents n'ont jamais su que lors de ces deux

ans passés en France, je me suis rendu compte que je préférais… la compagnie des femmes. Grâce à une merveilleuse jeune femme, Claudine, j'ai compris que j'étais lesbienne. Pendant dix mois, nous avons vécu une relation passionnée. Puis, nous nous sommes disputées. Je ne me souviens même plus pourquoi. J'étais effondrée. Quoi qu'il en soit, après ça, j'ai fini mes études et je suis rentrée à la maison. (Elle jeta un coup d'œil aux murs et au plafond.) Quelque temps après, je suis arrivée ici.

Delilah m'avait dit que Sassy l'avait draguée, mais je pensais qu'elle s'était tournée vers les femmes après sa transformation.

— Pourtant, tu as été mariée pendant des années…

— Oh oui, répondit-elle. Johan était un homme merveilleux. Il prenait soin de moi et, en contrepartie, je présentais bien à son bras durant les soirées et les dîners d'affaires. Il s'est fait un nom dans le domaine de la médecine et a tout fait pour que je ne manque jamais de rien. Bien sûr, il a eu quelques aventures. Moi aussi. Néanmoins, nous restions discrets. Et puis, il a pris sa retraite. Trois mois après, il était mort.

Ses yeux se remplirent de larmes de sang.

— Tu l'aimais ? demandai-je, prise par son histoire.

Elle sembla y réfléchir un instant.

— Oui, je crois. Pas de manière passionnée, pas comme un amant. Je l'aimais parce qu'il était un homme bon. Il me respectait et ne m'a jamais fait honte. Quand il est mort, j'ai pensé que je pouvais enfin sortir du placard, me révéler telle que j'étais vraiment. Mais j'ai observé mes amis… Ce sont des gens merveilleux.

Cependant, ils ont des avis bien arrêtés. Je savais que si je leur disais tout, ils me quitteraient.

—Je vois.

C'était la vérité. Si ses amis l'abandonnaient, elle se retrouverait toute seule. Elle avait eu une fille qui était morte noyée et la plupart des membres de sa famille ne devaient plus être en vie.

—Au départ, ça ne m'aurait pas dérangée. De toute façon, j'avais pris la décision de changer de vie. Je comptais m'installer à Soho ou à San Francisco… Jusqu'au soir où j'ai rencontré Takiya. Il était très beau. Je pensais qu'il voulait simplement devenir mon ami. Alors, quand il m'a appelée parce qu'il se sentait seul, je l'ai invité à dîner ici. Je ne pensais pas être au menu. (Elle releva la tête et me sourit.) En fait, il était tombé amoureux de moi. Il m'a transformée en vampire pour me garder éternellement à son côté. J'étais horrifiée. L'ironie, c'est que, deux nuits plus tard, quelqu'un lui a enfoncé un pieu dans le cœur. Voilà comment je me suis encore retrouvée toute seule.

—Qui l'a tué ? m'enquis-je, même si je me doutais déjà de la réponse.

—Moi ! s'exclama-t-elle d'un air joyeux. Je venais de décider de prendre ma vie en main et il a tout gâché ! (Elle pencha la tête sur le côté pour m'observer.) Tu sais pourquoi je te raconte tout ça ?

Mon expression sidérée la fit rire.

—C'est bien ce que je pensais. J'ai deux raisons. La première, c'est que maintenant que tu connais mes secrets, tu vas pouvoir me raconter les tiens. Le partage aide à la confiance, Menolly. La seconde… je n'approuve pas la création d'autres vampires. À moins que la personne le désire ardemment, ou qu'elle soit en train de mourir et qu'elle te demande de l'aide. À moins que tu sois sûre qu'elle ne le regrettera pas. Il faut à tout prix trouver le coupable de ces attaques et l'arrêter. Vider quelqu'un de son sang est déjà grave, mais le transformer ? C'est impardonnable !

Pendant qu'elle parlait, je pouvais sentir sa force, sa volonté de bien faire. Je pris alors conscience que Sassy n'hésitait jamais à se battre pour défendre une juste cause. Après tout, elle avait tué son propre sire. Si un autre de ses « enfants » s'était trouvé dans les parages, il y aurait eu du grabuge.

— Wade et son groupe des Vampires Anonymes sont la seule chose qui me retient de prendre un bain de soleil, ajouta-t-elle. Il m'a redonné espoir. Le vampirisme existera toujours mais, avec le temps, on pourra peut-être mettre fin à la violence et aux bains de sang qu'il engendre. Faute de renier notre nature, on peut essayer de la contrôler.

Je me laissai aller en arrière. Maintenant, j'étais tout à fait persuadée qu'elle n'avait rien à voir avec le carnage.

— Je suppose que tu n'as rien entendu de suspect ?

— Le soleil va bientôt se lever. Tu ferais mieux de rentrer, me dit-elle en appuyant sur un bouton pour appeler Janet. Tout le monde sait que j'ai tué Takiya. Alors, je doute qu'on décide de me dire quoi que ce soit. Je garderai l'œil ouvert et poserai des questions autour de moi. J'ai encore quelques relations qui pourraient nous aider.

Ne voulant pas m'imposer davantage, je me dirigeai vers la porte.

— Merci, Sassy.

La main sur la poignée, je m'arrêtai. Sans regarder en arrière, je décidai qu'elle avait mérité que je lui dévoile mon secret.

— Dredge m'a torturée jusqu'à ce que je sombre dans la folie. Il m'a d'abord entaillé tout le corps avec ses ongles et de petits couteaux, à l'exception de mes mains, mes pieds et mon visage. Il a pris tout son temps. Puis, il m'a violée. J'ai cru que la froideur de son corps allait me tuer. Mais il s'est ouvert le poignet et m'a forcée à boire son sang. À mon réveil, il m'a renvoyée chez moi pour que je me nourrisse de ma famille.

Derrière moi, Sassy laissa échapper un hoquet de surprise.

— Certains secrets doivent le rester, continuai-je. Néanmoins, j'ai voulu être honnête avec toi pour que tu saches contre qui nous nous battons. Est-ce que tu es avec nous ? Est-ce que tu nous aideras si nous en avons besoin ?

— Tu peux compter sur moi, répondit-elle.

Après avoir hoché la tête, je refermai la porte derrière moi. La lumière du jour ne tarderait pas à percer à travers les nuages. Il était grand temps d'aller au lit.

Chapitre 8

Ce jour-là, à mon grand soulagement, je ne rêvai pas. Lorsque Camille me réveilla au coucher du soleil, Delilah et elle avaient déjà dîné. Iris, elle, faisait faire son rot à Maggie. J'enfilai rapidement un jean noir et un pull à col roulé rouge brique ainsi qu'une veste en jean noire pour compléter le tout. Tandis que je mettais mes bottes à talons aiguilles, Camille s'assit sur mon lit, vêtue d'un bustier moulant et d'un jupon. Elle avait l'air préoccupé.

— Quelque chose ne va pas ? demandai-je en me dirigeant vers la salle de bains.

Là, j'appliquai une touche de gloss couleur pêche sur mes lèvres, un peu d'ombre à paupières émeraude et de crayon noir pour illuminer mon regard. Je finis avec un peu de mascara.

Avant d'avoir la peau excessivement blanche, je n'avais jamais ressenti le besoin de me maquiller. Et encore, il avait fallu que je vienne sur Terre pour sauter le pas. Après une ou deux tentatives infructueuses, Camille avait décidé de prendre les choses en main. Elle était allée faire du shopping à ma place pendant les heures d'ouverture des grands magasins, jusqu'à ce que l'on trouve les produits qui me correspondaient et ne réagissaient pas à mon épiderme. À présent, en cinq minutes, je n'avais plus l'air de sortir d'une crypte. J'étais toujours bien trop pâle, mais, au moins, j'étais jolie.

Quand je revins dans la chambre, Camille soupira.

— J'ai passé l'après-midi avec Morio. Trillian nous a surpris ensemble.

— Non ?! m'exclamai-je en me retenant de rire. J'aurais voulu être une mouche pour voir ça ! Qu'est-ce qui s'est passé ?

Contrairement à Delilah, je ne résistais jamais à la tentation d'en savoir plus. « Curiosité » était mon second prénom. Bon, OK, en vérité, c'était Rosabelle, mais je ne pouvais pas m'empêcher d'enfoncer les portes entrouvertes.

Se laissant aller en arrière, Camille croisa les bras derrière sa tête et contempla le plafond.

— Morio avait commencé à se transformer et à passer aux choses sérieuses… Ses crocs et ses griffes s'étaient allongés. Avec ses yeux jaunes, on aurait dit qu'il sortait tout droit de l'enfer. Effrayant, mais terriblement sexy !

— Toi, tu n'es pas du genre à aimer la vanille, remarquai-je, tout sourires. (Alors comme ça, elle aimait coucher avec Morio sous sa forme démoniaque ? Et visiblement, ils n'en étaient pas à leur premier essai…) Continue, qu'est-ce qui s'est passé ?

— Le truc, c'est que Trillian ne m'a jamais vraiment posé de questions sur ma relation avec Morio, sauf quand je lui fais faux bond. (Elle se releva brusquement.) Tu aurais dû voir sa tête ! J'ai eu du mal à ne pas éclater de rire. J'ai cru qu'il allait avoir une attaque !

—Ah ça, il devait être énervé!

—Non, c'est bien ça le problème. Il n'était pas en colère, il… il était presque en état de choc. Je suppose qu'il ne pensait pas que je pouvais aller aussi loin. Mais quand Morio se transforme, il me transporte ailleurs, dans un autre monde. Je n'ai jamais ressenti ça.

—Trillian a menacé de le couper en petits morceaux? demandai-je.

Il adorait proférer des menaces à l'encontre du démon renard, mais nous savions qu'il ne les mettrait jamais à exécution. Du moins tant que sa place de mâle dominant n'était pas en danger.

—Pas tout à fait, répondit Camille en secouant la tête.

—Alors quel est le problème?

Ma patience commençait à s'amenuiser.

—Je ne suis pas certaine qu'il y en ait un. En fait, Trillian a demandé s'il pouvait rester pour regarder. Et sans me laisser le temps de comprendre ce qui se passait, il s'était installé sur le lit. Trillian n'est pas bi. Il n'a jamais aimé les hommes. Morio non plus, d'ailleurs. Mais c'est la première fois que j'ai ressenti autant de plaisir. Du coup, Trillian a décidé qu'un plan à trois n'était peut-être pas une mauvaise idée. Il aime me voir… heureuse.

Eh bien, je ne m'attendais pas à ça. Je m'assis à côté d'elle en position du lotus.

—Qu'est-ce que Morio en pense? demandai-je en souriant.

Ça faisait du bien de parler d'autre chose que l'Ombre Ailée, la guerre ou des massacres. Camille éclata de rire.

— Difficile à dire. Il n'hésiterait pas à tuer pour moi, mais il n'est pas possessif… Il a accueilli Trillian sans réfléchir, avoua-t-elle avec un léger sourire.

— Du moment que tu es heureuse…

— Je le suis, dit-elle. Je pense que j'ai davantage de points communs avec Père qu'avec Mère… même si je n'aurai jamais ma place dans aucun de leurs mondes.

Je secouai la tête.

— Tu as ta place dans chacun d'eux. Tu ne passes pas inaperçue, c'est tout. Delilah, en revanche, n'est pas vraiment en adéquation avec Outremonde. Elle a peut-être couché avec Zachary, mais son cœur appartient à Chase.

— Oui, répondit Camille en grimaçant. Je me demande encore comment ils ont pu se mettre ensemble. Enfin, c'est son problème. (Elle se leva et épousseta sa jupe.) Prête ? On ferait mieux d'arriver en avance. Trillian et Morio nous rejoindront là-bas, mais pas Flam, il est occupé. Je ne lui ai pas posé de questions.

Je haussai les sourcils.

— Flam te complique vraiment la vie et tu ne peux pas faire grand-chose pour y remédier.

Les dragons établissaient leurs propres règles. Celui qui en était conscient avait moins de risque de se faire dévorer.

— Comme si je ne le savais pas… Dis, tu crois qu'il nous dévoilera son vrai nom, un jour ?

— Bien sûr, dis-je en ricanant. S'il décide de nous tuer, ça lui échappera peut-être. (En réponse à son regard noir, j'ajoutai :) Réponse stupide à question stupide. Tu sais bien que les dragons veillent aussi bien sur leur nom que sur leurs trésors. Après tout, ce sont des mercenaires.

Contrairement à ce que je pensais, elle se mit à rire.

— Tu as raison, répondit-elle en se dirigeant vers l'escalier. Sauf que, parfois, ils sont trop beaux pour leur propre bien… et le nôtre.

Je la suivis en silence. Au moins, nous ne pouvions pas nous plaindre de la monotonie de la vie.

Dans le salon, Chase nous attendait. Delilah lui avait demandé de surveiller Maggie pendant notre absence et il avait accepté à contrecœur.

— Vous êtes sûres que vous n'aurez pas besoin de moi ? demanda-t-il.

— Non, Chase, dit-elle en riant. Il n'en est pas question. Nous avons promis à tout le monde qu'il n'y aurait pas d'HSP à la première réunion. S'ils ne nous font pas confiance, ce sera aussi la dernière. Je peux te le garantir. Je te raconterai tout en rentrant. Sois sage, mon cœur, dit-elle en se penchant pour l'embrasser.

Souriant, il la fit s'asseoir sur ses genoux.

— Eh ! Vous deux ! Un peu de tenue ! m'exclamai-je en amenant Maggie. (À la vue de Chase, son regard s'illumina. La gargouille l'adorait.) Tiens, charmeur, occupe-toi d'elle en nous attendant !

— OK, OK, fit-il pendant que Delilah se levait. (Il prit Maggie par le bras.) Mais ne me laissez pas ici toute la nuit, je ne suis pas doué pour jouer les baby-sitters.

— Ne me raconte pas de blague, rétorquai-je. Tu as l'air d'un parfait papa !

Chase accepta la télécommande que Delilah lui tendait pendant qu'Iris déposait des chips et des canettes de Sprite sur la table basse. Sur ses genoux, la gargouille jouait avec la peluche qu'il lui avait offerte pour Noël. Ils avaient l'air parfaitement à l'aise.

— C'est bon, vous pouvez partir ! Faites attention à vous et revenez vite ! dit-il en nous mettant dehors.

Iris monta avec moi, tandis que mes sœurs prenaient toutes les deux leur voiture. Ce serait plus pratique, au cas où nous devrions nous séparer. Alors que nous nous dirigions vers le lieu de réunion des V.A., j'écoutai le moteur de ma Jaguar ronronner dans la nuit cristalline.

Pour l'occasion, Iris avait revêtu une cape blanche par-dessus une robe bleue et ses cheveux excessivement longs avaient été tressés et relevés. Au bout d'un moment, elle prit la parole.

— Bruce m'a appelée aujourd'hui.

— Bruce ? (Il me fallut un instant pour me souvenir de la personne en question.) L'esprit que tu as rencontré au bar, l'autre nuit ?

— En fait, c'est un leprechaun. Il m'a invitée à sortir, la semaine prochaine. Je n'arrive pas à y croire ! Après trente ans, je recommence enfin à avoir une vie amoureuse.

— Pourtant, tu aurais pu t'y mettre plus tôt, remarquai-je. Henry Jeffries ne demandait que ça.

Elle grimaça.

— Henry Jeffries est un homme bien, mais je ne cherche pas un humain. Il est trop vieux pour moi. Même si, en termes d'années, je suis plus âgée que lui, je suis encore suffisamment jeune pour espérer fonder une famille. Alors qu'il… Enfin… C'est hors de question.

Je souris. Lorsque Henry, le client dévoué d'Iris, avait rassemblé son courage pour l'inviter à sortir, elle avait prétexté un mal au ventre. La deuxième fois, elle avait eu mal à la tête. La troisième, à court d'excuse, elle avait accepté d'aller au cinéma avec lui. Il s'était conduit en parfait gentleman. Elle s'était ennuyée toute la soirée. Depuis, elle ne venait plus au *Croissant Indigo* lorsqu'elle savait qu'il y serait. Un jour ou l'autre, il faudrait qu'elle mette les choses au clair.

— Tu sous-estimes ton pouvoir de séduction, ma chère.

— C'est ça, rétorqua-t-elle. Tu es consciente que vivre avec vous trois est suffisant pour faire déprimer n'importe qui ? Vous êtes tellement belles...

Après avoir enclenché mon clignotant, je m'engageai sur Baltimore Drive.

— Tu ne comprends pas, Iris. C'est vrai que la plupart des hommes nous trouvent jolies au premier abord, mais une fois qu'ils nous connaissent, soit ils prennent peur, soit ils sont déçus parce que nous ne correspondons pas à leurs fantasmes. Alors que toi, les hommes t'apprécient pour ton sourire, ton ouverture d'esprit, ta capacité à te défendre sans leur donner l'impression que tu vas les dévorer vivants... Même si tu pourrais, en vérité, ajoutai-je en pensant à son habileté à manier la casserole ou la magie. Nous y sommes, fis-je en me garant. Est-ce que Bruce sera là, ce soir ?

Elle secoua la tête.

— Non, il a rendez-vous avec la société des historiens irlandais dont il est membre.

Autrefois, le bâtiment où se réunissaient les Vampires Anonymes avait abrité une école. À l'intérieur, Wade nous attendait avec Sassy. Personne d'autre n'était arrivé pour l'instant. Ils étaient en train d'arranger la salle. Sassy avait commandé des amuse-gueules chez un traiteur. Avec tout ça, n'importe qui trouverait son bonheur. Wade me fit signe d'approcher. Je l'autorisai à me faire le baisemain.

— Menolly, je suis content de te voir. Vous aussi, les filles, dit-il à l'attention de mes sœurs et Iris qui arrivaient. Vous pouvez m'aider à disposer les chaises, s'il vous plaît ?

— OK, répondit quelqu'un.

Nous nous retournâmes pour voir Zachary Lyonnesse et Vénus, l'enfant de la lune, entrer dans la pièce, suivis par de nombreux membres de leur troupe.

— Les filles…, nous salua Zach.

Très vite, son regard se posa sur Delilah. Son désir était transparent. Chase n'était pas le seul à en pincer pour notre chaton. Raison de plus pour laisser le détective à la maison. Je n'avais aucune envie qu'ils provoquent une jouxte de testostérone au milieu des autres clans. Nous n'avions vraiment pas besoin qu'ils s'entre-tuent pour notre sœur.

Tandis que j'observais les gens derrière lui, un visage en particulier embrasa une flamme dans mon cœur. Secouée, je me figeai. Nerissa me rendit mon regard avec tout autant d'intensité.

Elle distança son groupe pour m'approcher.

— Je suis contente de te revoir, Menolly, commença-t-elle. J'ai demandé à faire partie des émissaires de notre clan, ce soir, dans l'espoir de pouvoir te parler.

Nerissa faisait une tête de plus que moi et paraissait très forte. Lorsqu'elle retira son manteau, j'observai les muscles de ses bras jouer sous sa peau fine. Évidemment, elle ne faisait pas le poids contre moi. Néanmoins, elle était sûrement capable de battre un homme imposant.

Elle hésita un instant avant de poser sa main sur mon épaule. Un frisson me parcourut l'échine. Ses yeux topaze semblaient emplis de rayons de soleil. En transe, je fis un pas en avant.

Tout à coup, plus rien n'avait d'importance à part son parfum, l'odeur de sa peau et les battements de son cœur. Je pris une inspiration pour les graver à jamais dans ma mémoire et mes poumons. Aussitôt, la soif s'empara de moi. Luisant sous la lumière artificielle, son cou semblait m'appeler. Je l'observai s'humecter les lèvres.

— Menolly ? Menolly ? Reste avec nous ! me murmura quelqu'un derrière moi.

Les yeux rouge sang, je me retournai. Wade grogna en guise de réponse et secoua la tête. Je me rendis alors compte de notre situation. Le moindre faux pas pouvait semer la panique au sein de la troupe de pumas. Aussi, je fermai les yeux et tâchai de reprendre le contrôle de mon corps, remontant lentement de l'abysse. *Et merde !* Ça aurait été tellement facile de pousser Wade pour prendre Nerissa dans mes bras, goûter son sang, déposer des baisers le long de son corps…

— Menolly, arrête ça tout de suite !

Quand les mots résonnèrent dans mon cerveau embrumé par la passion, j'ouvris lentement les yeux pour me retrouver face à une vieille femme vêtue d'une cape vert forêt et avec des dents d'acier. Elle avait plus de rides que les arbres d'anneaux.

Oh, mon Dieu ! Grand-mère Coyote ! Je ne l'avais jamais rencontrée, mais la description de Camille était largement suffisante pour la reconnaître. Mal à l'aise, je rentrai les canines. En tant que sorcière du destin, Grand-mère Coyote était capable de me rayer de la carte en claquant des doigts, sans aucune hésitation.

— Je suis désolée, je…

— Ce n'est pas sa faute, intervint Nerissa. Je l'ai provoquée.

Elle jeta un coup d'œil à Zach qui ne semblait pas comprendre la situation.

— Ça n'a aucune importance, répondit Grand-mère Coyote. N'oubliez pas où vous vous trouvez. N'oubliez pas pourquoi vous êtes là. J'attends beaucoup de cette réunion. Ne me décevez pas. (Une fois son discours terminé, elle se tourna vers Camille qui lui adressa un sourire gêné.) Alors ? Ces doigts de démon ont été utiles ?

Soupirant, je reportai mon attention sur les pumas-garous. Zach dévisageait Nerissa avec curiosité.

— Qu'est-ce qui se passe, Nerissa ?

Elle haussa les épaules.

— Je crois que je vais rester en ville après la réunion, cousin, fit-elle en me lançant un regard interrogateur.

J'hésitai. Je ne m'étais offerte à personne depuis Dredge. Il était le dernier homme, mort ou vif, à m'avoir touchée intimement. Étais-je prête pour une nouvelle relation ? La pensée des mains d'un homme sur mon corps me faisait peur. Après tout, le souvenir de celles de mon sire était encore frais. Mais peut-être qu'une femme… De plus, il y avait quelque chose de différent chez Nerissa… Pouvais-je la protéger de mon monde ? Elle me lança un baiser. Je l'apprendrais d'une manière ou d'une autre.

— Elle dort chez nous ce soir, Zach. Nerissa, je te raccompagnerai.

Sur ces paroles, je rejoignis mes sœurs qui étaient en grande conversation chuchotée avec Wade, Sassy, Grand-mère Coyote, Morio et Trillian. Quant à Iris, elle s'était postée près de la porte pour accueillir nos invités et les mettre à l'aise.

Camille s'éclaircit la voix.

— Ah, tu es là, me dit-elle d'un ton sec. Les invités commencent à arriver. Nous avons demandé aux gardes des clans les plus importants de faire respecter l'ordre… en espérant que personne ne se fasse ratatiner le museau.

La pièce se remplissait rapidement. La majorité des groupes qui avaient répondu à notre invitation avaient envoyé de nombreux émissaires. Néanmoins, leur nombre dépendait de la taille du clan et de sa position dans la communauté surnaturelle.

Avec leurs airs de Scandinaves, les pumas du mont Rainier ne passaient pas inaperçus, mais ils ne faisaient pas le poids face aux loups-garous. Fins et musclés, la plupart d'entre eux semblaient posséder du sang mongol et ils marchaient avec une arrogance raffinée que personne ne pouvait ignorer. Ils faisaient partie de la meute du mont Olympic, le clan le plus important de la région, ainsi que de celles des Loco Lobo ou de Cascadia.

Quant aux pumas-garous, il n'en existait que deux groupes : ceux du mont Rainier et d'Icicle Falls. Les membres de ce dernier étaient plus petits et plus minces et la couleur de leur peau se rapprochait de celle de Trillian. Toutefois, avec ses cheveux argentés, il ne faisait aucun doute que Trillian venait d'Outremonde. Les pumas-garous, eux, ressemblaient à la panthère en laquelle ils se transformaient.

Après s'être rapprochée de moi, le Svartan sur les talons, Camille me désigna la porte d'un geste de la main.

— Finalement, on dirait que certains ont décidé de faire leur *coming-out*.

Elle avait raison. Trois créatures, dont j'ignorais tout de la nature, venaient d'entrer. Leur look avait bien deux cents ans de retard.

— Et si nous allions accueillir nos invités ? lui dis-je.

Tandis que nous approchions, Camille laissa échapper un hoquet de surprise.

— Ce sont d'anciens Fae, Menolly ! Vraiment anciens ! Je peux le sentir d'ici.

En nous voyant arriver, la femme et les deux hommes en question se tournèrent vers nous. Leur regard brillait d'une flamme intérieure qu'il était impossible de ne pas remarquer. Je ne savais pas s'ils appartenaient à la race des Sidhe ou s'ils étaient encore plus anciens. Néanmoins, il émanait de leur aura une magie noire très puissante.

De taille moyenne, les hommes avaient les cheveux tressés et portaient une cape dorée. La femme, elle, était plus petite que moi – pas plus d'1 m 50 – et avait de longs cheveux bruns et une lune tatouée sur son front.

Elle s'inclina devant Camille.

— C'est un plaisir de vous rencontrer, sœur de la Lune, dit-elle.

L'air étonné de ma sœur se changea bientôt en excitation. Lui rendant son salut, elle lui tendit les mains.

— Bienvenue. Nous ne pensions pas que des personnes aussi importantes que vous se déplaceraient ce soir.

Comme je ne comprenais rien à la scène qui se déroulait devant moi, je m'éclaircis la voix.

— Camille ? Tu connais cette femme ? demandai-je.

— Fais attention à ce que tu dis, m'avertit-elle dans un murmure avant de reporter son attention sur le trio. Merci d'être venus. Nous avons besoin de l'aide du plus grand nombre.

— Nous n'avons pas encore accepté de nous joindre à votre cause. Nous attendrons d'en savoir plus pour vous faire part de notre décision, fit l'un des hommes en me dévisageant. Une créature de la nuit… qui est pourtant l'une des nôtres. Enfin, pas tout à fait. Vos sœurs et vous êtes originaires d'Outremonde, si je ne me trompe pas ?

Toujours sur la défensive, je hochai la tête.

— Je m'appelle Menolly D'Artigo et voici ma sœur, Camille. La blonde là-bas, c'est Delilah. Vous avez raison : nous venons bien d'Outremonde, mais notre mère était Terrienne. Et vous, qui êtes-vous ? demandai-je.

Pas question de marcher sur des œufs comme Camille. Je ne me mettrais pas à plat ventre devant eux avant de savoir qui ils étaient.

En guise de réponse, la femme m'adressa un sourire éclatant.

— Vous pouvez m'appeler Morgane. Je suis une fille de la Lune, comme votre sœur.

Morgane ? Bouche bée, je fis un pas en arrière.

— La Morgane ? m'exclamai-je.

— La seule et l'unique, répondit-elle en riant.

Mi-Fae, mi-humaine, Morgane était la sorcière la plus puissante de tous les temps. Contrairement à nous et à la majorité des métisses, elle n'avait jamais connu de courts-circuits magiques. Après la Grande Séparation, elle avait décidé de rester sur Terre où elle avait disparu derrière des légendes. Visiblement, les rumeurs s'étaient trompées. Elle paraissait aussi vivante que nous. Aussi vivante que Camille et Delilah, je voulais dire.

Je jetai un coup d'œil aux hommes.

— Et vous êtes…

— Mon neveu Mordred, même si beaucoup le prennent pour mon fils, et, dit-elle en se tournant vers le plus vieux, Arturo, mon compagnon du Châtaigner Doré.

Ses yeux avaient la même teinte violette que ceux de Camille. Il s'agissait peut-être d'une caractéristique propre aux serviteurs de la lune. Ou peut-être pas. J'observai Arturo. Même s'il avait l'air d'un HSP, il y avait quelque chose chez lui qui me déstabilisait. En revanche, il ne faisait aucun doute que Mordred possédait du sang de Fae.

La façon dont Camille contemplait Morgane lui donnait l'air d'une groupie.

— Mon tuteur m'a appris beaucoup de choses sur vous. Vous étiez la sorcière la plus puissante au monde ! Votre présence nous honore !

Morgane caressa son visage, s'attardant sur sa joue.

— Vous avez choisi de vous installer dans notre monde… Je me demande bien pourquoi ?

Sa question semblait innocente, pourtant elle déclencha une alarme à l'intérieur de moi.

— Nous avons nos raisons, dis-je avant que Camille ait eu le temps de répondre. Nous voulions en apprendre davantage sur le peuple de notre mère. Nous voulions nous rapprocher d'elle. (Un gros mensonge, bien sûr, mais ce sentiment de gêne ne disparaissait pas.) Alors, pourquoi êtes-vous venus ce soir ?

Stoïque, Morgane me dévisageait. Elle n'avait sans doute pas avalé mon histoire.

— Il est temps de réveiller les grands pouvoirs, temps de récupérer ce qui nous appartient, répondit-elle.

Réveiller les grands pouvoirs… Récupérer ce qui nous appartient… Tout ça n'avait pas l'air très amical. Je me tournai vers Morgane.

— Et par grands pouvoirs, vous voulez parler de… ?

— Merlin ? s'écria Camille avec un hoquet de surprise. Vous cherchez Merlin ? Il est toujours en vie ?

Lorsque Morgane haussa les épaules, son glamour se dissipa. Tout à coup, elle parut fatiguée, au bout du rouleau.

— Oui. Nous sommes à sa recherche. Nous espérions que vous auriez entendu quelque chose à son sujet. J'ignore s'il est toujours en vie, mais, avec l'aide d'Arturo et de Mordred, je fais mon possible pour le retrouver. Si la grotte de cristal existe toujours, nous ferons tout pour le réveiller. Ainsi que la Dame du Lac.

— Vous projetez de faire sortir Avalon des brumes ? demandai-je.

Pensaient-ils posséder la puissance nécessaire ? Quelle était, au juste, l'étendue de leur pouvoir ?

— Non, répondit Morgane en secouant la tête, l'air désabusé. Avalon s'est égaré bien trop loin de ce monde. Et si mon bien-aimé Arthur se réveillait, il ne parviendrait pas à s'adapter à la vie moderne. Cependant, nous pouvons peut-être appeler nos anciens alliés à travers le voile.

—Ne comptez pas sur Titania. Nous l'avons rencontrée, marmonna Camille.

—Ne la jugez pas trop rapidement, intervint Morgane en levant la tête. Elle a perdu son statut de reine, ça n'a pas dû être facile.

Elle observa la salle. Jusqu'à présent, personne d'autre que nous ne l'avait remarquée. Je compris qu'elle avait seulement baissé le degré de son glamour à notre attention.

Je haussai les épaules.

—Quel est votre but ? demandai-je. Vous avez dit vouloir récupérer ce qui vous appartient. De quoi parlez-vous ?

Camille m'adressa un regard noir. Je savais que je frisais l'impolitesse, mais ça m'était égal. Humains ou Fae, j'aimais qu'on soit clair avec moi.

La sorcière se tapota le nez.

—Vous le saurez en temps voulu. En attendant, si vous entendez parler de Merlin, contactez-nous.

—Et comment ferons-nous ? Vous allez rester dans les parages ? rétorquai-je.

S'ils comptaient s'installer ici, nous devrions garder un œil sur eux.

—Excusez ma sœur, intervint Camille d'un air agacé. Elle a oublié ses manières en mourant.

—Ça n'a pas d'importance, répondit Morgane. Nous resterons en contact, faites-moi confiance. (Elle jeta un coup d'œil autour d'elle.) Votre réunion ne va pas tarder à commencer. Nous allons vous laisser. Vous n'aurez peut-être pas de nos nouvelles avant longtemps, mais n'essayez pas de nous trouver. Les corneilles et les corbeaux vous transmettront nos messages. (Elle s'interrompit pour caresser de nouveau la joue de Camille.) Ne laissez personne, reprit-elle en m'adressant un regard assassin, vous faire tirer de conclusions hâtives.

Puis, sans nous laisser le temps de répondre, ils se dirigèrent vers la sortie, comme un seul homme.

Lorsqu'ils disparurent, je m'éclaircis la voix.

— Qu'est-ce que tu penses de tout ça ? demandai-je.

— Je ne sais pas, fit Camille en ricanant, mais tu as joué ton rôle d'emmerdeuse à la perfection. Enfin, je dois admettre qu'ils ne nous ont pas dit grand-chose. Je me demande où elle était pendant toutes ces années. Cependant, elle est en meilleure forme que Titania.

— Il y a un truc qui me gêne dans cette rencontre. Tu es certaine qu'elle est bien qui elle prétend être ? Qu'elle ne nous mène pas en bateau ?

— Pour être honnête, répondit-elle avec un soupir, même si je suis stupéfaite, je n'en suis pas sûre. Allons poser la question à Grand-mère Coyote.

Sans me laisser le temps de protester, elle me tira par le bras de l'autre côté de la pièce.

Je réussis à apercevoir quelques membres de la tribu de la Route bleue, des ours-garous, entrer avant de me retrouver de nouveau devant la sorcière du destin. Elle s'était assise dans un coin pour observer la salle se remplir. Aussitôt, Camille l'informa de notre rencontre avec Morgane.

—Nous voudrions savoir s'il s'agissait bien d'elle et ce qu'elle veut de nous.

Grand-mère Coyote nous fit signe de nous asseoir. À ses pieds. Camille se laissa tomber par terre et je l'imitai. Ne jamais désobéir à une sorcière du destin.

Avant de prendre la parole, elle vérifia que personne ne nous écoutait.

—C'était bien Morgane. Souvenez-vous de ceci : toutes les mains tendues ne sont pas bonnes à prendre, même si elles ne sont pas démoniaques. Très peu sont ceux qui peuvent rivaliser avec elle, mais elle a une grande soif de pouvoir. C'est cette soif qui l'a menée à sa perte dans le passé. Pourtant, je doute qu'elle ait compris la leçon.

Au moins, Grand-mère Coyote ne parlait pas en devinettes aujourd'hui. Fronçant les sourcils, je me demandai ce qu'allait nous coûter ce petit bijou d'information. Avec les sorcières du destin, tout avait un prix.

—Nous ne devons pas lui faire confiance ? s'enquit Camille qui avait baissé la tête, l'air dépité.

Grand-mère Coyote me regarda dans les yeux.

—Il y a très peu de personnes à qui vous pouvez accorder votre confiance en ce monde. Les meilleurs d'entre nous peuvent céder à la pression. Plus grand sera le nombre de personnes connaissant vos secrets et plus grand sera le risque de trahison. C'est pour cela que je suis ici ce soir. Un conseil : réfléchissez à deux fois avant de parler de l'Ombre Ailée. Si vous leur jetez Humpty Dumpty au visage, vous ne récolterez que des œufs brisés.

Sur ces paroles, elle se leva et se dirigea vers le buffet. Camille et moi restâmes assises à nous dévisager.

— Je suis désolée, lui dis-je. Ce n'est pas ce que tu voulais entendre.

— Mon tuteur considérait Morgane comme une héroïne. J'ai l'impression que l'un de mes modèles est tombé de son piédestal. Je me demande ce qu'elle veut dire par « récupérer ce qui est à elle ». Si elle s'amuse à réveiller d'anciens pouvoirs, on ferait mieux de garder l'œil ouvert pour découvrir ce qu'elle essaie d'accomplir. (Elle frappa par terre avant de se relever.) Putain, je déteste ça. Il y a trop de variables, trop de facteurs inconnus en jeu.

— Peut-être qu'elle ne trouvera pas Merlin. Ou peut-être qu'elle ne restera pas ici. Après tout, Merlin ne risque pas de se cacher dans les parages, fis-je. (Une pensée terrifiante me traversa l'esprit.) Tu ne crois pas qu'elle soit au courant pour les sceaux spirituels, pas vrai ? Qu'elle veuille les utiliser dans son propre intérêt ?

Quelqu'un comme Morgane ne se contenterait pas du second rôle. Si elle était à leur recherche, elle ne les partagerait avec personne.

Camille m'adressa un regard inquiet.

— Je n'y avais pas pensé ! Comme si nous n'avions pas assez de soucis !

— N'y pense pas pour le moment. Il faut qu'on parle aux autres de notre discussion avec Grand-mère Coyote. Je commence à me demander si ce rassemblement était une bonne idée, finalement, marmonnai-je.

— Moi aussi, dit Camille en hochant la tête.

À ce moment-là, la sorcière du destin réapparut avec une assiette en carton Harry Potter remplie de biscuits.

— Une dernière chose, les filles.

Si elle nous annonçait encore une mauvaise nouvelle, je rentrais à la maison sur-le-champ. Mais, contrairement à ce que j'attendais, elle nous adressa un grand sourire qui aurait fait frissonner Dredge en personne.

— Le paiement pour mes conseils…

Camille tiqua. La dernière fois qu'elle avait sollicité l'aide de Grand-mère Coyote, elle avait dû jouer à coupe-coupe avec les doigts d'un démon pour les lui rapporter.

— Qu'est-ce que vous voulez, vieille sorcière ? rétorquai-je.

Cette soirée commençait à me taper sur les nerfs. À côté de moi, Camille eut un hoquet de surprise. La sorcière du destin, elle, se contenta de rire.

— Je t'aime bien, mais fais attention quand même…, répondit-elle sur un ton d'avertissement. Je vais te confier une mission délicate.

— Avec Camille ? Ou seulement moi ?

Ce n'était pas juste ! Camille avait posé toutes les questions ! Malheureusement, l'équité n'était pas monnaie courante dans le monde des immortels. Pas question pour moi de rechigner. Je l'avais déjà assez énervée. Avancer dans le terrain de jeu des dieux demandait un bon équilibre ainsi qu'un bon timing. Je n'étais pas certaine d'être assez diplomate.

— Toutes les deux, mais c'est toi qui auras la plus grosse part. Camille devra simplement te guider.

Oh, non. Je jetai un regard inquiet à ma sœur.

— Ça ne présage rien de bon, dis-je. Qu'est-ce qui va se passer ?

Grand-mère Coyote expira longuement et bruyamment avant de plisser les yeux, creusant un peu plus ses pattes d'oie.

— Menolly, tu vas devoir accomplir quelque chose que tu as juré de ne jamais faire. Quand l'heure viendra, tu sauras de quoi je voulais parler, mais tu essaieras de te dérober. Pourtant, même si l'idée te révulse, tu ne dois pas fuir ! Tout un destin dépend de cet acte… ou de son absence. Ne me déçois pas. Si tu te défiles, tu bouleverseras l'équilibre.

Avant que j'aie eu le temps de lui demander des précisions, elle disparut comme une volute de fumée à la lumière du soleil.

Je clignai des yeux.

— Le contrôle est en train de nous échapper.

— Désolée de te dire ça, dit Camille en secouant la tête, mais nous avons perdu le contrôle le jour où nous avons accepté cette mission de l'OIA. (Elle jeta un coup d'œil vers le devant de la salle.) Viens, il faut changer nos plans pour la soirée… et trouver quelque chose pour les remplacer en moins de dix minutes.

Pendant qu'elle se dirigeait vers l'estrade où Wade discutait avec Delilah et Sassy, je ne pus m'empêcher de penser que nous avions mis en route une énorme machine des plus dangereuses.

Chapitre 9

Trillian et Wade nous regardèrent comme si nous étions folles.

— Vous voulez qu'on annule la réunion ? s'exclama Delilah. Écoutez, la salle est pleine de garous, vampires et autres créatures dont la plupart ne s'aiment pas. Vous voulez vraiment qu'on leur dise qu'ils se sont déplacés pour du thé et des petits gâteaux ?

— Qu'est-ce qu'il y a ? demanda Trillian après s'être rapproché de Camille pour passer un bras autour de sa taille.

— Je n'ai jamais parlé d'annuler la réunion… Seulement, on a un problème, dis-je en désignant la foule d'un mouvement de tête. Grand-mère Coyote ne veut pas qu'on leur parle de l'Ombre Ailée, et je n'ai pas particulièrement envie de lui désobéir, surtout quand on sait que cette information ne m'a pas été gratuite.

— Et ce n'est pas tout, continua Camille. Morgane et Mordred nous ont rendu une petite visite…

— Attends une minute, l'interrompit Trillian. Tu es en train de dire que Morgane était présente dans cette pièce ? Morgane Le Fay ?

Lorsqu'il se retourna, il paraissait tellement intéressé que ma sœur lui donna un coup dans le ventre.

— Elle est déjà partie, lui dit-elle. Ne t'emballe pas trop vite. Apparemment, elle et ses hommes sont à la recherche de Merlin. Nous ne savons pas pourquoi, mais, d'après Morgane, il s'agit de récupérer ce qui leur revient de droit.

— Allez savoir..., repris-je. Le problème, c'est que Grand-mère Coyote nous a conseillé de nous méfier d'eux. Morgane prépare quelque chose. Il va falloir être prudents en sa présence.

Je laissai échapper un soupir d'agacement. Avant même d'avoir commencé, l'affaire tournait au cauchemar. Wade, qui jusqu'à présent était resté silencieux, s'éclaircit la voix.

— Vous faites confiance à cette femme coyote? demanda-t-il.

— Ce n'est pas une femme, c'est une sorcière du destin. Elle veille sur les fils du destin. De temps en temps, quand le besoin s'en fait sentir, elle intervient pour rétablir l'équilibre, expliqua Camille en se grattant le menton. Crois-moi, il vaut mieux appliquer ses conseils à la lettre. Elle n'offre pas ses services à n'importe qui et ils sont loin d'être gratuits.

— Camille a raison, intervint Morio après nous avoir écoutés sans bruit. Si tu ne tiens pas compte de ce que dit Grand-mère Coyote, c'est à tes risques et périls. Même si elle n'en a pas l'air, elle est de notre côté. J'ai une idée pour nous sortir de ce pétrin. Je peux? demanda-t-il en désignant l'estrade.

Wade s'éclaircit de nouveau la voix.

— Vas-y, je n'ai aucune idée.

Après avoir vérifié que personne ne s'opposait à lui, Morio monta sur l'estrade pendant que nous nous asseyions de part et d'autre du pupitre. À côté de moi, Camille retenait son souffle. Elle se demandait sûrement ce que le *yokai* allait sortir de sa boîte à malices.

Morio leva une main.

— Asseyez-vous, s'il vous plaît. Nous sommes prêts à commencer.

Chacun trouva une chaise et, en un instant, le silence se fit dans la pièce. L'air semblait chargé d'appréhension.

— Merci de vous être déplacés et de soutenir nos efforts pour réunir une grande partie de la communauté surnaturelle locale. Nous sommes reconnaissants de votre attention. (Il attendit que les applaudissements s'arrêtent avant de continuer.) Je m'appelle Morio. Je suis un *yokai-kitsune* et voici Camille, Delilah et Menolly qui viennent d'Outremonde, ainsi que votre hôte, Wade Stevens, fondateur des Vampires Anonymes. Ensemble, nous espérons former des ponts à travers la communauté surnaturelle, en partie à cause d'événements tragiques qui ont eu lieu ces derniers jours.

Ces mots réussirent à capter l'attention de tous. Les murmures se firent plus discrets. Morio me fit signe de le rejoindre.

— Parle-leur des massacres, me dit-il à l'oreille.

Même si je ne savais pas où il voulait en venir, je décidai de lui faire confiance et pris place devant le micro.

— Je m'appelle Menolly D'Artigo. Je suis propriétaire du bar *Le Voyageur*. Nous avons organisé cette rencontre parce que nous avons besoin de votre aide.

Ces derniers jours, plusieurs vampires ont assassiné des humains. Non contents de les tuer, ils les ont également transformés. Il ne s'agit pas seulement d'un problème pour la communauté humaine. Après tout, ces vampires pourraient très bien s'en prendre à des garous ou toute autre créature surnaturelle.

Un grondement traversa la pièce. Au moins, j'avais réussi à attirer leur attention. Je m'éclaircis la voix avant de continuer :

— Il est clair que nous ne pouvons pas en parler au grand public. Pour l'instant, nous pensons qu'il est préférable qu'aucun humain ne soit mis au courant, mis à part ceux qui travaillent à la brigade Fées-Humains du CSI. Si nous vous avons contactés ce soir, c'est dans l'espoir de créer un réseau qui nous permettrait de maintenir l'ordre.

Le brouhaha qui régnait dans la salle ressemblait au bourdonnement d'un essaim d'abeilles. En Outremonde, ce que je venais de dire tombait sous le sens. Visiblement, les créatures surnaturelles terriennes avaient beaucoup à apprendre. Ce n'était pas surprenant, sachant que la majorité se cachait encore.

Camille me rejoignit sur l'estrade.

— Ma sœur a raison. Nous devons arrêter de fermer les yeux sur ceux qui enfreignent nos règles, qu'ils soient vampires, garous ou de toute autre race. En créant un réseau, nous arriverons peut-être à défendre les innocents, humains ou non, des organisations racistes et des psychopathes.

Lorsque le silence se prolongea, je me rendis compte à quel point le sujet était sensible. Mais si nous menions notre projet à bien, lorsque nous leur parlerions des démons, ils seraient prêts à prendre les armes.

Au bout d'un moment, Brett, un habitué des réunions des V.A., se leva.

— Je comprends que personne ne veuille moucharder, mais si l'on touche à l'un des nôtres, on touche à la communauté tout entière. Je pense qu'il est de notre devoir de prendre en chasse les fauteurs de troubles. (Il tenta de toucher le public.) Si nous laissons des renégats briser nos règles, nous sommes tous perdants. Il y a très longtemps, les chefs de tous les clans ont signé des traités et des accords en secret. Ensemble, ils ont juré de les respecter. C'était peine perdue, si l'on décide aujourd'hui de fermer les yeux sur ceux qui nous défient !

À ces mots, Vénus, l'enfant de la lune, se leva. Tous les regards se tournèrent vers lui. Tout le monde sans exception savait qui il était et connaissait sa force et sa sagesse.

Delilah s'approcha de lui avec le micro.

— Je suis autorisé à prêter serment au nom de la troupe de pumas du mont Rainier, dit le chaman. Les sœurs D'Artigo et leurs amis ont soulevé un problème des plus graves. Je n'ai pas besoin d'en entendre davantage. Ce soir, je certifie que la troupe du mont Rainier aidera à l'édification d'une véritable communauté surnaturelle. Nous sommes vos alliés.

Le chaman cracha dans sa main et la tendit à Delilah. Ma sœur fit de même avant de la serrer avec force.

Aussitôt, le shérif de la meute de loups du mont Olympic l'imita. Puis, ce fut au tour du clan de Sell-shyr, un groupe de vampires, propriétaire du club *Le Sang fier*. Deux émissaires d'une famille de Fae terrienne, les nymphes du vignoble, apportèrent également leur soutien. Quant à la tribu de la Route bleue et à la meute Loco Lobo, ils acceptèrent d'en parler à leurs anciens et de nous contacter la semaine suivante.

— Comment ça va se passer ? demanda un membre de la meute Loco Lobo. Qui prendra les décisions importantes ?

Morio reprit sa place sur l'estrade.

— Nous ne nous sommes pas encore mis d'accord sur les détails. Nous espérons pouvoir former un conseil avec les groupes concernés. Dans l'idéal, grâce à notre réseau, si un groupe a des ennuis, tout le monde serait au courant dans les deux heures suivantes. Ce n'est qu'en nous serrant les coudes que nous arriverons à protéger nos droits. Aujourd'hui, les humains savent que nous existons. Nul doute que de plus en plus de mouvements de protestation, comme les anges de la liberté, se formeront pour nous destituer de ces droits.

De nouveau, un murmure parcourut la salle. Bien joué ! Il suffisait de menacer leur sécurité pour qu'ils nous prennent au sérieux. Morio avait la tête sur les épaules. Visiblement, le démon renard avait plus de ressources que nous le pensions.

Un membre de la tribu de la Route bleue leva la main. Delilah s'approcha d'elle.

— Donnez votre nom avant de poser votre question ou de faire un commentaire, s'il vous plaît.

Grande et imposante, la femme prit le micro en main.

— Je m'appelle Orinya, de la tribu de la Route bleue. Vous soulevez un point important. Nos demi-frères sont les premiers hommes à avoir foulé cette terre et pourtant, ils ont été massacrés comme du bétail. Aujourd'hui, même si on leur a rendu leurs droits, le préjudice demeure trop grand pour pouvoir être réparé. Nous devons agir tout de suite pour que cela ne nous arrive pas.

Un autre homme leva la main. Bien bâti, il avait une voix rauque et portait une veste en cuir sur un jean troué. Delilah le rejoignit.

— Je m'appelle Trey. Je fais partie de la meute du mont Olympic. Je reconnais que le problème nous concerne tous… mais comment faire pour agir sans causer la panique ? Les humains sont déjà assez peureux comme ça. Regardez les chiens de garde ou les anges de la liberté ! Leurs revendications deviennent de plus en plus scandaleuses ! À mon avis, il ne tardera pas à y avoir un mort dans une confrontation avec un humain et à partir de là, c'est la guerre assurée !

Je tapai l'épaule de Morio pour attirer son attention.

— Est-ce que je peux répondre à cette question ? demandai-je.

Quand il me laissa sa place, je m'emparai du micro.

— À ce sujet, nous pensons qu'en nous organisant en réseau dès maintenant, nous pourrons plaider notre cause auprès de ceux qui votent les lois. Notre première mission pourrait être de découvrir si l'un des nôtres ne se cache pas parmi les sénateurs ou nos représentants. Si nous arrivions à les faire sortir du placard et à obtenir leur soutien, ça serait un très bon début.

Comme je l'espérais, ma suggestion fit sensation. Aussitôt, une dizaine de mains se levèrent. Je me tournai vers Wade.

— Est-ce que tu peux faire passer une feuille pour que les personnes intéressées nous le fassent savoir ?

En deux minutes, il m'avait obéi et nos invités apposaient leur signature sur le document qui circulait.

Comme personne ne nous fournit de renseignement sur les attaques des vampires, nous continuâmes à répondre aux questions. Lorsque la réunion toucha à sa fin, nous avions assez de volontaires pour créer plusieurs comités d'action dont un chargé d'inciter les créatures surnaturelles à nous rejoindre. Wade avait également accepté d'organiser une nouvelle réunion le mois suivant pour parler de nos avancées. La seule chose qui nous manquait, c'était une piste pour trouver les vampires hors-la-loi.

Tandis que je me frayais un chemin à travers la foule, j'aperçus Roz, appuyé contre un mur. Je m'approchai de lui.

— Je suis surprise de te voir ici.

En guise de réponse, il me fit un clin d'œil.

— Tu n'as pas trouvé de réponses à tes questions, pas vrai ?

— Non, répondis-je en secouant la tête.

— Ne sois pas trop déçue. Personne ici n'est capable de pister le clan d'Elwing. Dredge est bien trop habile pour ça. Tu le sais mieux que n'importe qui, ma chère… (Lorsqu'il se pencha pour me murmurer à l'oreille, ses lèvres effleurèrent ma peau.) N'essaie jamais d'oublier Dredge et ce qu'il t'a fait. Si tu es trop sûre de toi ou si tu ne te fies pas à ton expérience, il te retrouvera et te tuera. Je ne prétends pas savoir pourquoi il te cherche, mais je sais que c'est le cas. C'est une évidence. Dredge arrive toujours à ses fins.

— N'en sois pas si sûr, dis-je en frissonnant. (L'énergie de Roz m'enveloppait comme une cape de sensualité. Je me surpris à y répondre, me penchant en avant pour sentir son pouls, la chaleur qui émanait de lui par vagues.) Dredge m'a déjà eue. Il ne me touchera plus jamais, même si, pour ça, je dois moi-même me transpercer le cœur avec un pieu. Je le ferai sans hésiter.

— Et si on le tuait plutôt lui ? fit Roz avec un éclat de rire rauque. (Il m'effleura le menton pour me faire relever la tête. Son souffle me chatouilla l'oreille.) Tu es une battante, pas une victime, Menolly. Ne te reproche pas ce qui s'est passé. Ne le laisse pas gagner. Tu vaux mieux que ça.

Je m'humectai les lèvres. Même si ma soif pour lui me tiraillait, ma réaction m'effrayait. Heureusement, quelqu'un nous interrompit et je reculai vivement.

— Excusez-moi, je ne voulais pas vous déranger, dit Brett en jetant des regards inquiets en direction de l'incube.

— Qu'y a-t-il ? demandai-je, tandis que je reprenais mon calme.

— Ce que tu as dit tout à l'heure ? À propos des nouveaux vampires ?

Vu son air gêné, j'étais sûre qu'il savait quelque chose. Retour aux choses sérieuses. Après m'être éclairci la voix, je le menai jusqu'à des chaises libres. Malgré ma tentative pour l'en dissuader, Roz nous suivit. Je m'assis et invitai Brett à faire de même.

— Si tu as quelque chose à me dire, n'hésite surtout pas. Ils sont dangereux et s'attaquent à des innocents.

Sur la chaise, Brett sembla se dégonfler comme un ballon.

— La nuit dernière, pendant que je patrouillais sur les toits, j'ai entendu quelque chose. C'était une femme qui pleurait. J'ai suivi sa voix en pensant qu'elle avait des ennuis.

— Qu'est-ce que tu as découvert ? demandai-je.

Malgré sa timidité, Brett adorait raconter ses exploits. Il me suffisait de l'inciter à parler lentement pour arriver à mes fins.

— J'étais sur Phinney Avenue dans mon costume de Bat-Vamp lorsque…

— Bat-Vamp ? nous interrompit Roz en le regardant de la tête aux pieds.

— Brett est fan de *comics*, expliquai-je. Quand il a compris qu'il avait été transformé en vampire, il a décidé de se créer une identité secrète. Il se fait appeler Bat-Vamp et chaque nuit, il patrouille dans la ville à la recherche de personnes en danger.

Je tâchai de ne laisser transparaître aucune émotion sur mon visage. La situation pouvait sembler ridicule, mais Brett était très sérieux. Pendant sa vie, il avait toujours été attentionné. Dans un sens, la mort lui avait offert ce dont il avait toujours rêvé : un rôle de héros. Le nom et le costume ridicules n'avaient pas d'importance : il essayait de changer le monde.

Roz comprit mes sentiments.

— Vraiment ? Tu as déjà sauvé des gens ? demanda-t-il.

— Je n'aime pas me vanter, répondit-il en hochant la tête, mais j'ai sauvé trois femmes qui allaient se faire violer. Et la semaine dernière j'ai aidé un homme dans un accident de voiture. Je suis resté avec lui pour qu'il reste éveillé en attendant les secours. Je me suis échappé avant qu'ils arrivent.

— Brett se nourrit sur les pervers et les bandits, comme moi. Il soutient les Vampires Anonymes et le combat de Wade. (Je me tournai vers Brett.) Bref, parle-nous de ce que tu as vu.

— C'était à côté du zoo de Woodland. J'ai suivi les cris de la femme jusqu'au parking. D'après ses vêtements, elle travaillait sûrement là. Elle se tenait à côté de sa voiture, sur le point de rentrer chez elle. Un vampire essayait de l'immobiliser au sol.

— C'est pas vrai ! Qu'est-ce que tu as fait ?

— Je lui ai fait lâcher prise, bien sûr ! Vous auriez dû voir son air étonné ! J'ai réussi à le retenir pendant qu'elle s'échappait. Malheureusement, il s'est libéré. Je l'ai perdu dans une des attractions. (Il ne tenait pas en place.) Quelque chose ne tournait pas rond, Menolly. Je n'étais pas sûr de quoi il s'agissait jusqu'à ce que je voie ça. (Il me montra la photo des quatre premières victimes.) Le vampire... C'était ce gars-là. J'en suis persuadé.

— David Barnes. Tu es sûr ?

Avant de se relever, les victimes avaient été prises en photo. Puis, contre l'avis de Chase, j'en avais fait des photocopies pour les distribuer.

— Oui. Et si vous voulez mon avis, il n'avait pas l'intention de se contenter de quelques gorgées. Il s'apprêtait à la tuer, dit-il en fronçant les sourcils.

Roz s'éclaircit la voix.

— Tu penses qu'elle aurait pu aller à la police ?

Je haussai les épaules.

— Je ne sais pas. Elle n'avait aucun moyen de savoir qu'il s'agissait d'un vampire. Elle a peut-être cru qu'un bon samaritain l'avait sauvée d'un violeur. Je vais demander à Chase de vérifier les fichiers de la police en rentrant.

— Rien d'autre ne me vient à l'esprit, reprit Brett. J'espère que ça pourra vous aider.

— Merci beaucoup, répondis-je. Si tu vois autre chose, appelle-moi, OK?

— Je suis content d'avoir pu être utile, dit-il, rayonnant. J'ai eu raison de t'en parler. Si tu as besoin de quelqu'un pour patrouiller, je suis ton homme!

Je lui touchai légèrement l'épaule. La plupart des vampires n'aimaient pas le contact physique. Pour nous, se toucher l'épaule, c'était comme se prendre dans les bras.

— Ne change rien à tes habitudes, Brett, mais sois prudent. Dans ce monde, il y a des dangers bien plus grands que tu l'imagines. Tu n'arriveras pas toujours à leur faire peur.

Ne sachant pas si je devais mentionner Dredge, je m'interrompis. Je n'en avais pas parlé dans mon petit discours. Pourquoi le faire maintenant? Après tout, si Brett croisait le chemin de mon sire, Dredge s'en servirait pour nettoyer par terre comme une serpillière.

— Reste sur tes gardes et ne joue pas au héros, sauf si tu n'as pas le choix. On reste en contact.

Tandis qu'il s'éloignait, je reportai mon attention vers Roz.

— Ce zoo se trouve dans la région de Green Lake. Je te parie que Dredge et ses sbires se terrent dans le coin.

— J'irai en reconnaissance ce soir, fit Roz. Pas la peine de me faire les recommandations d'usage. Je les connais.

Après m'avoir lancé un baiser, il se dirigea vers la sortie. Pendant que je le regardais partir, Camille me rejoignit.

— Qu'est-ce que tu sais à son sujet, Menolly ?

— Pas grand-chose, répondis-je en secouant la tête. C'est un mercenaire qui a pris Dredge pour cible. Sa haine ne trompe pas. (Ma sœur m'adressa un regard empli de curiosité. Pas question de subir un interrogatoire.) Viens, nos invités s'en vont. On ferait mieux de mettre un peu d'ordre. J'aimerais repasser au *Voyageur* avant le lever du jour.

À peine avions-nous commencé à plier les chaises que le téléphone de Camille sonna. Elle jeta un coup d'œil à l'affichage du numéro.

— C'est Tim, dit-elle en haussant les sourcils. Cleo. Je vais répondre, il n'appelle jamais aussi tard.

Pendant qu'elle s'éloignait pour parler, je continuai à nettoyer. Tim Winthrop, aussi connu sous le nom de Cleo Blanco, son *alter ego*, était un ami à nous. Étudiant en informatique le jour, sosie féminin le soir, il était intelligent, drôle et plein de ressources. Jason, son petit copain, lui avait mis un énorme caillou au doigt. Leur mariage était prévu pour l'été prochain. En plus de tout ça, Tim s'occupait avec Delilah de la programmation de la base de données des créatures surnaturelles qui servirait à notre propre version de l'OIA.

— Fils de pute ! s'écria tout à coup Camille.

Delilah se retourna vivement.

— Qu'est-ce qu'il y a ? demanda-t-elle, mais Camille la fit taire d'un signe de la main.

L'air grave, elle écoutait attentivement ce que son interlocuteur lui disait. Elle semblait sur le point de vomir.

— On arrive tout de suite. Mets-toi à l'abri et ne sors pas jusqu'à ce qu'on te le dise. Je crierai… euh… « Poupée dans les bois ! » d'accord ?… C'est ça, ne sors pas avant de m'avoir entendue dire « Poupée dans les bois ». On te rejoint le plus vite possible, Tim. Attends-nous. Tout va bien se passer, je te le promets. (Elle raccrocha.) Laissez tout en place. On nettoiera plus tard.

— Qu'est-ce qui s'est passé ? demandai-je en laissant tomber la chaise que je tenais.

Peu importait de quoi il s'agissait. Si Camille en avait peur, ça ne pouvait pas être bon. Comme elle s'était déjà mise en route, nous nous pressâmes pour la rattraper.

Pendant que nous nous rendions à nos voitures, elle nous raconta ce qui s'était passé.

— Après sa représentation, Tim est allé boire un verre au *Voyageur* avec Erin. Puis ils sont repassés à sa boutique avant d'aller au cinéma. Tim se changeait dans la réserve lorsqu'il a entendu Erin crier. Il s'est précipité dans la boutique. Un groupe de vampires était en train de l'enlever. Heureusement, il a réussi à se cacher dans un placard sans qu'ils s'aperçoivent de sa présence. Il s'y trouve toujours.

Merde ! Erin Mathews était propriétaire de *La Courtisane Écarlate,* ainsi que présidente du fan club local des Fae outremondiennes. Elle était également la première fan de Tim et une amie proche de Camille.

Lorsqu'elle eut fini son récit, ma sœur avait presque atteint sa voiture. Je regardai autour de moi pour voir qui nous avait suivies. Wade, Iris et Nerissa se dirigeaient vers moi, tandis que Zachary s'approchait de la Jeep de Delilah. Trillian et Morio, eux, étaient sur les talons de

Camille. Celle-ci nous ouvrit la route dans sa Lexus, silencieuse dans la nuit emplie de givre.

— Tu penses qu'Erin est encore en vie ? me demanda Iris.

— Tout dépend de son agresseur. S'il s'agit de Dredge...

Une pensée m'avait traversé l'esprit. Je n'avais vraiment pas envie d'y croire. Dredge était ici, dissimulé dans l'ombre. Si Roz avait raison et que mon sire s'employait à faire de ma vie un enfer, quoi de plus logique que s'en prendre à mes amis ? Tim et Erin avaient bu un verre au *Voyageur* avant de retourner à *La Courtisane Écarlate*. Là-bas, tout le monde connaissait nos relations. Si Dredge les espionnait, il lui aurait été facile de les suivre jusqu'à la boutique d'Erin.

— Tu penses que c'est l'œuvre de ton sire ? siffla Wade.

J'émis un léger grognement.

— Ne l'appelle pas comme ça ! Je refuse de reconnaître le moindre lien de parenté avec ce salopard !

— Tu dois faire face à la réalité, Menolly, me dit-il. Nier ce lien ne t'aidera pas. Au contraire, ça deviendra un obstacle.

— Qu'est-ce que ça a à foutre avec tout ça ?

Je n'aimais pas montrer cette partie de ma personnalité à Nerissa. Elle était assise à l'arrière, à côté d'Iris.

— Réfléchis une minute. Je te parie que votre lien de sang lui permet de te suivre à la trace. Tu n'as pas compris que, tant que ce lien existera, tu seras reliée à Dredge ? (Wade me dévisagea.) L'OIA ne t'a jamais parlé de ça ?

Tandis que j'appuyais sur l'accélérateur, je me mordis les lèvres. Comment avais-je pu être aussi stupide ? Il était évident que Dredge pouvait me retrouver grâce à son statut de sire !

Wade s'éclaircit la voix.

— Tu vas bien ?

— Non, je ne vais pas bien ! Ce salaud tient peut-être une de mes amies. Une HSP en plus de ça. Je connais les douleurs que Dredge peut infliger au corps et à l'âme. Ça a bien failli me détruire. S'il décide de la torturer, Erin n'y survivra pas. Et s'il la transforme, nous n'aurons d'autre choix que de la tuer parce qu'elle ne pensera qu'à se nourrir. Que crois-tu que je ressente, en sachant que je devrai peut-être enfoncer un pieu dans le cœur d'une amie qui n'aurait jamais dû être mêlée à ce merdier ?

Nerissa se pencha en avant.

— Je ne veux pas vous interrompre, mais s'il est si terrible que ça, pourquoi l'OIA l'a-t-elle laissé en vie ? Pourquoi est-ce qu'elle ne l'a pas exilé dans les Royaumes Souterrains ?

— Toi, tu as parlé avec Zachary. Ce mec devrait apprendre à tourner sept fois sa langue dans sa bouche avant de raconter n'importe quoi à n'importe qui, rétorquai-je en prenant une grande inspiration. Désolée. Je ne devrais pas m'en prendre à toi. Laisse-moi t'expliquer. L'OIA voulait le déporter. Alors, ils m'ont désignée pour rassembler des preuves.

Les larmes aux yeux, je m'interrompis. Le sang était plus salé que les larmes. Pleurer était douloureux.

— Tu n'es pas obligée de continuer, me dit-elle.

— Non. Tu as le droit de savoir dans quoi tu t'impliques. Si tu le désires, je te déposerai en lieu sûr et tu pourras rentrer chez toi. Dredge n'a pas été exilé, parce que j'ai échoué dans ma mission. Il m'a attrapée. Il m'a torturée. Il m'a violée. Il m'a tuée et m'a transformée en vampire. Lorsque l'OIA a appris ce qui s'était passé, Dredge et ses sbires avaient disparu.

— Quand est-ce que tu as recouvré tes esprits ?

— Ça ne devrait plus tarder maintenant, lançai-je avec un sourire froid. J'ai bon espoir.

Son rire était empreint de tristesse.

— Oh, Menolly…

— Plus sérieusement… Tout va bien, maintenant. Je me suis adaptée à la situation. Mais, pendant un an, j'ai cru devenir folle et je n'ai pas été très utile à l'OIA. Tu ne peux pas ouvrir un procès sans coupable ni victime. Tu ne peux pas exiler quelqu'un que tu n'as pas attrapé. À partir de ce moment-là, Dredge et le clan d'Elwing sont devenus nomades et l'organisation n'a pas voulu mettre en danger un autre agent. Quant à moi, j'ai refusé d'y retourner. Tu connais la suite.

— Ne t'arrête pas, me dit-elle rapidement. Nous devons nous rendre à la boutique de ton amie le plus vite possible. Je veux y aller avec vous.

Je jetai un coup d'œil dans le rétroviseur. Comme je n'avais pas de reflet, Nerissa ne pouvait pas me voir mais moi, je la voyais parfaitement, les yeux rivés sur ma nuque. L'expression de son visage trahissait son désir et je pouvais sentir le doux parfum de sa chaleur intime.

Wade me dévisagea avant de se tourner vers Nerissa. Puis, un grand sourire étira ses lèvres : le *geek* sexy dans toute sa splendeur. Lorsqu'il me fit un clin d'œil, je me rendis compte que ses canines s'étaient allongées.

— Pas un mot, murmurai-je si doucement que même le puma-garou n'entendit pas.

C'était comme chuchoter des paroles de fumée qui se dissipaient au moment où je les prononçais. Wade me fit un autre clin d'œil.

— Tu as gagné le gros lot, murmura-t-il à son tour. Partante pour un plan à trois ?

— Dans tes rêves, Psy-boy ! répondis-je, tout sourires.

Visiblement, je n'étais pas la seule à réprimer ce que je ressentais. Même s'il était fidèle à sa morale, Wade sublimait tant le prédateur qu'il était voué à perdre le contrôle un jour ou l'autre. Pour le bien de toute la communauté vampirique, j'espérais secrètement qu'il s'en prendrait à sa mère.

— Je me contenterai d'en rêver, alors…

Cette fois-ci, je ne relevai pas. Nous devions nous concentrer sur Dredge qui avait sauté à pieds joints dans l'ombre et l'avait fait sienne, si bien qu'à présent son être tout entier empestait les abysses.

Après avoir enclenché mon clignotant, je rattrapai Camille. Delilah était juste derrière. Nous étions arrivées à *La Courtisane Écarlate*. À cette heure de la nuit, il y avait de la place partout. Je me garai et coupai le moteur de la voiture.

Iris se pencha en avant.

— Menolly ? Est-ce que ça pourrait avoir un rapport avec ce que Grand-mère Coyote t'a demandé de faire ? s'enquit-elle.

Encore une claque. Merde. Est-ce que je dormais ?

— Putain, putain, putain, putain ! fis-je en sortant de ma Jaguar. (Allais-je tuer Erin ? Est-ce que Camille allait devoir me persuader d'abréger les souffrances de son amie ?) Les dieux piétinent nos tombes, ce soir, marmonnai-je avant de me diriger vers la porte. Quand viendra l'heure de combattre l'Ombre Ailée, nous serons des démons, nous aussi.

Soudain, l'ironie de mes paroles me frappa. J'éclatai d'un rire rauque. J'étais déjà un démon. Je faisais déjà partie du camp adverse. La différence, c'était que j'avais fait le choix de rester à l'écart du feu des Enfers. Tandis que nous suivions Camille et ses garçons, j'évitai le regard inquisiteur d'Iris.

Après avoir ouvert la porte comme une tornade, Camille et Morio se tinrent prêts à utiliser leur magie, pendant que Trillian sortait ses couteaux à dents de scie. Nous fouillâmes aussitôt le magasin. Morio, lui, jeta un sort pour faire tomber toute illusion. Rien. Au bout de quelques minutes, quand nous fûmes certains qu'il n'y avait pas de danger, Camille cria le mot de passe pour faire sortir Tim de sa cachette.

Avec son jean et son gros pull, il était à des années-lumière de Marilyn Monroe, son rôle de prédilection. Ses cheveux bruns avaient bouclé en poussant et il lui restait un peu de maquillage sur le visage, mais ce qui me frappa fut la peur que je lus dans ses yeux.

— Elle est partie… Ils l'ont enlevée. Je n'ai pas pu les en empêcher. Je savais que si j'essayais…

— Chut, murmura Camille, tandis que Delilah le serrait dans ses bras et déposait un baiser sur son front.

Il posa la tête sur son épaule, l'air fatigué et traumatisé.

— Est-ce que tu as entendu quelque chose, Tim ? demandai-je. Est-ce qu'ils ont parlé de l'endroit où ils l'emmenaient ? Combien étaient-ils ? De quoi avaient-ils l'air ? Je sais que tu es sous le choc, mais tu dois nous dire tout ce dont tu te souviens.

En le voyant ainsi, je m'en voulais de le presser. Néanmoins, plus tôt nous les prendrions en chasse, mieux ce serait.

Nerissa remarqua la présence d'un four à microondes, ainsi que de sachets de thé et d'un paquet d'Oreos. Aussitôt, elle fit chauffer de l'eau. Deux minutes plus tard, elle offrait un thé à la menthe et des biscuits à Tim.

— Vous êtes en état de choc. Tenez, la menthe et le sucre vous feront du bien.

Pendant ce temps, Wade essayait de trouver une odeur qui pourrait nous aider. Camille et Morio, eux, s'étaient retirés dans un coin de la pièce, les mains jointes. Je les entendais chuchoter.

— Respire profondément, dit Morio. Concentre-toi… Les vampires évoluent dans le royaume des morts. On peut les atteindre grâce au sort pour appeler les créatures de l'ombre que je t'ai appris la semaine dernière. Normalement, si on laisse tomber la dernière strophe, ils ne viendront pas à nous. Avec un peu de chance, nous découvrirons où ils se trouvent. Sers-toi de la magie de la lune, si tu t'en sens capable.

— Je vais essayer, répondit Camille. Si j'arrive à matérialiser une flèche d'argent, elle nous servira peut-être de boussole.

Je jetai un coup d'œil à Delilah qui avait également entendu leur conversation. Nous savions que Morio enseignait la magie de la mort à Camille. Cependant, je ne pus m'empêcher de me demander à quel point elle se liait à lui. Morio était de notre côté. Grand-mère Coyote avait été catégorique. Mais je le soupçonnais de nous cacher des choses. Magie sexuelle, magie de la mort… Quelle sorte de *yokai* était-il vraiment ?

Lorsque Delilah secoua la tête, je décidai de ne rien dire. Le moment et le lieu étaient mal choisis pour en discuter. Nous avions beaucoup à faire. Aussi, je me retournai vers Tim qui s'accrochait à sa tasse comme à un bouclier. Il frissonna en levant les yeux vers moi.

— Tu m'as posé une question ? me dit-il, l'air hagard.

Si nous voulions en tirer quelque chose, il faudrait lui mâcher le travail. L'envie de nous aider ne lui manquait pas. Seulement, l'épuisement l'empêchait de faire quoi que ce soit de son propre chef.

— Commençons par ce que tu as vu. Raconte-nous tous les détails.

Iris s'empara d'un bloc-notes et d'un stylo. Même si elle avait une mémoire photographique, mieux valait ne pas prendre de risques.

Tim inspira profondément.

— J'étais en train de me changer dans la réserve, lorsque j'ai entendu Erin crier. Comme j'étais nu, j'ai pris le temps d'enfiler mon pantalon. Quand j'ai passé la tête par la porte qui donne sur la boutique, j'ai aperçu trois hommes. Ils tenaient Erin qui se débattait. Puis, l'un d'eux a levé la main vers son visage et elle s'est arrêtée de bouger, comme si elle ne se rendait pas compte de ce qui se passait.

—Qu'est-ce qui te fait dire que c'étaient des vampires ?

Je me raccrochais à l'espoir qu'un groupe de HSP s'en était pris à elle pour la voler. Les chances étaient maigres, mais, dans ce cas-là, la délivrer serait plus facile.

En quelques mots, Tim brisa mes illusions.

—Ils se tenaient devant le grand miroir, là-bas. (Il désigna un miroir à trois faces, qui trônait dans la partie principale de la boutique.) Je n'y ai vu qu'Erin. Aucun des hommes ne possédait de reflet. Est-ce qu'il existe d'autres créatures avec cette caractéristique ?

Les yeux fermés, je fouillai les confins de ma mémoire.

—Peut-être… quelques esprits, mais… Non, Tim. Tu as sûrement raison. Ce sont bien des vampires qui l'ont kidnappée. Est-ce que tu peux me les décrire ? Tu as parlé de trois hommes. Tu es sûr qu'il n'y avait pas de femme parmi eux ?

Les quatre nouveaux vampires découverts au théâtre étaient deux hommes et deux femmes. À moins qu'ils aient laissé tomber les femmes pour un autre homme, il ne s'agissait sans doute pas d'eux. En règle générale, les vampires transformés en même temps avaient tendance à rester ensemble.

Fronçant les sourcils, Tim essaya de reconstituer la scène dans son esprit. Erin était son amie la plus proche. Il souffrait le martyre. En fait, la douleur s'échappait de lui comme de l'huile de moteur, brûlée et épaisse. Je le soupçonnais également de se sentir coupable de s'être caché sans essayer de l'aider. Parfois, le choix le plus sensé ne semblait pas le meilleur.

— Celui qui la tenait était petit et massif… Il avait une coupe à la brosse. Le deuxième semblait… je ne sais pas… normal. Comme s'il était à l'aise dans le monde actuel. En revanche, le troisième m'a terrifié.

Mon regard croisa le sien. J'y lus de la peur à l'état pur. Pas besoin d'en savoir davantage.

— Laisse-moi deviner : il était grand, avec de longs cheveux noirs bouclés ? Il était mal rasé et portait du cuir ? Tu as eu l'impression de voir le diable ?

Les yeux écarquillés, Tim hocha la tête.

— Oui, comment tu le sais ?

— Est-ce qu'il a dit quelque chose ?

J'avais l'estomac au bord des lèvres.

— Deux mots. « Emmenez-la. » Il est démoniaque, Menolly. Il m'a fait tellement peur que j'ai failli faire dans mon froc. Je voulais aider Erin, mais… j'ai senti qu'il me dévorerait tout cru. Alors, j'ai perdu tous mes moyens et je me suis caché. Merde, je me suis caché ! Je n'ai rien fait du tout !

Laissant à Delilah le soin de le réconforter, je me relevai. Dredge retenait Erin. Du moins, pour l'instant. Ce ne pouvait être que lui. Il se nourrissait de la peur de ses victimes. Il suffisait de croiser son regard pour signer son arrêt de mort. À ce moment-là, on avait déjà perdu la bataille et la torture commençait…

— *Comment tu t'appelles ?* (Sa voix me coupe comme une lame. Froide comme la glace. Je sais que ni les larmes, ni mes supplications ne l'empêcheront de faire ce qu'il veut de moi.) Dis-moi ton nom…

Même si je suis consciente que je ne dois pas le faire, je ne peux résister à son ordre.

— Menolly, murmurai-je. Menolly D'Artigo.

Avec un sourire sombre, Dredge se penche vers moi. Il fait glisser son ongle sur ma joue et s'arrête avant de briser ma chair.

— Eh bien, Menolly D'Artigo. Je suis sur le point de te faire atteindre le plus haut des sommets. Et quand on y sera, je te pousserai dans les abysses et je te regarderai tomber, encore et encore.

D'un coup vif, il déchire ma tunique. Je sens mes tétons durcir au contact de l'air froid. Soudain, autour de nous, j'entends des rires étouffés. Nous avons un public. Des sifflements et des suggestions me parviennent alors, mais Dredge les repousse d'un signe de la main.

— Patience. Nous avons tout le temps.

Après s'être penché vers moi, il fait courir sa langue de ma poitrine jusqu'à mon ventre. Même si je n'ai pas envie de répondre à ses assauts, je tremble, en colère contre ce corps qui me trahit. La chaleur qui s'insinue dans mon bas-ventre me coupe le souffle. Dredge semble trouver ça très drôle.

— Tu aimes ? Bien. Qu'est-ce que tu dis de ça ?

Il fait craquer les doigts de ses mains, puis, avant que j'aie pu remarquer quoi que ce soit, ses ongles m'entaillent le ventre en plusieurs endroits. Surprise par la douleur, je laisse échapper un cri étouffé. Mon assaillant frissonne de plaisir. Il se nourrit de ma peine.

— Tu peux crier aussi fort que tu le veux, il n'y a personne pour t'entendre. Personne pour te sauver.

Encore des coupures qu'il recouvre ensuite d'eau salée. Je tente de ne pas crier pendant qu'il trace diverses formes sur mon corps, puis les asperge d'eau salée. À la dixième entaille, autour de mes seins, je me mets à crier. À la treizième, je n'arrive plus à parler de manière cohérente. À la centième, la véritable torture commence…

— Menolly ? Menolly ? Tu vas bien ? demanda Delilah en posant une main sur mon épaule.

Je sursautai. Elle recula vivement. Secouant la tête, j'essayai de m'éclaircir les idées. Pas le temps de me perdre dans mes souvenirs. Dredge tenait Erin. Si nous n'arrivions pas à la délivrer à temps, elle était perdue.

— Désolée… Je réfléchissais. (Delilah se tourna vers Camille qui tenait une flèche d'argent façonnée dans le clair de lune.) Est-ce que ton sort a marché ? lui demandai-je, en faisant semblant de ne pas avoir remarqué leur échange silencieux.

Secouant la tête, elle pâlit.

— Non. Nous n'avons aucun indice.

— Il nous reste cinq heures avant le lever du soleil. Nous allons commencer par ratisser la ville…

La sonnerie du portable de Delilah m'interrompit.

— Chase, murmura-t-elle à notre encontre, avant de décrocher. (Pitié, faites que tout aille bien à la maison ! Avec un peu de chance, les dieux entendraient mes supplications. Delilah raccrocha.) Il faut qu'on rentre. Chase a reçu un appel de Sharah. Il y a eu quatre nouvelles victimes. Le FH-CSI est intervenu avant la police. Ils ne se sont pas encore réveillés, mais nous savons que ce n'est qu'une question de temps.

Je jetai un coup d'œil à Tim.

— Tim, nous devons y aller. Nous devons les tuer avant qu'ils se relèvent et blessent quelqu'un d'autre. Nous n'avons pas le choix.

— Chase ne peut pas s'en occuper ? Erin est avec ce monstre...

— Je sais. Si je connaissais un moyen de la rejoindre, j'irais sur-le-champ, mais ce n'est pas le cas. Je te promets de faire tout ce qui est en mon pouvoir pour la retrouver. Pour l'instant, Camille et Morio vont te reconduire chez toi. (Je me tournai vers eux.) En chemin, essayez de trouver un moyen de localiser Erin.

Même s'ils étaient persuadés de ne rien pouvoir y faire, j'espérais qu'ils joueraient le jeu. Tim avait besoin de se raccrocher à cet espoir. Moi, je devais me rendre à la morgue pour empaler des buveurs de sang.

— Il reste des sorts que nous pouvons essayer à la maison, reconnut Camille. Viens, Tim. Menolly, tu y vas toute seule ?

J'observai Wade et Nerissa, un instant.

— Non. Emmenez Nerissa et Iris avec vous. Trillian, rejoins-moi à la morgue avec Chase. Delilah, Wade et moi vous y attendront.

Je n'aimais pas placer Delilah en danger, mais elle se débrouillait mieux au combat que Camille.

La situation allait de mal en pis et j'avais le sentiment qu'elle ne s'arrangerait pas durant les prochains mois. Malheureusement, comme nous étions en première ligne, nous n'avions pas le luxe de battre en retraite.

Tandis que nous sortions de la boutique, mes pensées se dirigèrent de nouveau vers Erin. Une vague de nausée m'envahit. Quoi qu'il puisse lui arriver, j'espérais que ce serait rapide. Toutefois, au fond de mon cœur, je savais que Dredge n'aurait jamais de pitié pour personne.

CHAPITRE 10

— Morio, prends Nerissa et Iris avec toi. Je me charge de Camille et Tim, lança Trillian.

Aussitôt, Camille passa un bras autour de la taille de Tim et le guida vers la porte. Puis, elle se retourna vers nous.

— Soyez prudents.

J'observai Nerissa leur tenir la porte, avant de reporter mon attention sur Delilah.

— Va à la morgue avec Wade en premier, lui dis-je. Je vous rejoins là-bas. Et surtout, ne jouez pas aux héros. Attendez-moi pour entrer. Wade ! l'interpellai-je. Nous avons besoin de pieux. Tu en as sous la main ?

Il ricana.

— Comme si je me baladais avec ce genre de choses…, rétorqua-t-il.

— Eh bien moi, oui !

La voix du nouvel arrivant me fit sursauter. Je me retournai vivement. Roz.

— Tu nous espionnais ? lui demandai-je d'un ton accusateur.

— Pas exactement. Je suis allé au zoo comme prévu, puis j'ai suivi ta… trace jusqu'ici.

L'air gêné, il jouait avec la ceinture de son long manteau.

— Ma trace ? On peut me tracer ?

Une trace était l'équivalent d'un GPS. En général, elle était apposée par un sorcier. Si j'en possédais une, ça voulait dire que quelqu'un m'avait lancé un sort pour savoir où je me trouvais à tout moment. Qui diable aurait pu faire ça ?

Roz cligna des yeux, visiblement surpris.

— Tu ne le savais pas ? me demanda-t-il.

— Si c'était le cas, rétorquai-je en fronçant les sourcils, la trace et son concepteur auraient disparu depuis longtemps.

Wade m'effleura le bras.

— Nous n'avons pas le temps de faire des recherches là-dessus. Il faut s'occuper des nouveaux vampires avant qu'ils se réveillent.

— Il a raison, intervint Delilah. Tu pourras demander à Camille et Morio d'en découvrir davantage tout à l'heure. Pour l'instant, il faut y aller. Chase ne va pas tarder à se rendre à la morgue et je ne veux pas qu'il y soit tout seul. Sharah non plus. Si les vampires ouvrent les yeux avant notre arrivée, elle est foutue.

Ils avaient tous les deux raison.

— Viens avec nous, dis-je à l'attention de Roz.

Tandis que Wade montait dans la Jeep de Delilah, l'incube prit place dans ma Jaguar.

— Il faudra qu'on parle, tout à l'heure, lui dis-je. Dredge a capturé une de nos amies. Une humaine. Ton aide ne sera pas de trop.

— Qu'est-ce que tu m'offres en échange ?

Il tourna la tête vers la vitre pour observer le défilé indistinct de bâtiments sombres et de lumières incandescentes. Je ne répondis pas. Tandis que j'appuyai sur la pédale de l'accélérateur, je repensai à la trace. Était-ce l'œuvre de Dredge ? Ça n'avait aucun sens. Il n'en avait pas besoin pour me trouver.

— Est-ce que tu as placé cette trace sur moi ? Dis-moi la vérité. De toute façon, Camille et Morio le découvriront bien assez tôt.

Roz ne prit même pas la peine de se retourner.

— Non. La trace était déjà là. Je me suis contenté de la suivre.

— Alors, tu sais qui l'a créée ? Dredge ?

J'avais le sentiment qu'il en savait plus qu'il voulait bien l'admettre.

— Je n'en sais pas plus que toi, mais si je devais prendre position, je te répondrais « non ». Ton sire n'en a pas besoin. À mon avis, c'est l'œuvre de la reine Asteria pour vous venir en aide à tout moment.

La reine Asteria ? L'idée ne m'avait pas traversé l'esprit. Pourtant, ça tombait sous le sens !

— Tu as sûrement raison. Elle est très protectrice et elle sait que nous sommes en danger. De plus, déposer des démons à ses pieds, comme nous l'avons fait, ne l'a sûrement pas rassurée, dis-je en jetant un coup d'œil à Roz. Je suis sûre qu'elle t'en a parlé, alors n'aborde pas le sujet. Je n'ai pas envie de penser à Luc le Terrible et ses sbires.

Quand il éclata d'un rire rauque, je pris conscience que je me trouvais en présence d'un autre démon qui, comme moi, évoluait dans l'obscurité et les flammes.

— Je n'en avais pas l'intention, répondit-il. Tout ce qui m'intéresse, c'est de trouver Dredge et de le tuer.

Je m'engageai sur la colline qui menait à la morgue, suivie de près par Delilah.

— Qu'est-ce que tu feras après ?

— Je continuerai à faire ce que je fais de mieux, je suppose, répondit-il. Séduire. Rien d'autre ne me vient à l'esprit.

— Tu n'as jamais pensé à utiliser tes talents pour la bonne cause ?

Roz était d'une grande aide. Nous avions encore beaucoup à apprendre à son sujet, mais il pourrait devenir un allié très puissant dans notre combat contre l'Ombre Ailée.

— Non, mais je suis ouvert à toute proposition…, répondit-il en fouillant dans son sac. J'ai sept pieux. Ça devrait suffire. Du moins, je l'espère.

— Trois nouvelles victimes. Trois nouveaux tas de poussière sur le carrelage. Je me demande si c'est l'œuvre des femmes de la première vague. Après tout, les hommes étaient occupés à kidnapper Erin.

Il me semblait étrange que personne n'ait remarqué la présence des sbires de Dredge dans le coin. Après tout, ils devaient être aussi reconnaissables que lui… Pourtant, ceux qui l'avaient aidé à enlever Erin étaient des nouveau-nés. Que se passait-il, à la fin ?

— Tu penses qu'il essaie de former un clan ici ? demanda Roz en fronçant les sourcils. S'il arrive à en constituer un assez grand, il possédera une petite armée. Peut-être qu'il compte prendre le contrôle de cette partie de la ville. (Il s'interrompit pour me laisser le temps de répondre, mais, avant que j'aie pu dire quoi que ce soit, il désigna le parc d'un geste de la main :) Il se passe quelque chose là-bas. Je le sens.

Il avait raison. Ça ne présageait rien de bon. L'odeur du sang était si forte dans l'air qu'on pouvait la sentir à travers les fenêtres fermées. Aussitôt, j'arrêtai la voiture et en sortis sans dire un mot. Roz me suivit. Quand j'entendis Delilah freiner vivement avec sa Jeep, je pénétrais déjà dans le parc censé embellir le quartier.

Tandis que mes talons claquaient contre la route goudronnée, mes canines s'allongèrent. Une odeur de vampires emplissait l'air : ce mélange de sang, de danger et de soif ne trompait pas.

Peuplé de pins, d'érables et de saules pleureurs, le parc ne s'étendait que sur un pâté de maisons. Je m'enfonçais dans la nuit en me fiant à mon odorat. Soudain, j'entendis quelqu'un respirer difficilement.

Rectification. Il ne s'agissait pas d'une seule personne, mais de plusieurs ! Je me précipitai à l'intérieur d'une clairière invisible depuis la rue. Là, j'y découvris notre gang du cinéma qui semblait prendre du bon temps. Deux femmes étaient allongées par terre avec un vampire penché sur chacune d'elles. Les deux buveuses de sang, elles, retenaient un jeune homme d'environ quinze ans. Il avait déjà été mordu et cessa de se débattre sous mes yeux.

— Le maître nous a ordonné de les lui ramener, cette fois ! cria une des femmes quand elle m'aperçut. On s'en va !

— Qu'est-ce qu'on fait d'elle ? demanda un homme.

Il s'appelait Bob. Je l'avais vu sur les photos de la morgue.

— Laisse-la. Dredge a dit qu'il s'en occuperait personnellement.

Tandis qu'ils s'enfuyaient avec leurs victimes sur l'épaule, je m'élançai vers eux.

— Suis-les ! criai-je à l'attention de Roz, tout en évitant les branches et les pierres qui se mettaient en travers de mon chemin.

Ils étaient rapides, mais je l'étais davantage. Bientôt, je réussis à me retrouver derrière Bob, qui avait du mal à transporter sa victime rondelette.

Feulant, il se retourna vers moi. J'en profitai pour l'attaquer, arrachant son tee-shirt et lui laissant une balafre dans le dos. Lorsqu'il laissa tomber le corps de la femme, j'entendis quelque chose se briser. Pas le temps de m'inquiéter pour elle. Elle était sûrement déjà morte.

Alors, Bob écarta les bras, prêt à me faire face, les canines dehors et les yeux rouges. Grognant, je me jetai sur lui pour le faire tomber. J'étais plus vieille que lui, j'avais plus d'expérience et beaucoup moins de scrupules. Quand il tenta de se relever, je lui ouvris la gorge d'un coup d'ongle.

— Attrape ! m'interpella Roz en me lançant un pieu que j'attrapai en plein vol. (Cependant, une fois devant ma victime, j'hésitai.) Qu'est-ce que tu attends ? cria-t-il. Tue-le ! Tue-le avant qu'il se relève !

— Non ! Il est vivant et il connaît Dredge ! Il peut peut-être nous dire où il se trouve.

En gardant un œil sur les vampires qui s'éloignaient, Roz s'accroupit à côté de moi. Il n'avait pas réussi à les rattraper.

— Ils apprennent vite. Ils savent que Dredge est le seul à pouvoir les protéger. Tous les autres échouent et les laissent tomber.

— Tu as tout compris. C'est comme ça qu'il s'y prend, répondis-je. Hé, tu n'as pas du fil d'argent sur toi, par hasard ?

— J'ai mieux, fit-il tout sourires. Je me le suis fabriqué aujourd'hui. (Lorsqu'il sortit une corde de son manteau, je reculai d'un pas. Elle empestait l'ail.) Je savais que ça marcherait, ajouta-t-il face à ma réaction.

— Éloigne ça de moi, marmonnai-je, et attache-le avec. Tu penses qu'elle est assez solide pour le retenir ?

— Tu veux qu'on essaie sur toi ?

Je lui adressai un regard noir.

— C'est ça, et après, j'irai danser au soleil ! Dépêche-toi. On doit en finir avant qu'ils reviennent avec la cavalerie.

Au même instant, Delilah et Wade nous rejoignirent.

— Qu'est-ce qui se passe ?

— Tu veux bien aller voir la femme, là-bas ? Est-ce qu'elle est morte ? demandai-je à Wade. Delilah, j'aimerais que tu aides Roz à attacher notre ami avec cette merveilleuse corde.

Pendant que Roz retenait le vampire à terre, Delilah lui attacha les bras et les jambes ensemble. Au moment où la corde entra en contact avec sa peau, il hurla.

Je lui assenai un coup de pied dans les côtes. Fort. Il avait pris part à l'enlèvement d'Erin. Je ne ressentais aucune pitié à son égard.

— Tais-toi, si tu ne veux pas que je te donne une bonne raison de crier. Ma sœur étudie la magie de la mort. Je suis sûre qu'elle pourra trouver quelque chose pour toi.

Je bluffais, mais il n'avait pas besoin de le savoir. Wade me fit signe de le rejoindre.

— Elle est morte et elle a bu. Regarde son menton, me dit-il.

Le visage de la victime était couvert de sang. Bob l'avait obligée à boire avant qu'elle meure. Elle n'allait pas tarder à se relever. Je me tournai vers Roz.

— Donne-moi un pieu.

Quand je me penchai au-dessus d'elle, je vis Wade pâlir.

— Désolée, je n'aime pas faire ça, mais…

Avec une grimace, je lui enfonçai le pieu dans le cœur et frissonnai en entendant son cri quand elle se changea en poussière. La transformation avait été rapide. Le pouvoir des nouveau-nés augmentait à une vitesse phénoménale. Grâce à son sang, tous les enfants de Dredge, moi y compris, avaient une force exceptionnelle.

— Menolly, m'interpella Delilah. La morgue ! Il ne nous reste plus beaucoup de temps.

Merde ! La morgue ! Dans mon empressement, je l'avais presque oubliée.

— Qu'est-ce qu'on fait de lui, en attendant ? Si on le laisse ici, ses petits copains vont le retrouver et il connaît des informations qui pourraient nous être utiles.

— Partez devant, Wade et moi allons le ramener à la maison. Vous n'aurez qu'à vous occuper tout seuls des vampires de la morgue.

Tandis que Delilah époussetait son jean, Wade releva le prisonnier. Heureusement pour nous, la douleur retenait toute son attention. Il ne se rappellerait pas nos paroles.

— Tu es folle ? On ne peut pas faire entrer cette créature chez nous ! Laisse-moi réfléchir une minute… (Je fis la liste de nos options avant de claquer des doigts.) Je sais. Vous deux, approchez. Roz, tu peux garder un œil sur le vampire ?

Aussitôt, celui-ci prit la place de Wade pendant que je les entraînais plus loin, où personne ne pourrait nous entendre.

— Emmenez-le au *Voyageur*. C'est fermé à cette heure-ci. Personne ne vous posera de questions. Au sous-sol, près de la salle qui abrite le portail, vous trouverez une porte en métal. Tavah te connaît. Elle ne vous attaquera pas. Voilà la clé. (Je retirai une lourde clé de mon porte-clés et la tendis à ma sœur. Quand elle la saisit, elle laissa échapper un miaulement de surprise. L'objet contenait des traces de fer. Une volute de fumée s'échappa de sa main.) Je sais, ça fait mal, mais il n'y en a pas assez pour te blesser.

— Qu'y a-t-il derrière la porte ? demanda Wade.

— Une pièce imperméable à la magie. Elle a été construite par l'OIA pour y placer des visiteurs outremondiens hors-la-loi. Jocko a gardé le secret de son existence. Je ne crois pas que Wisteria ou les autres serveurs soient au courant. C'est le QG qui m'en a parlé. La pièce peut retenir un démon mineur, donc je pense qu'elle fera l'affaire pour un vampire. Il ne devrait pas non plus être capable d'envoyer des messages sur le plan astral. Enfermez-le et rejoignez-nous à la morgue. Et ne traînez pas en chemin !

Delilah laissa échapper un rire rauque.

— Je pense que cette pièce nous servira beaucoup plus que ce qu'on imagine. D'accord, on y va. Ne t'inquiète pas pour nous. On y arrivera très bien. Par contre… tu veux bien nous céder un pieu ou deux, au cas où ?

Quand mon regard croisa le sien, j'y aperçus une lumière sauvage. J'eus le sentiment que quelqu'un observait la scène à travers ses yeux. L'espace d'un instant, une odeur de feux de joie emplit l'air avant d'être emportée par le vent.

— Je crois que tu as de la compagnie sur l'épaule, murmurai-je en lui tendant un pieu.

— Je sais. Je le sens. Le seigneur de l'automne est parmi nous depuis la découverte des premiers corps.

— Pas le temps de lui demander pourquoi. Allez-y et gardez vos portables allumés.

Ensemble, nous rejoignîmes Roz et notre victime. Après avoir mis Bob debout, ils le traînèrent jusqu'à la Jeep. Je les suivis avec Roz pour vérifier qu'ils n'avaient aucune difficulté à prendre la route.

— J'espère que tout va bien se passer.

Si quelque chose arrivait à ma sœur par ma faute, je ne me le pardonnerais pas.

— Ils sont forts et ils ont de l'expérience, répondit Roz en haussant les épaules. (Il me tendit le sac à main de la femme que je venais de transformer en poussière.) Tiens, tu en auras peut-être besoin pour l'identifier. On ferait mieux d'aller à la morgue. J'espère qu'il n'est pas trop tard.

Je saisis le sac avec précaution. À l'intérieur, se trouvaient les derniers objets qu'elle avait touchés. Dredge lui avait ôté la vie. Je lui avais ôté la mort. À présent, elle reposait auprès de ses ancêtres.

Nous n'étions qu'à quelques pâtés de maisons du bâtiment du FH-CSI où Sharah avait fait emmener les nouveaux corps. Lorsque je me garai, j'aperçus Trillian et Chase sortir de leur voiture.

— Pourquoi avez-vous été si longs ? demanda Trillian. Vous vous êtes arrêtés boire ou quoi ?

— Ta gueule, Svartan, rétorquai-je. Nous sommes tombés sur les quatre premiers vampires qui s'amusaient dans un parc. Trois d'entre eux se sont échappés. Le quatrième est emmené en lieu sûr, au moment où l'on parle.

— Et leurs victimes ? s'enquit Chase, blanc comme un linge.

— Ils ont réussi à en emmener deux. La troisième a été réduite en poussière. Elle commençait à se transformer.

L'air sombre, l'inspecteur s'élança vers le bâtiment d'un pas décidé. Tout en le suivant, Roz préparait ses pieux. Il en lança un à Trillian qui grogna en l'attrapant.

Je m'arrêtai devant la porte.

— Nous y revoilà. *Le Pieu et les vampires*, deuxième prise. Allons voir ce que nous avons. S'ils se sont déjà réveillés, Sharah doit être en mauvaise posture.

Une fois les portes enfoncées, nous nous précipitâmes au sous-sol. Lors de notre dernier passage, je n'avais pas remarqué les caméras de sécurité. Pourtant, aujourd'hui, je ne voyais qu'elles, à côté du détecteur magique qui permettait de contrôler les prisonniers et invités d'Outremonde. Lorsque nous passâmes près de lui, il se déclencha.

Chase dégaina son revolver et le dégomma à bout portant. Lorsque le dispositif explosa dans une effusion d'étincelles, il laissa échapper un rire rauque. Je lui adressai un regard effaré.

— Qu'est-ce que tu as sniffé, Johnson ?

— J'avais besoin de me passer les nerfs sur quelque chose.

Je n'entendis pas ce que lui répondit Trillian.

La morgue se trouvait au sous-sol du bâtiment. Tandis que nous nous approchions de la salle où se trouvaient les corps, je compris que quelque chose n'allait pas. Nous étions arrivés trop tard. J'en étais persuadée. D'un geste vif, j'ouvris les portes et enclenchai les interrupteurs. Les trois tables d'opération étaient vides et les draps blancs maculés de sang reposaient à terre.

— Merde ! Ils se sont réveillés ! Restez sur vos gardes ! m'exclamai-je en faisant le tour de la pièce, pieu à la main.

— Sharah ! cria Chase, tandis que Trillian se plaçait devant lui.

Je sentis l'odeur des nouveau-nés. Trois vampires supplémentaires en cavale. Avec ceux que nous avions perdus dans le parc et leurs deux victimes, ça faisait huit.

Ils pouvaient se trouver n'importe où : à l'intérieur du bâtiment ou en dehors. J'espérais simplement que Sharah s'en était sortie.

— Chase, reste avec Trillian. Je vais jeter un coup d'œil plus loin. Roz, couvre-moi.

Je me dirigeai alors vers la pièce du fond où étaient effectués les différents tests sur les corps. Roz sur les talons, je donnai un coup de pied à la porte en métal. Ses gonds crissèrent avant de céder et elle tomba en arrière. Je sautai aussitôt par-dessus. Roz m'imita.

La première fois que j'étais venue ici, c'était lorsque Sharah nous avait fait faire le tour du propriétaire, à la fête de Noël du FH-CSI. Il y avait des placards et des éviers le long des murs, des caisses remplies de scalpels, scies, crochets et autres instruments dont je ne voulais pas connaître l'utilité. Un faible néon éclairait la pièce et, malgré la Javel et les savons antiseptiques dont on s'était servi pour la nettoyer, l'odeur de mort persistait. Terminus. C'était la pièce du dernier voyage. Sauf si Dredge passait par là.

— Vérifie tous les placards, dis-je en ouvrant une porte après l'autre, à la recherche de Sharah ou des nouveau-nés.

À la place, j'y trouvai des bocaux contenant des cœurs, des yeux ou des foies flottant dans une mer de formol, des bouteilles de sang, ou d'autres dont le contenu m'était inconnu. Tant mieux.

Sans un mot, Roz et moi continuâmes nos recherches jusqu'à nous retrouver devant une nouvelle porte. Je décidai alors de passer en premier et lui laissai le soin de couvrir nos arrières. Quand je l'enfonçai d'un coup d'épaule, la porte trembla avant de céder dans un éclat d'échardes.

Là, nous découvrîmes un couloir peu éclairé qui menait à une salle de bains et à une sortie de secours. Cette dernière était grande ouverte et les fils de l'alarme avaient été coupés. Je passai la tête à l'extérieur pour observer le jardin qui entourait le bâtiment. Ils s'étaient enfuis. Même si je pouvais encore sentir leur présence, ils n'avaient fait que passer.

Quand je me retournai, Roz me désigna les toilettes pour femmes.

— Il y a quelqu'un ? lui demandai-je.

Il se contenta de hocher la tête. Je m'approchai lentement et entrouvris légèrement la porte. À l'intérieur de la salle de bains, se trouvaient une cabine de douche et deux toilettes. Des pleurs étouffés me parvenaient de l'une d'elles. Je reconnus aussitôt la voix.

— Sharah ? C'est toi ? C'est moi, Menolly ! Tu peux sortir, lui dis-je en approchant doucement.

Et s'ils l'avaient transformée à son tour ? Les vampires elfiques se révélaient souvent pires que les autres. Comme les Fae, ils possédaient des pouvoirs puissants et sombres. Toutefois, la transformation allait à l'encontre de leur nature profonde et, en général, ils finissaient par sombrer dans la folie. Très peu d'entre eux parvenaient à s'en sortir.

À ce moment-là, la porte des toilettes s'ouvrit pour révéler Sharah. Elle était blessée, du sang coulait de ses épaules et ses poignets, mais sa bouche était propre. Elle était toujours en vie.

— Est-ce qu'ils t'ont fait boire leur sang ? demandai-je par précaution, en jetant mon pieu à Roz qui l'attrapa et monta la garde pour nous.

Sharah secoua la tête.

— Non, non… Tu peux me sentir, si tu veux, répondit-elle.

Je lui fis signe de garder ses distances.

— Ne sois pas stupide. Tu es couverte de sang et je suis excitée par la chasse. Ne m'approche pas.

Néanmoins, elle avait besoin de soins et je ne me pensais pas capable d'attendre avec elle pendant que Roz irait chercher de l'aide. Je ne voulais pas non plus prendre le risque d'y aller moi-même au cas où les vampires reviendraient.

— Roz, porte-la jusqu'à la pièce principale.

— Tu es sûre qu'on peut la bouger ? demanda-t-il en se saisissant d'elle.

Quand j'aperçus une lueur s'allumer dans ses yeux, je secouai la tête.

— N'y pense même pas, le réprimandai-je. Elle est gravement blessée.

— Un démon a bien le droit de rêver, non ? rétorqua-t-il, tout sourires.

Sharah eut un hoquet de surprise.

— Un démon ? s'écria-t-elle.

— Tenez-vous tranquille ou je risque de vous faire tomber, lui dit-il d'un ton bourru. Je suis un incube. Faites-vous une raison. Croyez-moi, dame elfe, nous faisons face à des dangers plus grands que ceux que je pourrai jamais vous causer.

Elle le dévisagea un instant, avant d'acquiescer d'un hochement de tête et de se laisser aller contre son épaule. Pendant que je les suivais hors de la pièce, je m'arrêtai pour fermer la porte de secours. Impossible de la fermer à clé mais je ne pouvais pas la laisser ouverte comme une invitation à tous ceux qui passaient par là : vampires, humains ou Fae.

Lorsque nous atteignîmes la pièce principale de la morgue, Wade et Delilah venaient d'arriver. Ma sœur semblait d'une humeur massacrante.

— Vous avez été rapides. Bob vous a causé des ennuis ? demandai-je.

Delilah hocha la tête.

— Oui, à mi-chemin, il a réussi à se libérer de la corde. Nous avons été obligés de le tuer.

— Merde ! m'exclamai-je.

Wade m'interrompit d'un geste de la main.

— Nous n'avions pas le choix. Mets ça sur le compte d'un mauvais karma, si ça te fait plaisir, mais il n'est plus là. Concentrons-nous sur nos problèmes les plus pressants.

Je savais qu'il avait raison. Nous ne pouvions plus rien y faire à présent. Après tout, Delilah se battait bien. Elle ne l'aurait pas tué si le danger n'avait pas été réel.

Quand elle aperçut Sharah sur le dos de Roz, elle se précipita pour l'aider, suivie de Chase.

— À l'étage, fit Chase. Il y a une infirmerie. Suis-moi.

— Soyez prudents. Ils ont peut-être fait le tour de la propriété avant de rentrer de nouveau par en haut.

Il ne fallait pas sous-estimer Dredge et ses enfants, en particulier s'il s'agissait d'agir sournoisement ou d'infliger autant de peine que possible à quelqu'un.

Wade et Trillian nous couvrirent tandis que je passais devant avec Roz. Nous nous arrêtâmes près de l'ascenseur, juste à côté de l'escalier.

— Je préfère ne pas prendre l'ascenseur, leur dis-je. Si les vampires nous attendent là-haut, la dernière chose dont nous avons besoin, c'est d'être coincés dans une boîte de métal.

Chase jeta un coup d'œil à l'escalier.

— Ça signifie que nous devons porter Sharah sur trois étages alors qu'elle est gravement blessée.

À ces mots, je fis un pas en arrière.

— En temps normal, je n'aurais aucun problème à la porter…

Même si je laissai ma phrase en suspens, Delilah comprit aussitôt mon dilemme.

— Elle saigne. Je vais le faire, répondit-elle.

Après tout, Delilah était plus forte que Chase. Contrairement à d'autres qui se seraient insurgés, il se contenta d'acquiescer.

— Prends-la. Tu la transporteras plus facilement et plus rapidement que moi.

Après avoir placé Sharah sur son dos, nous commençâmes notre ascension. Roz et moi ouvrions la marche tandis que Chase aidait Delilah à garder l'équilibre quand elle en avait besoin.

Une fois en haut des marches, je jetai un coup d'œil à travers les portes-fenêtres qui menaient au hall principal. Chase possédait deux bureaux : un au commissariat et un ici. Il partageait son temps entre les deux.

— Chase ? Tu connais l'homme derrière le bureau, là-bas ? demandai-je en lui faisant signe d'approcher.

Chase hocha la tête.

— Oui, c'est Yugi, un empathe suédois.

— Humain ?

— HSP, comme moi. Pourquoi ? Tu as senti quelque chose ?

— Non, mais… (Je m'interrompis. Yugi m'avait vue. Aussitôt, il se leva de son siège pour appeler quelqu'un. Trois hommes se précipitèrent alors vers nous.) Pourquoi est-ce qu'ils n'ont pas entendu le détecteur magique se déclencher ? Ou tes coups de feu quand tu l'as pulvérisé ?

— Je ne sais pas, répondit Chase en sortant son insigne.

Il recula tandis que les hommes ouvraient la porte. En le voyant, ils s'arrêtèrent net.

— Sharah ! s'écria Yugi, blanc comme un linge. Est-ce qu'elle va bien, inspecteur ?

— Non, il faut l'emmener sur-le-champ à l'infirmerie. Faites attention. Un groupe de vampires s'est échappé et ils n'ont rien d'amical, dit Chase en les dépassant et en nous faisant signe de le suivre.

— Est-ce que vous voulez qu'on descende voir ? demanda Yugi.

Avant que Chase ait eu le temps de répondre, je l'interrompis.

— Vous ne feriez que vous mettre en danger. Pour l'instant, contentez-vous de barricader la porte et d'appeler du renfort. Il va falloir fouiller ce bâtiment de fond en comble. Les nouveau-nés décideront peut-être de revenir. L'issue de secours du sous-sol est cassée. Ils ont coupé les fils. Pourquoi n'avez-vous pas entendu l'alarme du détecteur magique ? Chase lui a tiré dessus, mais personne n'est venu voir ce qu'il se passait ! Qu'est-ce que vous croyez faire ici ? Vous êtes sûrs que vous faites partie d'une équipe d'investigation ?

Sans attendre sa réponse, je suivis Delilah et Chase qui portaient toujours Sharah, dont le sang s'écoulait sur le sol goutte après goutte. L'odeur me rendait dingue. Néanmoins, je réussis à garder un tantinet de self-control. Je jetai un coup d'œil à Wade. Lorsqu'il hocha imperceptiblement la tête, je compris que lui aussi devait combattre sa nature profonde.

Devant la porte de l'infirmerie, nous nous arrêtâmes pour laisser le temps à Trillian et Roz de vérifier qu'aucun vampire ne s'y était caché.

— C'est bon, tu peux l'amener, nous assura Trillian.

— Menolly, Wade, vous feriez mieux de rester ici pour monter la garde, suggéra Roz.

Je sentis un frisson me parcourir l'échine. Il savait. Il savait que c'était une torture pour nous de sentir du sang sans pouvoir y goûter, alors que nous étions encore excités par la chasse.

— Merci, murmurai-je.

Tandis que tout le monde entrait dans la salle, il s'approcha de moi et me prit la main.

— Je comprends… La soif que je ressens est un peu différente, mais je comprends.

Alors, sans préambule, il me prit dans ses bras et posa ses lèvres contre les miennes. Face à la douce sensation que son baiser me procura, j'eus un hoquet de surprise. J'avais envie de me noyer dans les vagues de sensualité qui s'échappaient de son corps, envie de sombrer jusqu'aux tréfonds des abysses pour ne plus jamais refaire surface.

Lorsqu'il s'écarta, il posa sa main contre ma joue.

— Si tu as besoin d'aide, pour quoi que ce soit, n'hésite pas à me le demander. Je comprends la nature de la chasse. Je peux t'aider à évacuer ta frustration de bien des manières…

Sur ce, sans un mot pour Wade, il disparut derrière les portes de l'infirmerie.

Appuyée contre le mur, j'essayai de calmer les flammes vacillantes qui s'étaient embrasées à l'intérieur de moi. Wade se rapprocha en silence. Il ne me toucha pas, mais se contenta de me rassurer par sa simple présence, comme une ancre réconfortante dans cet océan de désir qui avait emporté la moindre fibre de mon être.

— Trop... Beaucoup trop..., bégayai-je.

S'il nous arrivait autre chose avant le lever du soleil, j'avais l'impression que j'allais exploser.

— Respire fort. Essaie de calmer ta soif, dit Wade d'une voix douce.

Je m'efforçai de lui obéir. Même si mes poumons n'avaient plus besoin d'air, la sensation me rassurait. Je respirai par la bouche pour ne pas sentir l'odeur du sang ou la chaleur de Roz qui demeurait encore sur ma peau. Je respirai pour apaiser ma soif, pour éteindre le feu obscur qui me consumait de l'intérieur. Je respirai pour me rappeler que, malgré ma mort, je restais une créature capable de jugement, capable de vivre de sang et de passion sans massacrer des innocents.

Au bout d'un moment, je m'arrêtai et relevai la tête.

— Je suis Menolly D'Artigo, fis-je, fille d'un garde de la Cour. Je suis mi-fée, mi-humaine. Et je suis un vampire qui a choisi de marcher sur une corde raide, de marcher dans l'ombre, alors que je me souviens des sensations que procure une danse en plein soleil. Je contrôle mes émotions et ma nature de prédateur. C'est moi qui prends les décisions.

Ce petit discours était une méthode qui me venait de l'OIA pour me calmer. Je me tournai vers Wade qui m'adressa un léger sourire.

— Je suis de retour, le rassurai-je.

Pourtant, au fond de moi, j'entendis un rire sombre et les mots « pour l'instant » résonner. Pour la première fois depuis longtemps, j'avais hâte que les premiers rayons du soleil apparaissent pour pouvoir m'évader au pays des rêves, là où je pourrais oublier la bataille permanente qui faisait rage dans mon cœur.

Chapitre 11

Au moment de partir, nous avions deux certitudes : Sharah survivrait et un sort d'assourdissement avait été jeté sur les alarmes. Dans le hall et l'escalier, on pouvait les entendre mais pas derrière les portes qui menaient à la pièce principale.

Tout le monde était exténué sauf moi. J'avais épuisé mon quota d'émotions pour la journée. Dredge détenait une de nos amies et huit nouveaux vampires arpentaient les rues de Seattle, dont un adolescent très mignon qui s'en prendrait sûrement à des lycéennes. La pensée était révoltante. Pourtant, je ne pouvais pas douter de sa véracité.

Roz n'avait pas voulu nous accompagner.

— Je vais essayer de trouver leur piste, avait-il dit. Je ne dors pas beaucoup. Je vais patrouiller pendant que vous vous reposerez.

Même si je ne savais pas encore si je devais lui faire confiance, j'avais accepté son aide avec gratitude. Jusqu'à présent, il avait prouvé sa bonne foi. Ça jouait en sa faveur.

Comme Wade était déjà parti et que Delilah avait proposé de raccompagner Chase chez lui, je me retrouvai seule avec Trillian dans la voiture. Il fit la tête pendant tout le trajet.

— Qu'est-ce qui ne va pas ? lui demandai-je, tandis que nous roulions à toute vitesse sur l'autoroute.

— Camille est complètement paniquée par l'enlèvement d'Erin. Elle pense que tout est sa faute, qu'elle n'aurait jamais dû être amie avec des Terriens parce que le risque de dommages collatéraux est trop grand, surtout avec la menace de l'Ombre Ailée, expliqua-t-il avec un regard noir. Je n'aime pas la voir comme ça.

— Moi non plus, et les dommages collatéraux, comme elle les appelle, vont se multiplier quand les démons débarqueront en force. Mais si Dredge ne nous menaçait pas, quelqu'un d'autre le ferait. Camille devrait être fière de pouvoir servir à quelque chose dans ce monde. Si nous n'avions pas arrêté Luc le Terrible, il aurait sûrement aidé l'Ombre Ailée à envahir la Terre. C'est elle qui a trouvé sa faiblesse, lui rappelai-je en allumant la radio.

— Toi et moi le savons bien, marmonna-t-il, mais je crois que Camille est à bout de forces. Même si elle ne le montre pas, les événements de ces derniers mois l'ont bouleversée. Et elle s'inquiète aussi pour votre père et votre tante.

Je laissai échapper un soupir d'exaspération.

— Delilah aussi. Peut-être plus que Camille, d'ailleurs. Et moi aussi, si tu veux tout savoir. Je suis simplement plus douée pour cacher mes sentiments. (J'observai la route disparaître sous les roues de la Jaguar.) On est tous dans le même bateau. Il faut qu'on s'y fasse, c'est tout.

— Tu n'as pas d'ami, rétorqua Trillian. Comment est-ce que tu pourrais comprendre ce que ressent Camille ? Si cette ordure tue Erin, elle ne se le pardonnera jamais.

— Elle apprendra, répondis-je d'un ton sec. Je dois le faire tous les jours. Plus la guerre contre l'Ombre Ailée sera longue et plus le nombre de victimes augmentera. Petit à petit, les démons deviendront plus agressifs et nous devrons nous adapter. Un peu comme à la marelle. Alors oui, c'est injuste, mais je ne peux rien y faire.

Au moment où je prononçais ces mots, je les regrettais déjà. Même si, en réalité, je n'avais pas un cœur de pierre, là, je passais vraiment pour une garce. Pas étonnant que Trillian m'adresse un regard assassin. Je m'attendais qu'il me balance une réplique cinglante, mais il se contenta de se tourner vers la fenêtre.

Au bout d'un moment, il reprit la parole.

— Tu as raison. Je ne le comprends que trop bien parce que je me suis souvent retrouvé au milieu d'un champ de bataille. Je le vois chaque fois que je rentre en Outremonde. Mais Camille et Delilah... Elles ne sont pas habituées à ces massacres.

— Moi si, murmurai-je. J'aimerais qu'il en soit autrement, mais ce n'est pas le cas.

— Tu dois vivre avec le goût du sang dans la bouche et moi, avec les taches qu'il a laissées sur mes mains. Ça fait partie de notre vie et nous l'acceptons. Mais ces deux-là... elles commencent à peine à trouver leur place dans le royaume des ombres. Delilah a reçu la marque des fiancées de la mort. Camille apprend la magie noire avec un petit loup *yakuza*...

— Ça suffit, l'interrompis-je. Tu ne gagneras pas ma sympathie aussi facilement. Morio est un *yokai*. Il ne fait pas partie des *yakuzas*.

Pourtant, malgré tout, je compris que Trillian s'inquiétait sincèrement pour Camille.

— Ne te fais pas d'illusion, l'encaninée ! T'impressionner ne fait pas partie de mes priorités, rétorqua Trillian en secouant la tête. Tu n'as pas écouté ce que je t'ai dit ?

Je levai les yeux au ciel.

— D'accord, j'ai compris. Est-ce que tu as une idée pour les aider ?

— Malheureusement non. Tout ce qu'on peut faire, c'est les aider à s'adapter à la situation et être là pour elles quand elles en auront besoin. Tous les royaumes sont magnifiques, mais dans la nature, il y a plus de terreurs que de joies. Parfois, les deux sont même liées. (Il plongea son regard dans le mien.) Toi par exemple, avec tes baisers passionnés et tes morsures ensanglantées. Tu es capable d'aspirer la vie d'un homme dans l'extase. Ta nature est aussi démoniaque que celle de nos ennemis, pourtant, tu as choisi de suivre ta conscience.

Sur ce compliment, nous arrivâmes à la maison. Je ne pris pas la peine de lui répondre. Même si je n'avais pas envie de l'admettre, il avait raison sur toute la ligne.

Après avoir franchi le seuil de la porte, nous rejoignîmes Morio et Camille qui étaient assis dans le salon. Ma sœur était en tailleur sur le sol, avec un bandeau sur les yeux et une chaîne en argent autour des poignets. Morio était à genoux derrière elle, les mains posées sur ses épaules. Ses cheveux soyeux scintillaient d'une lumière bleutée et il portait un kimono bleu et blanc par-dessus un pantalon en mousseline. Camille, quant à elle, portait un peignoir bleu qui couvrait à peine ses seins. Un tee-shirt d'Erin reposait sur ses genoux. Ils avaient mis la musique à fond et Morio murmurait à son oreille.

Quand j'aperçus la brume qui flottait autour d'eux, je me dirigeai rapidement vers la cuisine. Étant donné que les pouvoirs de Camille avaient tendance à disjoncter et qu'il s'agissait de magie noire, je ne jugeais pas très sûr de me retrouver dans la même pièce qu'eux.

Après leur avoir adressé un regard agacé, Trillian me suivit. Delilah était assise à table avec Nerissa et Tim, pendant qu'Iris leur préparait un en-cas et que Maggie jouait dans son parc. La scène paraissait tellement normale qu'elle me donna envie de croire que nos ennuis n'étaient que de mauvais rêves.

Je me glissai dans une chaise à côté de Nerissa qui me sourit tristement.

— Delilah nous a tout raconté, fit-elle.

Iris secoua la tête.

— La situation commence à vous échapper. Vous avez besoin d'aide. Il faut que vous vous rendiez à Aladril dès demain pour rencontrer ce prophète.

— Je suis d'accord, répondis-je, mais on va avoir du mal à convaincre Camille après ce qui est arrivé à Erin.

À ces mots, Tim se tourna vers moi.

— Iris m'a parlé de Dredge, me dit-il. Erin est morte, pas vrai ?

Merde. Je foudroyai Iris du regard. Elle se contenta de hausser les épaules. Après tout, Tim l'avait sûrement interrogée jusqu'à ce qu'elle cède. Toutefois, la réalité dépassait tout ce qu'il pouvait imaginer.

— Je n'en suis pas certaine, mais ça arrivera si on tarde à la retrouver.

Pas la peine de mentionner la torture.

— Les premiers rayons de soleil approchent, Menolly, m'avertit Iris.

— Je sais, je les sens. (C'était la vérité. Le sommeil m'appelait d'une tape sur l'épaule. Je devrais bientôt aller me coucher. Et avec un peu de chance, je ne rêverais pas. Je jetai un coup d'œil à l'horloge. Il me restait un peu moins de une heure.) Nerissa, tu veux bien venir avec moi ?

Ensemble, nous rejoignîmes le petit salon, en prenant soin de ne pas déranger Camille et Morio. Tandis que je refermais la porte derrière moi, je pris la parole :

— Tu veux que Delilah te raccompagne ?

— Maintenant ? demanda-t-elle, surprise.

Les mêmes peurs que celles de Camille me taraudaient l'esprit.

— Nerissa, nos ennemis sont bien plus dangereux que tu le crois. Tu pourrais être blessée si tu restais ici… avec nous… avec moi.

Elle me prit le visage entre les mains.

— J'en suis consciente, murmura-t-elle. Je le savais avant même de faire ta connaissance. Je ne te demande pas de passer toute ta vie avec moi, ni de t'engager. Je veux simplement être avec toi cette nuit.

J'essayai de lire son regard. Alors que le baiser de Roz m'avait consumée de l'intérieur et presque effrayée, les lèvres de Nerissa paraissaient chaudes, attirantes, emplies de promesses muettes. Révoltée à l'idée de rater ma chance, je me mis sur la pointe des pieds pour l'embrasser.

Après avoir passé un bras autour de ma taille, elle m'attira à elle, tandis que sa langue s'insinuait entre mes lèvres. Je frissonnai en sentant sa main se glisser sous mon pull avant de faire un bond en arrière.

— Qu'est-ce qu'il y a ? J'ai fait quelque chose de mal ? demanda-t-elle, l'air déçu.

— Je dois te prévenir, commençai-je en tressaillant. J'ai le corps couvert de cicatrices. Et je n'exagère pas. (Je détournai le regard.) Personne ne m'a touchée… de cette manière… depuis ma transformation. Mes sœurs pensent que j'ai couché avec Wade, mais, la vérité, c'est qu'on n'en est jamais arrivés là. En fait, je n'ai jamais couché avec un Terrien. Je ne sais pas à quoi m'attendre.

— Est-ce que tu veux être avec moi ? demanda Nerissa. Sois franche. Ce n'est pas grave si tu dis « non ». Je serais déçue, mais je suis une grande fille. Je ferais avec.

Je secouai la tête.

— Ce n'est pas le problème. Pour tout te dire… je ne suis pas certaine de pouvoir me contrôler quand tu seras nue devant moi. J'ai eu un petit accident l'été dernier dans un club de strip-tease et je ne compte pas le répéter. Il y a tant de choses que j'ignore sur moi-même…

Je m'interrompis en sentant un doigt se poser sur mes lèvres.

— Chut, murmura-t-elle. Ne t'inquiète pas pour moi. Tout ira bien. Vénus m'a entraînée.

— Qu'est-ce que ça a à voir là-dedans ? demandai-je en clignant des yeux.

— Eh bien, répondit-elle tout sourires, Vénus m'a appris à passer au-dessus de mes peurs pour m'abandonner à la passion. Il m'a appris à soigner les blessures de l'esprit et du cœur à travers le sexe.

Derrière l'apparence soignée et réservée de Nerissa, je sentais sa nature sauvage empreinte de liberté. Ravalant mes inquiétudes, je retirai lentement mon pull et cherchai mon reflet dans ses yeux.

— Voilà qui je suis. Si tu me veux, alors prends-moi. C'est à toi de décider, déclarai-je, me sentant plus nue que jamais.

Son regard se posa sur mon ventre avant de remonter vers mes seins, ma gorge et de rencontrer le mien. Elle n'eut aucun mouvement de recul, face aux centaines d'entailles que Dredge avaient tracées sur mon corps.

— C'est lui qui t'a fait ça ? Ce Dredge ? demanda-t-elle en grognant au bout d'un moment.

Pour toute réponse, je retirai mes bottes et mon jean, révélant ainsi le reste des cicatrices. Mes mains, mes pieds et mon visage étaient les seules parties de mon corps que Dredge n'avait pas touchées du bout de ses ongles. Je n'avais pas de poils pubiens. Il me les avait rasés pour y graver son nom sur mon mont de Vénus. « Tu m'appartiens, m'avait-il dit en entaillant ma chair, corps et âme. Je suis ton sire. »

Nerissa se déshabilla à son tour, se débarrassant rapidement de son jean et de sa chemise. Elle était magnifique, avec ses seins gonflés et sa toison dorée. Une guerrière nordique. Quand elle défit son chignon pour libérer ses cheveux, je sentis une énergie indéfinissable émaner d'elle.

Je mourais d'envie de la toucher, mais j'avais encore peur. Pourrais-je lui faire du mal ? Est-ce que son odeur et son pouls sous mes doigts allaient me rendre folle ? J'étais sur le point de m'enfuir lorsqu'elle me prit dans ses bras et m'embrassa. Ses lèvres avaient un goût d'hydromel. Je m'abandonnai à elles avec l'envie que ce baiser dure toujours.

— Tu es magnifique, murmura-t-elle, lorsqu'elle s'écarta pour respirer.

Ses yeux ne mentaient pas. Aussi, quand elle m'embrassa de nouveau, je la laissai me guider jusqu'au tapis moelleux devant le canapé. Ses lèvres glissèrent si tendrement le long de ma nuque, mes épaules et mes seins que je ne pus réprimer un gémissement.

Tandis qu'elle traçait les contours de mes cicatrices, je l'entendais murmurer comme une litanie :

— On le tuera. Ne t'inquiète pas. On l'aura.

Elle prit alors un de mes tétons entre ses dents et le tritura légèrement. Je sentis la soif grandir au fond de moi et mes canines s'allonger. Toutefois, je réussis à les rétracter pour concentrer mon attention sur le plaisir que me procurait Nerissa. Ses caresses se faisaient de plus en plus précises. Je fermai les yeux pour m'abandonner aux sensations qui m'envahissaient. Un nuage dans le ciel bleu, des rayons de soleil sur mon visage, mes cheveux : voilà ce qu'était Nerissa.

Pour la première fois depuis des années, grâce à ses baisers, la température de mon corps ne cessait d'augmenter. Et alors même que je sentais l'aurore m'attirer vers le sommeil, elle m'écarta les jambes pour dévoiler mon sexe. Sachant que le nom de Dredge y était gravé pour l'éternité, j'essayai de me couvrir, de cacher ce qu'il m'avait fait, mais Nerissa arrêta mon geste et se pencha pour embrasser la cicatrice.

— Il a peut-être laissé son nom sur ton corps, mais il ne te touchera plus jamais, dit-elle d'une voix douce en caressant la peau écorchée du bout des doigts.

Ses yeux se remplirent de larmes. Elle les laissa couler avant de s'en servir pour me purifier :

— Avec mes larmes, je te rends la possession de ton corps. Avec le sel qu'elles contiennent, j'élimine toute trace de sa présence.

Je sentis un frisson me parcourir. J'ignorais si c'était dû à ses mots, ses caresses ou à la magie que Vénus lui avait enseignée, mais quand elle posa ses lèvres contre ma peau, je sombrai dans les flammes et le feu. La soif, l'envie de boire son sang jusqu'à la dernière goutte, m'envahit. Je me redressai alors, les yeux rouges, les canines dehors, incapable de me contrôler.

Étonnamment, Nerissa n'eut aucun mouvement de recul. À la place, elle posa une main sur mon épaule avant de secouer la tête.

— Non, Menolly. Laisse-toi aller.

Son absence de peur n'échappa pas à mon regard imbibé de sang. Je me forçai alors à me concentrer, à me battre contre la tentation de communier avec sa nuque.

Nerissa me poussa contre le tapis et se plaça au-dessus de moi. Ses lèvres se posèrent sur mon ventre, laissant une nuée de baisers sur leur passage.

Et soudain, je la sentis contre moi, sa langue esquissant des motifs passionnés, m'ôtant toute pensée pour ne laisser que cette vague que je chevauchais. Pourtant, mes craintes n'avaient pas disparu. Si je me laissais aller complètement, m'en prendrais-je à elle ? Attaquerais-je sa gorge ? Petit à petit, la sensation râpeuse de sa langue faisait céder mes barrières. Je sombrai dans un abysse inconnu, rempli de jardins resplendissants, une forêt vierge de plaisir, aux antipodes de la soif de sang qui m'habitait. Dans un cri, je m'abandonnai finalement à elle et me laissai envahir par l'orgasme.

Silence. Calme. Nerissa se leva et s'étira avant de jeter un coup d'œil à l'horloge.

— Le jour va bientôt se lever. Tu ferais mieux d'aller au lit…

— Mais, et toi ? demandai-je en clignant des yeux. Est-ce que tu ne veux pas…

Tout sourires, elle s'essuya la bouche.

— Ne t'inquiète pas pour moi. Je sais quoi faire. Vas-y. Tu n'auras qu'à m'appeler si tu as besoin de moi. Je dois retourner auprès des miens. Je sais que tu as des projets pour ce soir, mais appelle-moi quand tu seras moins occupée… Enfin, si tu en as envie.

Son sourire était contagieux. Ça faisait longtemps que je n'avais pas ressenti une telle euphorie.

— Je t'appellerai, Nerissa, dis-je d'un ton hésitant. (Puis, sans me soucier des conséquences, j'ajoutai :) Tu es merveilleuse. Tu es belle, courageuse. Je ne savais pas…

Après avoir enfilé ses vêtements, elle m'embrassa rapidement.

— Menolly, je ne suis pas si courageuse que ça. J'ai simplement appris à connaître le monde dans lequel tu vis. Vénus, l'enfant de la lune, avance lui aussi dans l'ombre de la mort. Il m'a appris à la regarder en face et à apprécier sa beauté sous tous ses aspects. Il m'a appris à revenir des abysses.

Tandis que je la regardais s'éloigner, je réfléchis à quelque chose à dire. Trop tard. Elle était déjà partie. De toute façon, ça aurait sûrement gâché l'ambiance. Mieux valait laisser notre relation évoluer petit à petit.

J'observai une dernière fois le ciel s'éclaircir, avant de me rhabiller et de retourner dans le salon. Tout le monde se préparait à aller se coucher. Trillian, Morio et Camille étaient sur le point de monter au premier étage. Quant à Tim, il s'était endormi dans le rocking-chair.

Iris choisit ce moment pour apparaître.

— La cuisine est vide, me dit-elle pendant que Camille nous souhaitait une bonne nuit. Delilah raccompagne Nerissa chez elle. (Lorsqu'elle m'adressa un regard interrogateur, je me contentai de hausser les épaules. Néanmoins, quand je la dépassai pour me rendre dans la cuisine, je l'entendis murmurer :) Je suis contente pour toi, Menolly, mais fais attention. Les choses deviennent de plus en plus compliquées.

— Je sais, répondis-je sur le même ton. Je sais.

Pourtant, je n'avais pas envie de revenir sur mes actions. Je pensais ce que j'avais dit à Trillian : qu'on le veuille ou non, il y aurait bientôt des dommages collatéraux. Dans ce contexte-là, il me semblait criminel de rejeter l'amitié et l'amour, l'essence même de la vie. Tout en me demandant si je regretterais un jour mon choix, je me penchai pour embrasser Maggie sur le front, puis me retirai pour la nuit.

Le soleil était déjà couché lorsque Camille me réveilla.

—Menolly, nous devons nous dépêcher si nous voulons aller à Aladril.

Je me redressai en battant des paupières. Mes rêves avaient été remplis de passion, d'une déesse blonde dont les cheveux me caressaient le corps. Ça changeait de mes cauchemars.

Cependant, j'étais surprise par l'enthousiasme que montrait ma sœur.

—Après ce qui est arrivé à Erin, tu veux toujours y aller ? demandai-je.

—Raison de plus. Hier soir, Morio et moi avons fait de notre mieux pour les localiser, en vain. Dredge est passé maître dans l'art de se cacher. Il faut à tout prix faire quelque chose. Et vite. (Elle s'interrompit pour reprendre son souffle.) J'ai de mauvaises nouvelles. Des journalistes se sont rendu compte de la disparition d'une dizaine de personnes et s'insurgent contre la police qui ne les a pas encore retrouvées. Heureusement, nous sommes les seuls à savoir qu'ils ont été transformés en vampires. Si ça continue, les gens vont commencer à paniquer.

—Si ? Dredge ne s'arrêtera pas en si bon chemin.

J'enfilai un jean moulant et une tunique à manches longues en soie d'araignée, par-dessus laquelle j'ajoutai une ceinture en cuir noire. Une paire de gants en cuir et des bottes à talons aiguilles et j'étais prête. Ça ne m'avait même pas pris cinq minutes. Je sautai l'étape maquillage. Comme je n'avais pas de reflet, je perdais trop de temps à l'appliquer. Et puis, nous nous rendions en Outremonde. Pourquoi se fatiguer ?

—C'est en train d'empirer, répondit Camille, les yeux rivés au sol.

Elle portait une jupe fluide d'Outremonde avec un corset fait main, taillé dans une toile jacquard couleur prune. Contrairement à moi, elle s'était maquillée à outrance et ses cheveux bouclés tombaient sur ses épaules.

— Dans cette tenue, on dirait que tu vas te présenter devant la Cour, remarquai-je. Et qu'est-ce que tu entends par « empirer » ?

— Hé ! On ne sait pas qui on va rencontrer, alors je veux être à mon avantage, rétorqua-t-elle. Pour répondre à ta question, Chase a reçu un rapport provenant du quartier chaud à côté de l'aéroport. Hier soir, quatre filles qui y travaillaient ont disparu en compagnie de mecs suspects. C'est leur colocataire, une autre prostituée, qui est allée voir la police. Chase s'est tout de suite intéressé à l'affaire et lui a montré les photos des deux hommes tués au cinéma.

— Et ?

En fait, je n'avais pas besoin de poser la question. La réponse me paraissait évidente.

— Elle les a reconnus, bien sûr. Nos vampires ont encore frappé. Et qui sait s'ils n'ont pas fait d'autres victimes entre-temps ? En tout cas, la fille s'est enfuie. Chase n'a pas réussi à l'en empêcher. Elle a peur d'être la prochaine sur la liste, dit-elle en secouant la tête. Je veux trouver Erin, mais pour ça, il faut d'abord localiser Dredge. Avec un peu de chance, le gars d'Aladril pourra nous aider. Après tout, la reine Asteria en semble persuadée. Nous devons y aller.

— Delilah est prête ? (Regardant autour de moi, je me demandai si je devais prendre autre chose. Décidant que mes canines et mes griffes étaient les meilleures armes que je pouvais porter, je me dirigeai vers l'escalier.) Allons-y.

— Delilah ne vient pas avec nous. Elle reste ici pour aider Tim à compléter la base de données. Plus tôt on pourra s'en servir pour faire passer des informations, mieux se sera. Et puis, quelqu'un doit rester ici avec Iris et Maggie. Cette fois, ce n'est que toi et moi. Et Trillian.

— Pourquoi est-ce qu'il s'incruste, celui-là ? grommelai-je.

— Parce qu'il connaît la région, et parce que Tanaquar veut lui confier une nouvelle mission. Ça signifie qu'il ne pourra peut-être pas nous aider là-bas.

— Et Morio ? Sa présence ne serait pas de trop.

En plus de savoir se battre, le démon renard était capable de canaliser la magie de Camille, ce qui n'était jamais négligeable.

Elle soupira.

— Je suis un peu inquiète à ce sujet. Il ne connaît pas nos coutumes… Mais, oui, il veut bien nous accompagner.

— Iris et Delilah vont rester ici toutes seules ? Ça ne me plaît pas beaucoup. Dredge nous suit à la trace. S'il apprend que nous sommes partis…

— Ne t'en fais pas. Zachary et Nerissa viendront leur tenir compagnie. En parlant de ça… Vous faites un joli couple, toutes les deux.

Je levai les yeux au ciel. Évidemment, elle était au courant. Lorsqu'il s'agissait d'amour ou de sexe, Camille devinait toujours tout.

— À ce sujet…, commençai-je.

— Ne dis rien. Ce n'est pas la peine. La seule chose qui importe, c'est que tu l'aies laissé entrer dans ta vie… Tu verras bien comment ça évolue, lança-t-elle tandis que nous entrions dans la cuisine. Je suis contente pour toi, Menolly. Ça te fera du bien, tu verras.

Trillian pensait que Camille avait peur d'avoir des relations avec les humains. Pourtant, elle avait l'air très intéressée par mon cas. Quand nous pénétrâmes dans le salon, Trillian, dans ses vêtements outremondiens, nous attendait avec Morio qui ressemblait à un ninja.

— C'est déjà Halloween ? demandai-je en réprimant un ricanement.

— Si tu veux, me répondit Morio d'un air neutre.

Trillian, en revanche, me foudroya du regard.

— C'est complètement déplacé, me dit-il.

— Depuis quand est-ce que tu défends numéro 2 ?

— Delilah et toi regardez trop la télé, nous interrompit Camille d'un air exaspéré.

— Pas ces derniers temps, remarquai-je. (Cela faisait une semaine ou deux que nous n'avions pas fait de marathons télé. Même si je n'avais pas l'intention de l'admettre, ils me manquaient un peu. Après tout, ça nous permettait de passer du temps ensemble.) Mais c'est beaucoup plus drôle que courir après des vampires.

Delilah soupira.

— Jerry Springer n'est pas mal du tout, vous ne trouvez pas ? (Camille et moi laissâmes échapper un cri d'indignation.) OK, cassez-vous. Tim et moi avons du pain sur la planche. Oh, et je vais peut-être faire un peu d'espionnage avec Roz, ce soir.

— Quoi ? Ne va pas avec lui ! C'est un incube !

Nous n'avions vraiment pas besoin de la retrouver folle amoureuse de lui.

— Comme si je n'étais pas au courant... Mais il sait qu'il n'a pas le droit de me toucher et il nous aide. Je n'aime pas le savoir seul face au danger. Et puis, n'oublie pas que le seigneur de l'automne est perché sur mon épaule. Il me surveille.

— Sois prudente, idiote, marmonnai-je en l'embrassant sur la joue.

Delilah frissonna.

— Je ne suis pas en danger. En revanche, si Lethesanar vous attrape...

Elle ne termina pas sa phrase, mais nous savions tous ce qu'elle voulait dire. Si la reine d'Y'Elestrial nous mettait la main dessus, les feux de l'enfer nous attendaient.

— Ça n'arrivera pas, intervint Trillian. Le portail de Grand-mère Coyote mène à Elqavene et le transport jusqu'à Aladril se fait facilement à travers un portail elfique.

Asteria nous avait appris l'existence de portails secrets. L'un d'eux menait à Aladril et l'autre à Darkynwyrd. Il y en avait sûrement davantage, mais elle ne nous avait pas mis dans la confidence. Néanmoins, elle nous avait permis de les utiliser si nous en avions besoin. Ce qui était le cas. Bien sûr, Trillian les connaissait. Il semblait au courant de tout ce qui se passait en Outremonde.

— Une fois à l'intérieur d'Aladril, nous devrions être en sécurité. Du moins, en ce qui concerne Lethesanar et ses hommes. Elle n'osera jamais attaquer la cité, de peur de représailles de la part des prophètes. (Camille jeta un coup d'œil à l'horloge.) C'est l'heure.

— Allons-y, dis-je en me dirigeant vers la porte. On prend quelle voiture ?

Morio me montra ses clés.

— Mon 4x4. On ferait mieux de se dépêcher.

Dix minutes plus tard, nous sortions déjà de la voiture. Après avoir verrouillé les portes, nous commençâmes notre marche dans les bois. Camille était déjà venue seule ici, dans le noir. J'étais impressionnée. Personnellement, le silence glacé de la forêt suffisait à m'effrayer. Je préférais les rues mal éclairées de la ville à la nature terrienne. Là-bas, au moins, on pouvait prévoir ce qui allait se passer. Les toits n'étaient pas difficiles à arpenter et je n'avais pas l'impression qu'ils m'observaient.

Camille prit la tête de notre groupe. Nous avancions en silence, le bruit de nos pas étouffé par la neige. La lumière de la lune s'échappait au travers des nuages, sa rondeur mangée petit à petit par les dieux de l'obscurité. Les nuits sans lune étaient le moment privilégié des morts. La Mère Lune régnait sur la chasse et les sorcières, comme ma sœur, alors que la Mère de l'obscurité, elle, veillait sur les défunts.

Tout à coup, le givre se refléta dans les dents d'acier de Grand-mère Coyote qui recula pour nous laisser passer jusqu'au portail. En faisant un pas à l'intérieur de la toile frétillante de magie qui s'étendait entre les pierres dressées, je me demandai ce que j'allais découvrir à Aladril. Réussirions-nous à trouver et détruire Dredge avant qu'il suscite la panique chez les humains ? Avant qu'il attise leur haine ?

Chapitre 12

J'avais oublié l'absence de néons et d'électricité en Outremonde qui rendait les nuits bien plus sombres et les étoiles plus lumineuses. Le monde semblait beaucoup plus grand que sur Terre. Je fus soudain choquée de prendre conscience à quel point je m'étais habituée à ma nouvelle maison.

Plus tôt dans la journée, Camille avait annoncé notre arrivée à travers le miroir des murmures. Aussi, Trenyth nous attendait-il.

— Sa Majesté vous adresse ses sincères regrets de ne pouvoir vous accueillir ce soir, mais ne vous rendez à Y'Elestrial sous aucun prétexte, dit-il en nous poussant sur une route qui menait au premier portail. Suivez-moi. Faute de temps, je ne pourrai pas vous accompagner jusqu'à Aladril. Vous n'aurez qu'à emprunter le même chemin pour rentrer.

En Outremonde, tout était différent, de la sensation de l'air, jusqu'à l'énergie qui s'échappait du sol. Une fois de l'autre côté du portail, c'était comme si le monde entier avait pris vie et s'était rendu compte de notre présence.

Sur Terre, je m'étais habituée au silence et avais appris à l'apprécier. Comme mes sens percevaient le moindre son, la moindre odeur ou le moindre battement de cœur qui passait, ne pas être envahie par l'énergie naturelle des éléments était un avantage. Pourtant, cette vie ardente, lumineuse, faisait partie de l'essence même de notre monde natal.

Camille afficha une expression ravie.

—Ça fait du bien d'être à la maison ! Tout ça me manquait !

—Je n'avais jamais vu autant d'étoiles, s'exclama Morio, pas même au sommet du mont Fuji !

Lorsqu'il s'approcha de Camille, celle-ci rejeta la tête en arrière et prit une grande inspiration.

—C'est magnifique, pas vrai ? demanda-t-elle. J'aurais aimé t'emmener à Y'Elestrial. Notre cité est encore plus belle.

—Nous devons faire vite, intervint Trenyth. Pas le temps de regarder le paysage.

Je posai la main sur le bras de ma sœur. Elle soupira et ses épaules s'affaissèrent.

—J'arrive, j'arrive.

Je marchai alors derrière Trillian et elle, à côté de Morio, pendant environ cinq cents mètres. Puis, nous nous arrêtâmes devant un vieux chêne qui devait avoir six ou sept cents ans. Il s'élevait dans la nuit noire, encadré par une faible lueur. Ses branches s'étendaient au-dessus du chemin, remplies de mousse et de gui. Depuis leurs toiles, des araignées nous observaient et nous menaçaient de leurs pattes articulées lorsque nous nous approchions trop.

Camille eut un hoquet de surprise.

—Ce chêne doit être très ancien !

— C'est la première fois que je ressens autant de pouvoir dans un arbre, dit Morio. Enfin, peut-être pas, mais il n'y avait pas une telle… connexion.

— La forêt est connectée à ceux qui pratiquent la magie, expliqua Camille. Sur Terre, la nature est sauvage et imprévisible. Elle ne communique avec personne et garde jalousement ses secrets. En revanche, ici, le pouvoir des bois est plus fort. Il nous permet de communier plus facilement avec eux… même si les plantes n'aiment pas tout le monde. Nombreux sont ceux qui n'en sont jamais revenus.

Les yeux rivés sur l'ancien chêne, Morio hocha la tête.

— Je crois comprendre.

— Nous avons fait pousser l'arbre autour du portail, intervint Trenyth. Je me souviens encore du jour où nous avons planté le gland. En franchissant la porte, vous entrerez dans le portail. Que les dieux soient avec vous, nous souhaita-t-il en faisant signe au garde en faction pour qu'il nous ouvre.

Trillian fit un pas sur le côté.

— Je vous quitte ici. Je retournerai sur Terre le plus vite possible. Soyez prudents.

Se tournant vers Camille, il tendit les bras vers elle. Ils allaient parfaitement ensemble. Elle l'aimait et lui aussi. D'une certaine façon, ils étaient presque mariés, même s'ils n'officialiseraient jamais leur union. Lorsqu'elle recula, ma sœur avait les larmes aux yeux.

— Chaque fois que tu pars, j'ai peur de ne plus jamais te revoir. Tâche de rester en vie, OK?

Il prit ses mains dans les siennes.

— L'avenir est obscur. Je ne peux pas te le promettre, mais tant que je le pourrai, je reviendrai auprès de toi.

— Que la Mère Lune te protège, dit-elle en écartant une mèche argentée de son visage. Tu es mien. Tu m'appartiens.

Les yeux brillants, il se détourna et s'enfonça dans la nuit. Camille le regarda s'éloigner pendant que Morio posait une main sur son épaule. Puis, elle se dirigea vers le chêne.

— Allons-y, dit-elle, avant de se jeter dans l'énergie crépitante du portail, suivie de Morio.

Ce fut alors mon tour. Passer au travers d'un portail était comme se balader dans une usine d'aimants, vêtu d'une armure en métal. Toutes les cellules se dispersaient et se retrouvaient avant que vous vous en soyez rendu compte. Il n'y avait rien à entendre, rien à voir, seulement des éclats de couleurs aveuglants et un bourdonnement incessant. En quelques fractions de secondes, le voyage touchait à sa fin.

J'espérais seulement que l'homme que nous devions rencontrer était aussi pressé de nous voir que nous l'étions.

Le portail débouchait dans un petit temple à cinq cents mètres de la cité des prophètes. Avertis de notre arrivée, des gardes nous attendaient. Même s'ils ressemblaient à des HSP, leur aura débordait de magie. Ils sentaient l'ozone et le métal en fusion.

Leur groupe était composé de deux hommes et une femme. Très grands, l'air austère, ils portaient de longues capes, orange pour elle et bleu indigo pour eux.

En revanche, aucun ne possédait d'arme. Mon petit doigt me disait qu'ils n'en avaient pas besoin.

— Trenyth s'est porté garant pour vous, dit l'un des hommes. (Ses cheveux étaient coiffés en arrière, presque à la brosse, et sa peau avait la couleur du café. Il nous salua d'un bref hochement de tête.) D'habitude, nous n'autorisons aucun démon à pénétrer à l'intérieur de nos murs. Toutefois, votre situation appelle à une exception. Ne nous faites pas regretter notre décision.

Je me mordis la lèvre. Ce n'était pas le moment de faire un faux pas.

Il nous tendit trois colliers.

— Vous ne devrez les retirer sous aucun prétexte. Avant de les mettre, posez-les avec votre main sur ce plateau. (Quand il s'empara d'un morceau d'argent, je frissonnai, ce qui ne lui échappa pas.) Ne vous inquiétez pas, ce n'est pas de l'argent. Ça ne vous blessera pas. Je vais simplement m'en servir pour vous relier à votre collier d'identification de sorte que personne ne puisse vous le voler.

Voilà un détail intéressant ! Se faufiler à l'intérieur d'Aladril devait être compliqué, mais se présenter devant les gardes sans leur système d'identification magique se révélerait inutile. C'était bien mieux qu'une trace.

— Si vous ne le portez pas, poursuivit-il, vous serez considérés comme une menace pour notre société et nos gardes pourront disposer de vous à leur convenance.

Apparemment, il ne comptait pas en dire plus, car il plaça les colliers sur la table avant de reculer.

Ravalant ma fierté, je posai la main sur l'un d'eux. Aussitôt, un éclat de lumière apparut et le prophète me fit signe de mettre le bijou autour du cou. Rien ne se passa. Pas de brûlure, de piqûre, aucune sensation de rétrécissement. Camille et Morio m'imitèrent.

—Merci, dis-je finalement. Nous vous sommes reconnaissants pour votre aide. (Quand ma sœur marmonna dans sa barbe, je lui donnai un coup de coude.) Ferme-la, murmurai-je.

Elle se calma.

—Vous êtes à présent libres d'entrer dans notre ville. Respectez nos règles. Si vous avez un doute sur l'une d'elles, n'hésitez pas à poser la question. Vous avez trois jours. Après, il vous faudra revenir ici pour demander un prolongement. (La femme se révélait aussi peu chaleureuse que ses compagnons. Elle nous désigna le chemin qui partait du temple.) Cette route vous mènera à Aladril. Ne perdez pas de temps et ne sortez pas du sentier. Vous risqueriez de vous faire tuer.

Elle ne prit pas la peine de nous expliquer pourquoi, mais je décidai de la croire sur parole. Une fois dehors, nous nous retrouvâmes à fouler un chemin parfaitement pavé qui sinuait en direction des flèches brillantes d'Aladril et qui était bordé de globes lumineux flottants. Aucune excuse pour se perdre.

Un soir, j'avais veillé avec Camille et Menolly pour regarder *Le Magicien d'Oz*. En comparaison, les briques jaunes de Dorothy, c'était de la camelote. Les pavés n'étaient pas jaunes, la forêt n'était pas en Technicolor et Aladril n'était pas la cité d'émeraude, mais nous n'étions vraisemblablement plus à Seattle, Toto.

Même si les globes nous donnaient le sentiment d'être observés, la progression était facile.

— Ils attirent l'œil, dit Camille.

— Quoi ?

— Ce sont des globes lumineux destinés à attirer notre attention. Pas exactement un sort parce qu'ils sont généralement utilisés en guise d'avertissement… un peu comme les panneaux triangulaires sur Terre. (Elle se tourna vers Morio.) Tu sais comment on les crée ? Ça ressemble à ce que tu es capable de faire…

Il secoua la tête.

— Non, je ne crois pas que ça soit dans mon répertoire. Peut-être que d'autres *yokai* en sont capables, mais je n'en suis pas certain. Je n'ai pas fréquenté beaucoup de démons sur Terre. En revanche, je verrais très bien Titania s'en servir. Du moins, au temps où elle avait encore du pouvoir.

— J'ai appris très peu de sorts de ce niveau quand j'étudiais, dit Camille. Mon professeur avait peur que je dérape. Et quand je suis passée au niveau supérieur, tout le monde connaissait mes déboires. Je commence à croire que je n'aurais peut-être pas eu autant de problèmes si mon professeur s'était soucié de moi plutôt que de mon sang mêlé.

Morio lui caressa le bras.

— Tu t'en sors très bien avec la magie de la mort. Peut-être qu'ensemble, on pourra revenir sur les sorts qu'on ne t'a pas appris.

En entendant la tendresse qui émanait de sa voix, je relevai soudain la tête. Camille appartenait à Trillian. Toutefois, il était clair que le démon renard prenait de plus en plus de place dans sa vie. Essayait-il de remplacer le Svartan ou simplement de le compléter ? Je repoussai cette pensée. Pour le moment, nous devions nous concentrer sur notre quête.

Les flèches incurvées apparurent plus clairement de l'autre côté des murs d'Aladril. Des minarets s'élevaient près des dômes, faits de marbre et d'albâtre si brillants qu'ils reflétaient la lumière des étoiles. L'architecture d'Aladril ressemblait beaucoup à celle de Terial, ville portuaire au bord de l'océan Mirami. Toutefois, c'était bien la seule chose qui les rapprochait. Alors que Terial, remplie de marchands et de colporteurs, prospérait, Aladril, elle, était une cité d'érudits, de prophètes et de magie.

Devant les portes, un garde vêtu d'un uniforme blanc et turquoise avec des épaulettes dorées nous fit signe de nous arrêter.

— Identifiez-vous !

Nous lui tendîmes aussitôt nos colliers qu'il approcha d'un objet qui n'était pas sans rappeler le cristal que la reine Asteria nous avait donné. Un faible « bip » retentit. Après m'avoir adressé un regard étonné, il recula pour nous laisser passer.

— Soyez les bienvenus à Aladril, cité des prophètes.

Je m'arrêtai un instant.

— Savez-vous où nous pouvons trouver un prophète qui répond au nom de Jareth ? La reine Asteria nous a demandé de le rejoindre.

— Vous êtes sûrs qu'il s'agit bien de Jareth ? demanda le garde, l'air de plus en plus surpris.

— Oui, il n'y a pas d'erreur.

— Vous trouverez maître Jareth dans le temple du jugement, répondit-il finalement. Suivez l'avenue d'Arabel jusqu'au parc. Puis, coupez à travers les arbres pour atteindre le couloir des temples. C'est là-bas que vous le trouverez. (Alors que je me tournais pour partir, je l'entendis murmurer :) Que les dieux soient avec toi, démone.

J'étais sur le point de lui demander ce qu'il voulait dire, mais il avait déjà repris son poste. Pas grave. Je l'apprendrais bien assez tôt.

En passant à travers les portes de dix mètres de haut, le silence tomba autour de nous comme si une couverture magique avait recouvert le monde. Même s'il faisait nuit, il y avait beaucoup d'animation dans les rues. Des personnes vêtues de longues capes allaient et venaient, l'air absorbé par leur course.

Les rues étaient pavées, les immeubles construits en stuc aussi bien qu'en marbre ou en bronze. Des dômes tachetaient l'horizon, accompagnés de flèches et de minarets au sommet desquels flottaient des drapeaux bleus, blancs et dorés. Il ne semblait y avoir aucune ferme et personne à dos de cheval. Cependant, je croisai des chiens, des chats et même des lapins. J'avais le sentiment qu'ils étaient des familiers.

— C'est ici, dit Camille en désignant le nom de la rue. Avenue d'Arabel.

Nous nous tenions à l'intersection de l'avenue qui grouillait silencieusement de monde. La lune avait presque disparu, mais les mêmes globes qui nous avaient guidés jusqu'ici ornaient la ville.

Tandis que nous nous mêlions à la masse des passants, je me rendis compte que j'étais incapable de discerner les hommes et les femmes. La plupart portaient d'amples capes à capuche et leur odeur était beaucoup moins distincte que celle des humains ou des Fae. Petit à petit, je m'étais rendu compte que chaque race possédait sa propre odeur, peut-être à cause des phéromones. Néanmoins, ici, ce n'était pas le cas.

Même en plein hiver, le parfum des fleurs nocturnes embaumait l'air. Je pouvais également entendre de la musique, mais quand j'essayai d'en découvrir l'origine, elle s'arrêta. Avais-je rêvé ? Camille et moi étions déjà venues à Aladril, mais chaque fois que nous en partions, nos souvenirs s'évanouissaient pour ne laisser que des sensations disparates de ce que nous avions vu et fait.

— L'énergie est tellement forte qu'elle me donne mal à la tête, se plaignit Morio. Combien de prophètes vivent-ils ici ? Le pouls cérébral ressemble à un staccato.

Camille haussa les épaules.

— Personne n'en sait beaucoup sur les habitants d'Aladril. S'installer ici n'est pas donné à tout le monde et ceux qui y parviennent semblent disparaître par la suite. Tu te souviens de notre cousine Kerii ?

— Oui, répondis-je en hochant la tête. Son professeur la trouvait tellement douée en divination qu'elle lui a conseillé de poursuivre ses études ici. (En me tournant vers Morio, j'ajoutai :) Nous avons reçu de ses nouvelles quand elle a déménagé, puis plus rien. Nous savons qu'elle est toujours en vie parce que la statue de son âme est toujours intacte ou, du moins, elle l'était la dernière fois que nous avons vérifié. Mais, depuis ce jour-là, nous n'avons plus aucun contact avec elle.

— Une statue de l'âme ? Qu'est-ce que c'est ? demanda Morio en se frottant le nez et les yeux. J'ai l'impression de me tenir à côté d'une borne *wi-fi*. Je ne peux pas aller à *Starbucks* sans avoir la migraine.

Camille jeta un coup d'œil aux alentours.

— Moi aussi, la magie commence à me peser. Pour ce qui est des statues de l'âme... À notre naissance, des chamans ont forgé une statue pour chacun d'entre nous. Elles ont été placées dans notre tombeau familial et se briseront le jour de notre mort. (Elle m'adressa un regard en biais.) C'est ce qui est arrivé à celle de Menolly. Après sa transformation, les pièces ont tenté de se recoller, mais elle est restée...

— Déformée, tu peux le dire, intervins-je. Je l'ai vue. Je sais à quoi elle ressemble. Quand la mort définitive viendra me chercher, elle se brisera pour de bon.

Morio cligna des yeux.

— C'est intéressant. Vous pouvez donc savoir si votre père et votre tante sont toujours en vie...

— Exactement, répondit Camille. À chacun de ses voyages, Trillian demande à une personne de confiance de vérifier l'intérieur du tombeau. Pour le moment, les statues de Père et de tante Rythwar sont intactes. Ils ont simplement disparu.

— Voilà le parc ! m'exclamai-je.

Après avoir marché une bonne heure, nous faisions à présent face à une étendue sauvage clôturée. Enfin, étant donné que nous nous trouvions à Aladril, « sauvage » n'était peut-être pas le bon mot. Ici, tout semblait sous contrôle.

Les murs qui entouraient le parc s'élevaient à deux mètres de haut et s'étendaient à perte de vue. L'entrée principale était ouverte. Néanmoins, lorsque nous franchîmes les portes, je sentis la différence entre la ville en elle-même et le jardin qu'elle renfermait. À titre d'exemple, à l'intérieur, il faisait beaucoup plus chaud.

Des marches en marbre traversaient des champs de fleurs remplis de roses, jasmins et marguerites. Les fleurs et les feuillages se mêlaient en une étreinte exotique, tandis que le chemin guidait les passants au milieu des pétales. Les jardins s'étendaient sur quinze terrasses dont les escaliers menaient tous à la dernière. De chaque côté, des bancs de pierre et de cuivre offraient aux promeneurs un endroit où se reposer ou méditer. Au plus bas, se trouvait une large fontaine entourée d'une balustrade où l'eau couleur ambre se déversait par magie depuis de nombreux cubes.

—Il fait vraiment chaud ici, remarqua Morio.

—C'est un peu comme une serre avec un toit invisible et de l'énergie magique en guise de chauffage. Si je ne me trompe pas, il y a aussi des bains publics.

Tout en descendant les marches, Camille affichait une expression ravie.

—Tu planes ? lui demandai-je pour la taquiner.

—Oh oui, répondit-elle en fermant les yeux pour s'imprégner davantage de l'énergie ambiante. La magie coule comme du vin. Ça me monte à la tête. Je pense que j'apprécierais de vivre ici.

—Je ne crois pas, dis-je, tout sourires. Tu aurais du mal à t'intégrer. Ton dynamisme ne s'accorderait pas avec cette énergie modérée et tu le sais très bien.

De temps à autre, nous dépassions quelqu'un assis sur un banc ou sur l'herbe, mais aucun ne sembla nous remarquer.

Soudain, un ululement me fit sursauter. Perché sur un saule, un hibou nous observait. Je pouvais sentir son regard perçant dans la nuit noire.

— On nous surveille, murmurai-je. Hibou à deux heures, sur le saule.

Camille se tourna vers notre voyeur.

— Ce n'est pas un hibou normal. Peut-être un familier.

— Ce n'est pas non plus un garou, intervint Morio. Il s'agit peut-être d'un autre type de métamorphe ou d'une ombre-éclaireur, une illusion créée pour nous surveiller.

— Nous ferions mieux de faire comme si de rien n'était pour le moment, dit Camille en soupirant. Si nous l'approchons, nous risquons d'alerter celui qui l'a envoyé. Après tout, nous ne savons pas de qui il s'agit et ce n'est pas le moment de froisser nos alliés.

— Quels alliés ? lançai-je d'un ton moqueur. Pour l'instant, nous ne pouvons qu'espérer tirer quelque chose de notre rencontre avec Jareth. Après tout, ce voyage pourrait se révéler une perte de temps.

— La reine Asteria semble penser le contraire. Nous ferions mieux de ne pas briser une alliance qui vient à peine de se former, dit Camille en fronçant les sourcils. Contentons-nous de garder l'œil ouvert. Si quelqu'un nous suit, il finira par se montrer.

Pendant que nous avancions à travers les jardins, le hibou nous pista silencieusement d'arbre en arbre. J'essayai de ne pas le regarder. À tous les coups, les trois gardes qui nous avaient donné les colliers l'avaient envoyé parce qu'ils ne nous faisaient pas confiance. Quoi qu'il en soit, nous arrivâmes bientôt de l'autre côté.

Remonter quinze terrasses fut plus long que les descendre, mais Morio était en forme et Camille et moi n'étions pas fatiguées. La vie sur Terre n'avait pas affecté notre endurance.

Devant les portes, j'aperçus le hibou s'éloigner. Finalement, notre sentinelle cherchait peut-être à vérifier si nous ne nous détournions pas de notre chemin.

Tout à coup, je me sentis hésiter. L'idée de me trouver un coin douillet pour me reposer était si tentante que je n'avais pas envie de quitter cet endroit. Quand nous aurions plus de temps, je reviendrais ici avec mes sœurs pour profiter du silence apaisant.

Le parc débouchait sur le couloir des temples qui n'était en fait qu'une autre avenue bordée de bâtiments en marbre. Son nom lui allait comme un gant. Il y avait au moins une quinzaine de temples de chaque côté. Je me demandai alors comment les prêtres arrivaient à s'y retrouver au milieu de ces énergies contradictoires. Mais là encore, les fondateurs de la ville y avaient sûrement remédié.

— Qu'est-ce qu'on cherche déjà ? demanda Camille.

— Le temple du jugement, répondit Morio, tout sourires. Ce nom n'inspire-t-il pas confiance ? J'ai beaucoup voyagé, pourtant je n'avais jamais rien vu de tel. Vous croyez que l'ancienne Égypte ou la Grèce ressemblait à ça autrefois ?

— Aucune idée, mais je suis d'accord avec toi pour le nom. Je me demande quel genre de dieu Jareth peut bien servir, dit Camille en se tournant vers moi.

Je secouai la tête.

— Je ne sais pas. La religion n'a jamais été mon fort. Je ne suis pas croyante.

Après tout, les dieux ne m'avaient pas aidée quand j'en avais le plus besoin. J'en avais déduit qu'ils ne se mêlaient pas des affaires de mortelles, sauf s'ils y trouvaient un intérêt. Leur confier sa vie était trop risqué.

Contrairement au cœur de la ville, il y avait beaucoup moins de monde dans les rues, mais suffisamment pour pouvoir demander notre chemin. Les temples de style égyptien et grec donnaient une touche irréelle et avant-gardiste à l'allée et le mélange de leurs énergies tourbillonnait comme un vortex.

— La magie est très forte ici, remarqua Camille d'une voix rauque. J'arrive à peine à parler.

— Je ferais peut-être mieux d'y aller toute seule, dis-je. Vous n'avez pas l'air dans votre assiette.

Les yeux rivés sur les bâtiments, Camille et Morio paraissaient éteints, presque tourmentés.

— Je ne sais pas, avoua ma sœur en jouant avec le bas de son bustier. Je n'aime pas te savoir toute seule là-bas.

— Nous sommes à Aladril. On ne m'embêtera pas si je suce le sang de personne. Roz n'a pas pu traverser les portes parce que l'énergie l'a repoussé et je doute qu'Asteria soit la bienvenue. Quant à Dredge et ses sbires… si les gardes ont hésité à me laisser entrer, ça m'étonnerait qu'eux y parviennent. (Je la poussai légèrement.) Retournez m'attendre au chaud dans les jardins. Je vais trouver le temple du jugement et parler à ce Jareth.

Comme Camille hésitait, Morio lui prit la main.

— Menolly a raison, dit-il. J'ai même du mal à marcher ! Nous devons ériger des barrières avant de pouvoir affronter ces énergies. Nous essaierons dans les jardins.

Sourcils froncés, Camille hocha la tête et le laissa la guider jusqu'au portail. Je les arrêtai.

— Attendez ! Qu'est-ce qu'Iris nous a demandé de lui rapporter ? Un cristal ?

— Une aqualine de l'océan Wyvern, répondit doucement Camille. Tu ne dois pas oublier de leur préciser qu'Iris est une prêtresse de…

— Undutar, je m'en souviens. Bon courage pour vos barrières. Je serai de retour dans une heure. Si vous ne me voyez pas arriver dans deux heures, venez me chercher. (Je jetai un coup d'œil à ma montre. Contrairement à Camille, j'adorais en porter.) Est-ce que ça marche ici ?

Morio leva le bras pour dévoiler une montre en or, sûrement une Rolex.

— Oui, j'ai vérifié, dit-il. Voyons… Il est 20 h 30, heure terrienne. Si tu n'es pas de retour à 23 heures, on viendra te chercher.

— Ne vous faites pas remarquer. Et si vous voyez de nouveau le hibou, essayez de savoir ce qu'il veut.

Pendant qu'ils retournaient dans les jardins, je m'engageai dans la rue, en me demandant de quel côté aller. De façon tout à fait arbitraire, je décidai de tourner à gauche. Après tout, j'avais cinquante pour cent de chances d'avoir raison, alors pourquoi ne pas choisir le chemin qui semblait refléter mon destin ?

Tandis que je descendais la rue en essayant d'avoir l'air à ma place, je me rendis compte que, parfois, ne pas avoir de pouvoirs magiques pouvait se révéler utile. Morio et Camille étaient incapables de faire face aux énergies qui flottaient dans l'air sans barrière mentale. Moi, en revanche, je pouvais à peine les sentir.

J'observai les alentours. La plupart des passants portaient des capes à capuche, si bien que j'avais des difficultés à discerner leur nature et leur humeur. Finalement, après avoir fait la plouf, je décidai d'aller parler à un homme vêtu d'un kimono doré qui fumait une cigarette, adossé à un mur. En me rapprochant, l'odeur d'armoise m'envahit les narines. Je grimaçai. Pas très bon pour les neurones.

—Bonjour, l'interpellai-je. Est-ce que vous pourriez m'aider ?

—Chut, dit-il. Vous avez entendu ?

Il pencha la tête sur le côté, comme pour essayer d'écouter un murmure. Pour ne pas avoir l'air malpoli, je l'imitai. Au bout d'un moment, je perçus un rythme lointain porté par le vent. Ça ressemblait à un lent tambourin, semblable à celui dont Camille se servait pour entrer en transe.

—Qu'est-ce que c'est ? demandai-je.

—Le temple d'Hycondis exécute un rituel sacrificiel ce soir.

Je me mordis la langue pour m'empêcher de commenter. À Y'Elestrial, les temples devaient suivre certaines règles, dont l'interdiction de perpétuer des sacrifices. Bien sûr, certaines sectes continuaient à le faire dans l'ombre.

—Hycondis ? m'enquis-je en espérant qu'il n'avait rien à voir avec le temple du jugement.

—Le seigneur des maladies. Ses adorateurs lui offrent les corps des défunts pour qu'il les purifie, répondit-il sur un ton monotone, comme s'il récitait les pages d'un livre.

— Vous voulez dire que les sacrifices sont déjà morts ?

L'air dégoûté, il leva les yeux au ciel.

— Bien sûr que oui ! Contrairement aux sacrifices que vous offrez à votre ventre, vampire... Qu'est-ce que vous voulez ?

Quand il jeta sa cigarette par terre, elle se désintégra aussitôt. Pratique.

— Je cherche le temple du jugement.

— Ça ne m'étonne pas. Vous avez sûrement beaucoup de choses à vous faire pardonner, remarqua-t-il en ricanant. (Il était persuadé d'être très malin.) Prenez la première à droite et continuez sur quelques mètres. Vous ne pouvez pas le rater.

Quand je le remerciai, il se détourna comme si je n'avais jamais été là. Je ne relevai pas. Pas le temps de me battre à cause de ses mauvaises manières. Et puis, j'étais une étrangère ici.

La route qu'il m'avait indiquée se vidait petit à petit. Je regardai ma montre. 20 h 45. L'heure du dîner ? S'il existait un couvre-feu, les gardes ne l'avaient pas mentionné. Quoi qu'il en soit, à 21 heures, je me retrouvai seule dans la rue. J'entendais le bruit d'un chariot de temps à autre sans le voir passer. En fait, depuis que j'avais pénétré dans ce couloir de temples, j'avais la chair de poule.

J'arrivai enfin devant le temple du jugement. Je m'arrêtai pour l'observer. Les portes étaient éclairées par une rangée de flammes violettes qui crépitèrent lorsque je m'en approchai. Au-dessus, une inscription disait : « Entre, toi qui cherches le salut et la justice. »

Tout en espérant ne pas brûler vive, je poussai les lourdes portes pour pénétrer à l'intérieur.

Chapitre 13

En passant au milieu des flammes, une forte odeur d'âmes brûlées parvint jusqu'à mes narines. Était-ce la fin ? L'instant d'après, je me retrouvai dans le hall du temple, relativement saine et sauve. J'avais l'impression d'être passée à l'essoreuse. Néanmoins, quand je baissai la tête, tout semblait à sa place.

Le temple ressemblait à une ruine égyptienne, les gravats en moins. De part et d'autre, se tenaient d'immenses statues de femmes dont les bras formaient un arc au-dessus de l'entrée de la salle principale.

À première vue, leur visage ressemblait à celui de Ma'at, déesse égyptienne de la vérité et de la justice, mais en m'approchant, je me rendis compte que je m'étais trompée. Alors qui était-ce ?

Le hall était énorme comparé à l'étroitesse du passage d'accès. Il semblait d'ailleurs être le seul existant. Je m'attendais presque à voir les statues bouger. Quand rien ne se passa, je fis un pas de plus, puis un autre, avant de me précipiter de l'autre côté.

Là, je me retournai pour vérifier que les femmes ne m'avaient pas suivie, mais elles continuaient à surveiller l'entrée. Rassurée, je reportai mon attention sur la pièce dans laquelle je me tenais. Étrange. Aucun carillon n'avait retenti à mon arrivée et personne n'était là pour me demander ce que je voulais. Bonjour la sécurité…

Même si Y'Elestrial possédait des temples bien plus importants que celui-ci, je n'avais jamais vu de salle aussi grande. Sans voix, j'admirai la beauté de l'architecture.

Les murs et les sols étaient recouverts de marbre blanc et des milliers de globes lumineux flottaient près du plafond. Il y avait également des statues de bronze à l'effigie de dieux ou de mortels évoluant dans le panthéon des morts. Des tapisseries de lin, brodées de fils or et noirs racontaient leur histoire.

De quelle culture pouvait-il s'agir ? Après tout, très peu de Fae vénéraient les dieux égyptiens. Avec son adoration pour Bastet, Delilah était une exception. En général, les Fae se dirigeaient davantage vers les divinités celtiques et européennes, voire gréco-romaines. Toutefois, personne n'avait jamais dit que les habitants d'Aladril étaient des Fae. Et, même s'ils paraissaient humains, ils n'avaient rien à voir avec de simples HSP.

Je cherchai un signe de vie, en vain.

Une rangée de portes courait le long du mur. Pas le choix. Je décidai de commencer par celle qui se trouvait face à l'entrée. Tout en marchant, je réfléchissais à ce que je pourrais leur dire, pour éviter qu'ils me tuent avant d'avoir eu la chance de me présenter.

Comme la porte n'était pas verrouillée, je la poussai doucement. Un courant d'air me parvint du couloir obscur. Haussant les épaules, je décidai de m'y aventurer.

Le couloir continuait à perte de vue et charriait une odeur de sang, qui n'était pas pour autant mêlée à celle de la peur. Guidée par mon odorat, je m'éloignai de l'allée principale et me retrouvai devant une nouvelle porte.

Peut-être cuisinaient-ils de la viande, pensai-je en posant la main sur la poignée. Ou une femme avait peut-être donné naissance récemment. Fatiguée de mes propres devinettes, je me décidai à entrer.

La première chose que j'aperçus fut un homme nu, assis sur une estrade, le dos droit, en position du lotus. Un demi-cercle de bronze s'étendait comme un arc-en-ciel depuis le milieu de son dos. Ses bras tendus sur les côtés, parallèles au sol, supportaient la fine barre de métal qui formait la base de l'arc.

Des piques de la taille d'aiguilles parcouraient l'instrument comme les rayons d'une bicyclette. En bas, elles étaient dirigées vers son dos et lui transperçaient la chair. Cependant, même si je pouvais le sentir, je ne voyais aucune trace de sang. Et à en juger par son expression, l'homme était vivant et ne souffrait pas, sans doute sous l'influence de la drogue ou de la transe.

Tout à coup, il ouvrit les yeux et m'observa. Il ne semblait pas enclin à bouger. Je m'approchai lentement de lui. La curiosité prenait le pas sur la prudence. Même si l'odeur du sang était forte, elle n'avait aucun effet sur moi. Fascinée, je m'approchai de l'estrade.

L'homme était assis sur un coussin turquoise avec des pompons dorés. Malgré sa posture assise, je devinais qu'il s'agissait du plus grand homme que j'avais jamais rencontré. Ses yeux et ses cheveux étaient si sombres que j'aurais pu m'y perdre. Il ne rentrait pas dans les canons de beauté habituels, mais il avait quelque chose de très attirant. Je ne pouvais pas détourner mon regard de lui.

Cinq minutes s'écoulèrent, ou dix… ou vingt. Finalement, une autre porte s'ouvrit pour révéler un autre homme. Plus petit que la statue vivante, il semblait partager ses origines. Il portait un pantalon en lin avec une veste et un foulard doré qu'il avait noué autour de sa taille.

— Vous êtes venue questionner l'oracle de Dayinye ? demanda-t-il.

Son calme m'étonna. Ne savait-il pas que j'étais un vampire ?

— Je ne sais pas, répondis-je avec prudence. Je cherche un homme prénommé Jareth. On m'a dit que je le trouverais ici. Pourriez-vous me mener à lui, s'il vous plaît ?

L'homme soutint mon regard jusqu'à ce que je me sente mal. Je détournai la tête. Qui était-il ? Personne ne pouvait résister à mon sourire à cause de mon charme vampirique. Pourtant, il ne semblait pas affecté.

— Pourquoi ne posez-vous pas la question à l'oracle ? dit-il après un moment.

Même si j'étais fatiguée de ce petit jeu, je me trouvais en territoire inconnu. Je devais donc respecter leurs règles. Je soupirai avant de me tourner vers l'homme de l'estrade.

— Que dois-je lui demander ?

— Vous seule pouvez le décider.

Je tâchai de me concentrer. Il y avait peut-être un piège, comme les souhaits exaucés par des génies malfaisants.

— Je cherche Jareth, commençai-je. Est-il dans le temple ? Acceptera-t-il de m'aider ?

Voilà, ça me paraissait suffisamment précis.

L'oracle cligna des yeux avant de les fermer. Je n'entendais plus la respiration et le pouls des deux hommes. *C'est impossible*, pensai-je. Ils étaient vivants. J'avais l'impression que mes sens me trompaient.

Au bout d'un moment, une voix résonna dans la pièce :

— L'homme que vous recherchez est ici. Il vous aidera. La question est : de qui avez-vous besoin ? Le chemin qui s'ouvre devant vous est long et tortueux. Les démons ne deviennent démons que s'ils choisissent de vivre au milieu des flammes.

Retombant dans le silence, il se redressa et ses yeux se perdirent de nouveau dans le vide. Arrêt sur image.

Je me tournai vers l'autre homme.

— Pouvez-vous me mener à Jareth à présent ?

Après avoir hoché la tête, il me fit signe de le suivre vers le fond de la pièce. Je le rejoignis aussitôt en contournant l'estrade.

— Est-ce qu'il… Est-ce qu'il reste toujours assis ici avec cette chose sur le dos ? demandai-je d'un ton que je voulais respectueux.

— Oui, répondit mon guide sans se retourner, nuit et jour, années après années. Il est l'oracle de Dayinye. Il répondra à des questions jusqu'à la fin de ses jours. Puis, il ira rejoindre le paradis de Dayinye.

Il me mena à travers un couloir qui s'enfonçait dans le temple. Ici, je sentais des mouvements, des ronflements derrière les cloisons. Visiblement, les résidents du temple dormaient.

— Depuis combien de temps est-il l'oracle ?

— Deux cent cinquante-sept ans. Les oracles ne servent pas longtemps, seulement cinq cents ans. Son successeur est généralement désigné durant sa quatre centième année. Pendant un siècle, ils sont formés à leur nouvelle position.

Comme il ne semblait pas gêné de répondre à mes questions, j'essayai d'en apprendre davantage.

— Qui est Dayinye ? Je suis désolée, vos croyances ne me sont pas familières.

Arrivés dans une salle à manger, mon guide me proposa de m'asseoir à une table. Je pris place sur un banc.

— Patientez ici, dit-il avant de disparaître sous une arche.

Quelques instants plus tard, il réapparut avec un verre de vin et, oh surprise, un verre de sang ! Il savait donc ce que j'étais.

J'acceptai la flûte en cristal et la portai jusqu'à mon nez. Plus ou moins humain, avec une touche de magie. Comme je ne voulais pas paraître malpolie, j'y trempai doucement les lèvres. Je crus que j'allais m'évanouir. Le sang ressemblait à un nectar précieux. En fait, pendant un moment, j'aurais juré boire un merlot, un Bourgogne, ou un élixir elfique. Quand je pris une autre gorgée, celle-ci eut le goût de jus de pomme, cannelle et miel.

— Qu'est-ce que c'est ? C'est divin ! m'exclamai-je.

Si j'avais mis la main sur ce verre quelques semaines auparavant, j'aurais été beaucoup moins stressée.

— Le sang de notre oracle. Nous le saignons deux fois par semaine pour nos rituels… et nos invités spéciaux, répondit-il avec un sourire indulgent.

Je ne savais pas quoi dire. Ça ne pouvait pas lui faire

plus de mal que rester assis sur cette estrade pendant quelques siècles. Étant donné que j'avais tendance à saigner les gens, moi aussi, je choisis de ne faire aucun commentaire.

— Je m'appelle Jareth, avoua finalement mon guide en me tendant la main.

Je me contentai de l'observer. Pourquoi ne l'avait-il pas dit plus tôt ? L'oracle avait-il été une sorte de test ? Encore une fois, je me forçai à ne pas dire ce que je pensais vraiment et lui serrai la main.

— Comment allez-vous ? Je suis ici sur ordre de la reine Asteria.

— La reine des elfes vous envoie ? Nous vivons des temps étranges où les elfes et les Svartan forment des alliances et où une reine m'envoie un vampire pour que je lui vienne en aide. Que pensez-vous obtenir en vous présentant ici ? demanda-t-il sans ciller.

Je fis courir mes doigts sur le cristal du verre et observai le sang magique avant de prendre une nouvelle gorgée. Après avoir posé le verre, je m'essuyai délicatement la bouche.

— Je n'ai pas choisi de devenir vampire. Le clan du sang d'Elwing m'a transformée contre mon gré. Je suis actuellement en mission sur Terre et j'ai appris qu'il avait réussi à traverser les portails. Dredge, leur chef et mon sire, me cherche et il est sûrement de mèche avec une floraède qui s'est alliée à une bande de démons des Royaumes Souterrains. J'ai besoin de savoir comment le trouver et le tuer.

Les coudes posés sur la table, Jareth se pencha en avant.

— Et vous croyez que je détiens la solution ?

— C'est visiblement l'avis de la reine Asteria, dis-je en réfléchissant à la question.

Ce prêtre était difficile à lire.

— Vous ne pensez pas être assez forte pour le tuer ?

Quand mon regard croisa le sien, j'y vis quelque chose qui me manquait depuis très longtemps : une totale compréhension. J'avais envie de pleurer.

— Non, je sais que je n'en suis pas capable, répondis-je en secouant la tête.

— Vous pouvez trouver votre sire. C'est un don que possèdent tous les vampires.

La façon dont il me regardait me donnait l'impression qu'il lisait en moi, au-delà de la haine et de mes souvenirs, en celle que j'avais été autrefois.

— Vous en savez beaucoup sur les vampires.

Je n'arrivais pas à le cerner. Pourtant, il me fascinait. Il refusait de montrer l'étendue de ses pouvoirs.

— Suffisamment pour ce que vous me demandez, dit-il. J'ai aidé de nombreux vampires à contrôler leur nature, mais j'en ai également perdu certains.

Un frisson glacé me parcourut l'échine, plus froid que ma peau, plus froid que la mort.

— Perdu ?

— Beaucoup m'ont sollicité. Malheureusement, je n'ai pas réussi à tous les aider. Certains n'ont pas voulu faire face à leurs démons intérieurs, d'autres, au contraire, les ont embrassés trop facilement. Sans équilibre, ils sont devenus des monstres.

Lorsqu'il releva la tête vers moi, je sus. À présent, je comprenais pourquoi Asteria m'avait envoyée ici.

— Vous avez essayé d'aider Dredge, n'est-ce pas ?

— Parfois, répondit-il en baissant les yeux, vos efforts restent vains. Dredge a été la première et la pire erreur de ma vie.

Si Jareth avait connu Dredge lorsqu'il était jeune vampire, il devait être extrêmement vieux. Et il connaissait ses points faibles ! Ces informations pourraient se révéler précieuses pour l'anéantir.

— Acceptez-vous de m'aider ? demandai-je en vidant mon verre. Dredge a enlevé une de nos amies. Je n'ai pas beaucoup d'espoir à son sujet, mais… peut-être qu'on arrivera à la sauver. Son but est de me faire du mal. Je ne pense pas qu'il la tuera tout de suite.

— Si je vous tends la main, vous devrez accepter de suivre des chemins obscurs, Menolly. Avant de faire face à Dredge, il vous faudra accepter votre passé. Il est votre sire. Si vous l'affrontez telle que vous êtes aujourd'hui, il n'aura aucun mal à vous manipuler. Dredge n'est pas un vampire comme les autres. Saviez-vous qui il était avant de devenir vampire ? Vous a-t-il raconté son histoire ?

Je secouai la tête.

— Il ne m'a rien dit en dehors de ce qu'il comptait me faire. Et il a tenu chacune de ses promesses.

Fermant les yeux, j'essayai de repousser les images qui menaçaient de remonter à la surface.

— Tant que vous craindrez vos souvenirs, vous serez à sa merci. Cette nuit, pour vous libérer des chaînes qui vous retiennent à Dredge, je vais devoir vous faire revivre la douleur que vous avez ressentie. (Il se leva.) Êtes-vous prête à supporter un tel voyage ? Êtes-vous capable de me laisser vous briser pour pouvoir recoller les morceaux ?

— Je pensais que l'OIA s'en était chargée à mon retour, dis-je, pour tenter de me défiler. Ils ont passé un an à me remettre sur pied. Pourquoi ne me dites-vous pas ce que vous savez sur Dredge ?

Jareth me fit signe de marcher avec lui. Ensemble, nous empruntâmes le couloir qui menait à la salle principale.

— L'OIA n'a fait que panser vos blessures. Ils vous ont appris à vivre avec vos souvenirs, mais pas à les surmonter. Je suis un chaman. Je peux vous apprendre à les contrôler. Quand vous y parviendrez, vous pourrez enfin vous mesurer à Dredge. (Il s'interrompit un instant.) Si vos sœurs et vous décidez de le combattre, il est probable qu'il réussira à vous retourner contre elles. Malgré toute la haine qu'il vous inspire, il vous réduira à l'état de marionnette.

Je me figeai.

— Vous voulez dire qu'il peut me contrôler, même si je me débats ?

— Dredge a plus de huit cents ans, Menolly, et avant sa transformation, il était haut prêtre de Jakaris. Cela fait des siècles qu'il aurait dû être exilé dans les Royaumes Souterrains, mais il a toujours réussi à s'échapper.

Un haut prêtre de Jakaris, dieu Svartan de la torture et du vice ! Pas étonnant qu'il apprécie de faire du mal aux autres. Je posai la main sur mon ventre. Je ne me sentais pas très bien.

— À côté, Dracula a l'air d'un ange.

— On peut voir les choses comme ça, acquiesça Jareth. Mais, malgré les apparences, Vlad possédait une certaine éthique. Dredge, lui, est dénué de conscience. S'il veut atteindre quelqu'un, il détruira d'abord tous ses proches les uns après les autres des pires façons possibles.

Tuer ne l'intéresse pas. Ce qu'il veut, c'est ressentir la douleur et la peur de sa victime.

Merde. Je n'avais pas le choix…

— Est-ce que vous connaissez un incube du nom de Rozurial ? Il pourchasse Dredge, lui aussi.

Jareth hocha la tête.

— Il voulait étudier avec moi, mais je ne travaille pas avec les incubes. De plus, on lui a refusé l'entrée à la ville. Il s'est donc rendu sur Terre ?

— Oui, il nous prête main-forte.

— Très bien. Vous pouvez lui faire confiance. Comme beaucoup, il a une vieille rancune contre le clan du sang d'Elwing. Nous n'avons plus de temps à perdre. Acceptez-vous de mettre votre sort entre mes mains ? La reine Asteria vous a envoyée ici. Je peux vous aider, à condition que vous vous abandonniez à moi.

Cette pensée me terrifiait. Mon instinct me criait de m'échapper.

— Est-ce que je peux y réfléchir ? J'aimerais en parler avec ma sœur.

— Bien sûr. Je ne bouge pas d'ici. Mais, si vous refusez, ne revenez plus jamais me voir. Vous n'aurez pas de seconde chance, me prévint-il en me raccompagnant jusqu'à la porte.

— Qui est-ce ? demandai-je en désignant les statues. Vous avez parlé de Dayinye tout à l'heure, si je ne me trompe pas ?

— Ce sont effectivement des statues de Dayinye, gardienne des âmes et de la conscience. Elle nous mène sur le chemin de la vérité et de notre destin. Si nous nous en éloignons une première fois, elle nous donne un avertissement. La deuxième, elle devient plus dure. Mais à la troisième, elle nous détruit à l'aide des flammes violettes du jugement.

Après avoir ouvert la porte, il se détourna.

— Je ne vous ferai pas de mal, me dit-il par-dessus son épaule. Du moins, pas davantage qu'il le faudra pour faire de vous un adversaire capable de défier et vaincre son ennemi.

Dans le parc, Camille et Morio se tenaient par la main sous le regard protecteur de la Mère Lune qui sombrait dans l'obscurité de son cycle. Ils faisaient de la magie. Probablement pour se protéger. Je me rapprochai en silence.

— Je sais que tu es là, déclara Camille, sans ciller. Sors de l'ombre, Menolly.

Sa perception s'améliorait. Alors que Delilah et moi étions capables de sentir la présence des autres, Camille, elle, devait faire des efforts pour y arriver. Je m'assis à côté d'elle.

— Il faut qu'on parle. Si on allait s'installer dans une auberge ? demandai-je sans la toucher.

Comme elle venait de lancer un sort, je risquais de me prendre une décharge de magie. Elle frissonna.

— Bonne idée. J'en ai marre d'être assise par terre, j'ai besoin de coussins. Tu as trouvé Jareth ? Qui est-ce ? De quoi a-t-il l'air ?

— Je n'ai pas envie d'en parler ici, même dans cette ville. Protégée ou non, je préfère aller à l'intérieur.

Morio aida ma sœur à se relever avant de me tendre la main.

— Tu sais que je n'ai pas besoin d'aide, lançai-je en ricanant. Mais merci quand même. J'apprécie le geste.

Nous empruntâmes alors le chemin en sens inverse pour retourner au centre de la cité où se trouvaient les auberges. Au bout de dix minutes, nous nous retrouvâmes devant un premier établissement.

— Ça m'a l'air bien, annonça Camille en ouvrant la porte.

Son intuition se révéla bonne. Mis à part l'éclairage et la décoration, l'établissement aurait pu se trouver sur Terre. Les murs étaient peints en vert tilleul et rose. La réception était tenue par un elfe, ce qui m'étonna car nous n'avions pas croisé d'autres races que celle des prophètes depuis notre arrivée ici.

— En quoi puis-je vous aider ? demanda-t-il d'un ton poli, mais réservé.

— Nous voudrions une chambre, répondit Camille en sortant une bourse d'entre ses seins.

Je souris. Ma sœur trouvait toujours les meilleures cachettes pour son argent.

— Combien de lits ?

— Deux. Nous allons seulement nous reposer et nous restaurer. Pourriez-vous nous apporter de la nourriture pour deux ? Un plat de viande ?

Camille plaça trois pièces d'Elqavene sur le comptoir. Cette monnaie était acceptée pratiquement partout en Outremonde. Nous en cachions à la maison en cas d'urgence. Je ne savais pas comment se débrouillait Trillian… En tout cas, sur Terre, il était toujours fauché.

Après avoir montré nos colliers au réceptionniste, nous nous dirigeâmes vers l'escalier. Les marches étaient recouvertes d'un tapis tissé à la main. Notre chambre se trouvait au troisième étage, première porte à droite. Une fois la porte ouverte, Camille nous pressa d'entrer.

La pièce mesurait environ douze mètres carrés et contenait deux lits, une petite table, des chaises et une baignoire. Dans la plupart des villes, prendre un bain n'avait rien de pratique. Si l'hôtel ne possédait pas de système mécanique ou magique, les employés devaient remplir la baignoire à la main. Le prix augmentait bien sûr en conséquence pour financer la main-d'œuvre et le bois utilisé pour chauffer l'eau. Camille se laissa tomber sur un lit et attrapa une couverture pour se couvrir. Il ne faisait pas froid, mais davantage que dans les jardins.

Laissant tomber son sac par terre, Morio s'assit à califourchon sur une chaise.

—Alors, raconte-nous comment ça s'est passé, me dit-il.

Je fronçai les sourcils.

—Pour être franche, je ne sais pas trop. J'ai rencontré Jareth. C'est un prophète puissant, il n'y a pas de doute là-dessus. Ou un chaman. Je n'en suis pas certaine.

—Un chaman ? En quoi peut-il nous aider ? demanda Camille en retirant ses chaussures, tandis que Morio s'approchait d'elle pour lui masser les pieds. Merci, répondit-elle, avant de se pencher pour l'embrasser.

—Il peut m'aider à trouver Dredge et à le tuer, répondis-je, mais ce n'est pas gratuit…

Je leur racontai tout ce que Jareth m'avait dit.

—Tu es sûre que…, commença Morio.

—Il veut t'entraîner à supporter la douleur, le coupa Camille. J'ai déjà parlé de ce genre de choses avec Vénus.

Ce n'est qu'après avoir appris à revivre un moment et à l'exorciser que tu seras capable de l'oublier. Un bon chaman peut se servir de sa douleur pour frapper son ennemi. (Elle soutint mon regard.) Que comptes-tu faire ?

Je haussai les épaules.

— Je n'ai pas vraiment le choix. Dredge s'en prendra à tout ce qui m'est cher pour m'atteindre. Tu sais très bien qu'il va torturer Erin, si ce n'est pas déjà fait. Il la gardera en vie pendant quelque temps parce qu'il veut que j'admire son travail, mais il va la briser… Elle ne s'en remettra jamais. Il est trop tard pour elle, mais on m'offre la chance de sauver les autres.

— Il est en train de former une armée, intervint Morio.

— Quoi ? m'écriai-je en même temps que ma sœur.

— Il se construit une jolie petite armée. À mon avis, il regroupe des buveurs de sang pour pouvoir marcher sur la ville. (Il s'arrêta pour s'occuper du second pied de Camille.) Réfléchissez cinq minutes, poursuivit-il. Ce type est dingue, nous le savons tous… Et il a soif de pouvoir. Tu restes sa cible principale, mais pense aux possibilités qui s'offrent à lui. La Terre est une toile blanche qui ne demande qu'à être peinte. Les vampires ne sont pas encore connus de tous. Lorsque la rumeur commencera à se propager, il aura déjà pris le contrôle de Seattle.

Ce scénario m'horrifiait. Un clan du sang d'Elwing élargi, avec des centaines de nouveau-nés sous le contrôle de Dredge. Ils chasseraient et tueraient tous ceux qui se mettraient sur leur chemin. Wade, Sassy et moi ne ferions pas le poids. Aucune chance. Et bientôt, toutes les créatures surnaturelles seraient menacées d'extinction.

— Merde ! m'exclamai-je en me levant. Tu as raison. Dredge monte une armée dans un monde qui n'a aucun moyen de se protéger. Je dois accepter la proposition de Jareth, je n'ai pas le choix ! Si je veux avoir une chance face à Dredge, je dois me préparer.

Camille se leva pour me prendre dans ses bras.

— Tu en es capable, Menolly. Tu as survécu à ce qu'il t'a fait subir, à la folie… et tu survivras aussi à l'entraînement de Jareth.

— C'est bien ça le problème, murmurai-je. Je vais devoir revivre la nuit où il a essayé de détruire mon âme. (Ma voix se brisa et je m'effondrai à genoux.) Je ne veux pas la revivre ! Elle me suit déjà suffisamment dans mes rêves !

Aussitôt, ma sœur s'accroupit à côté de moi en me prenant la main.

— Je sais que ce n'est pas juste. Ça ne le sera jamais. Mais tu dois le faire quand même, Menolly. Tu le sais aussi bien que moi. Et quand ce sera fini, tu iras trouver Dredge pour envoyer son âme en enfer. Les dieux te souriront, tu verras.

— Qu'ils aillent se faire voir, rétorquai-je en serrant sa main dans la mienne. Je suis contente que tu sois avec moi. Si Jareth le permet, tu veux bien m'accompagner ? J'ai besoin de toi.

Elle hocha la tête.

— Tu peux compter sur moi. Tu pourras toujours compter sur moi.

Soudain, je me sentis beaucoup mieux. Camille serait à mon côté. Ma grande sœur qui avait pris la place de notre mère décédée, qui était devenue le pilier de la famille, qui n'avait pas paniqué le jour où j'étais rentrée transformée, qui avait chapeauté notre bataille contre Luc le Terrible et la première escouade de Degath… Elle serait là pour me protéger, comme toujours. Je me rendis alors compte que, vampire ou non, j'avais besoin de ma famille. Besoin de leur amour. Besoin d'avoir une place quelque part.

Chapitre 14

Avant de retourner au couloir des temples, j'attendis que Morio et Camille finissent de manger. Assise sur un lit, je les observai. Il émanait de leur aura une lumière étrange que je n'avais pas remarquée jusqu'à présent à cause de la peur qui me taraudait. Une sorte de corde gris vert semblait les relier. Qu'avaient-ils encore fait ? Ça ressemblait au lien que ma sœur partageait avec Trillian.

— Menolly, dit Morio en coupant le pain en deux pour en donner un morceau à Camille, je me demandais : tu ne manges plus de nourriture du tout ?

Je hochai la tête.

— Je ne peux pas, répondis-je. Je ne bois que du sang. Quand j'avale autre chose, je me sens mal. Ça ne me tue pas, mais les effets secondaires ne sont pas beaux à voir. Pourquoi ?

— Je réfléchissais… Comme je suis doué pour les illusions, je pourrais essayer de m'en servir sur le sang que tu gardes à la maison. J'arriverai peut-être à lui donner une odeur et un goût différents…, de quelque chose qui te manque, par exemple.

Bouche bée, je le dévisageai. Personne ne m'avait jamais fait une telle suggestion.

— C'est la chose la plus gentille que l'on m'ait proposée depuis très longtemps, mais tu gaspillerais de l'énergie pour rien.

— Du gaspillage ? Je ne jette pas des sorts importants tous les jours et je ne pense pas que ce genre d'illusions requiert beaucoup d'énergie de ma part. Si ça t'intéresse, ça vaut le coup d'essayer, finit-il en haussant les épaules.

Le nez froncé, Camille sourit.

Comme je ne savais pas quoi dire, je le remerciai en bafouillant. Après tout, pourquoi pas ?

— J'aimerais bien, répondis-je finalement. Après avoir réglé son compte à Dredge. Je ne sais pas par quoi commencer. Tant de choses me manquent !

— Les biscuits sablés de Mère ? proposa Camille.

Je ne pus m'empêcher de rire de notre situation. Dire que dans quelques heures, je remettrai mon âme entre les mains d'un chaman…

— Je n'y ai pas pensé depuis longtemps. Tu as la recette ?

— Je les ai toutes gardées, dit Camille en hochant la tête. Je suis incapable de les suivre aussi bien qu'elle, mais Iris le peut, elle. Il faudra que je le lui demande.

Nous nous enfonçâmes alors sur le chemin de nos souvenirs dans lesquels Mère nous préparait de bons repas et nous faisait découvrir, dès notre plus jeune âge, la cuisine terrienne, comme les hamburgers et les frites. Pendant ce temps, j'évitais de regarder l'horloge posée sur une étagère. Toutefois, quand Morio et Camille finirent leur repas, je ne pus repousser l'échéance. Au moins, notre discussion m'avait servi de distraction.

— On ferait mieux d'y aller. Vos barrières sont prêtes pour affronter les temples ? m'enquis-je.

— Je pense que ça ira, répondit Morio en hochant la tête. Nous avons érigé une barrière de protection contre les excès d'énergie magique. Tu es prête ?

Je pris une grande inspiration que je retins avant d'expirer lentement.

— Non, mais tant pis. Allons voir Jareth !

Comme nous connaissions le chemin, le trajet jusqu'au couloir des temples ne nous prit que trente minutes. De l'autre côté du parc, Morio et Camille eurent l'air mal à l'aise. Toutefois, leurs barrières tinrent bon, si bien que lorsque nous arrivâmes devant le temple du jugement, ils allaient déjà beaucoup mieux.

Jareth nous attendait dans la salle principale.

— Je savais que vous reviendriez, annonça-t-il en faisant un signe de la tête à mes compagnons. Vous êtes les bienvenus mais je vous préviens, ça ne sera pas agréable. Êtes-vous sûrs de vouloir rester ? Vous risquez d'apprendre des choses que vous auriez préféré ignorer sur votre sœur, Camille.

Celle-ci se tourna vers moi.

— Je t'ai promis de rester avec toi, alors si tu le veux toujours, je le ferai. Tu n'as pas à traverser cette épreuve toute seule. Nous sommes de la même famille : ce qui t'affecte, m'affecte aussi.

Je me frottai le nez.

— J'ai passé tellement de temps à dissimuler ce que Dredge m'avait fait pour vous protéger, Delilah, Père et toi ! Je suppose… qu'il est temps d'en finir avec les secrets.

Jareth se contenta de hocher la tête.

— Dans ce cas, suivez-moi tous. Nous allons sortir de l'espace-temps. Vous serez chez vous avant les premières lueurs du jour.

Il nous mena à travers une porte différente de celle que j'avais empruntée lors de ma première visite. Puis, nous parcourûmes des mètres et des mètres de couloir avant d'arriver dans une pièce si grande que je n'en voyais pas le bout. Les murs et le plafond étaient noirs. En fait, le seul meuble était une longue estrade étroite recouverte d'un tissu bleu indigo et de coussins, qui trônait en son centre.

Tandis que Morio et Camille s'installaient dans un coin, Jareth me fit signe de me poster devant l'estrade.

— Nous n'avons pas le temps d'exécuter les différents rites et rituels qui ont normalement lieu avant un réveil. Néanmoins, je dois vous poser une question. Est-ce votre volonté d'apprendre à vous contrôler et de briser les liens qui vous rattachent à votre sire ?

Je ravalai la peur qui montait en moi.

— C'est ma volonté.

— Êtes-vous sûre de vouloir remettre votre sort entre mes mains, en sachant que je vous ferai sombrer dans l'obscurité ?

Les mots semblaient soudain coincés dans ma gorge. Je n'avais pas envie de les prononcer.

— Je m'en remets à vous.

— Alors montez sur l'estrade, Menolly. (Jareth me fit signe de m'allonger sur le dos. Lorsque je me fus exécutée, il sortit une paire de menottes en argent recouvertes de velours.) Elles ne toucheront pas votre peau et ne vous feront pas mal. En revanche, vous serez incapable de les briser.

Je les contemplai d'un air horrifié. Contrairement aux Fae, les vampires ne supportaient pas l'argent. Me faisant violence, je lui tendis les bras pour qu'il emprisonne mes poignets. Rien. Le rembourrage était parfait. Il fit la même chose avec mes chevilles puis me plaça un coussin sous la tête. Enfin, il me banda les yeux.

J'entendis les autres occupants de la pièce parler à voix basse.

— Vous êtes sûr qu'elle y arrivera ? demanda Morio.

— Je ne peux rien vous garantir. Néanmoins, je pense sincèrement que Menolly possède la force nécessaire à la réalisation de ce rite. Si elle désire vaincre son sire, elle n'a pas d'autre choix que de surmonter sa peur. Elle doit se défaire des chaînes grâce auxquelles il la détient toujours prisonnière. Vous comprenez ?

— Parfaitement, répondit Camille, mais écoutez aussi ce que j'ai à dire. Si vous la blessez plus que de raison ou si vous jouez avec elle, je vous arracherai le cœur pour le donner en pâture à une parle-aux-morts. Suis-je bien claire ?

Il y eut un bref moment de silence.

— C'est très clair, fille de la Lune, dit Jareth avant de s'affairer.

J'entendis le bruit du sang qui coulait dans un verre. Son odeur emplit la pièce, métallique, merveilleuse, magnifique. Puis, une cloche tinta trois fois. Je pouvais sentir Jareth marcher dans le sens inverse des aiguilles d'une montre, autour de moi.

— Une fois commencé, le rituel ne pourra être stoppé. Compris ? Les énergies pourraient se retourner contre nous, dit Jareth près de mon visage.

Je frissonnai.

— Décidément, ce voyage ne se déroule pas du tout comme je l'avais imaginé. Continuez.

Ange de splendeur, ange de sang
Lève-toi et rencontre ton créateur
Ange de splendeur, ange de sang
Lève-toi et fais face à ton sire
Ange de splendeur, ange de sang
Lève-toi et réclame ce qui est tien
Ange de splendeur, ange de sang
Revis tes jours de nouveau-né

Tandis qu'il décrivait des cercles autour de moi, sa voix semblait portée par la brise qui s'était soudain levée dans la pièce. Je me sentis alors sombrer dans l'inconscience, bercée par la cadence de ses paroles et le rythme des battements de son cœur.

Abandonne tes attentes. Abandonne tes doutes.
Abandonne tes peurs. Abandonne ta force.
Abandonne ta colère. Abandonne ton contrôle.

Trois gouttes de sang tombèrent sur mon front, leur odeur excitant mes sens. Même si je m'étais nourrie quelques heures auparavant, une soif intense m'envahit. Je me débattis contre mes menottes. J'avais envie d'aller chasser. *Je ne peux pas*, pensai-je. *Je ne peux pas partir.*

Je ne peux pas aller traîner dans la rue à la recherche de sang frais.

Créature de la nuit, démon du sang
Remonte le temps, remonte les minutes, les heures et les années
Revis la nuit qui t'a vue renaître
Revis la nuit de ta transformation

Les trois gouttes suivantes tombèrent sur mes lèvres. Quand Jareth les étala du bout des doigts, je dus me faire violence pour ne pas mordre la chair tiède de sa main avant qu'il la retire. À la place, je lapai le sang sur ma propre peau.

— Et merde !

J'eus soudain l'impression qu'une vague de feu me traversait et je me mis à convulser contre les chaînes. Pendant un instant, je crus qu'on m'avait enfoncé un pieu dans le cœur, jusqu'à ce que je comprenne qu'il s'agissait de la magie contenue dans le sang que je venais de boire. À peine m'étais-je fait à cette idée que je sentis un tourbillon m'emmener loin de mon corps, loin de la pièce, de Jareth, Morio et Camille.

— Qu'est-ce que… ? m'exclamai-je en tombant sur une surface solide.

Lorsque j'ouvris les yeux, je me rendis compte que je me trouvais dans la grotte où Dredge m'avait capturée. Et il était là, penché au-dessus de moi, arborant une expression concentrée tandis qu'il lacérait mon corps.

La douleur se répandait en moi par vagues. Cela faisait des heures, semblait-il, que j'avais perdu ma voix. J'étais allongée, nue, sur un rocher au plus profond de la grotte.

Si seulement je pouvais m'évanouir jusqu'à ce que je retrouve mes ancêtres ! J'essayai de me plonger dans l'inconscience, de faire sortir le brouillard de l'oubli de sa cachette, mais mon esprit était trop fort, trop ancré dans le présent. Lorsque je fermais les yeux, je pouvais presque atteindre l'oubli. Cependant, chaque fois que j'étais sur le point de sombrer dans ce doux abysse, Dredge m'entaillait un peu plus profondément la chair pour me ramener.

— Ne m'abandonne pas encore, mon cœur, dit-il. (Sa voix ressemblait à un baume relaxant, apaisant ma douleur un instant, avant de m'attaquer de nouveau.) Ne considère pas ça comme une punition, murmura-t-il. Ça n'a rien à voir avec toi. J'envoie un message. Tu en es la toile, c'est tout.

Tandis que je saignais, goutte après goutte, je pouvais entendre le son de langues léchant le sol, les larmes qui s'écoulaient de mon corps. Je sentis mon estomac se soulever. Dredge s'en aperçut et s'écarta le temps que je rende mon déjeuner.

— Je ne peux quand même pas te laisser t'étouffer dans ton propre vomi, pas vrai ?

— Va te faire foutre, connard ! criai-je en crachant la bile qu'il me restait dans la bouche. Si tu veux me tuer, vas-y ! Je n'ai pas peur de mourir !

Au moment où il m'avait attrapée, ça aurait été un mensonge. Cependant, à présent, j'avais tellement souffert que mourir m'apparaissait comme une lente croisière vers le royaume des morts où tout serait terminé et où je serais libre.

— Je le sais très bien. C'est pour ça que je prends mon temps, dit-il en reculant. Maintenant que tu es bien décorée, il est temps de passer aux choses sérieuses.

Je clignai des yeux. Que pouvait-il me faire de plus ? Je compris lorsqu'il commença à se déshabiller.

— Non, non... Tu ne mérites même pas de cirer mes chaussures, fils de pute !

La douleur et la peur intensifiaient ma haine. Je me débattis contre les chaînes qui me retenaient attachée au rocher.

— Quelle énergie ! fit-il en riant. J'aime ça !

Lorsqu'il se pencha au-dessus de moi, ses longs cheveux glissèrent le long de mon visage et de mes épaules et se collèrent douloureusement aux entailles qui recouvraient mon corps comme un motif dentelé. Ses yeux avaient la couleur d'un diamant brut, entre acier et glace, et sa bouche pulpeuse était tellement attirante que j'eus envie de pleurer. Comment une aussi belle personne pouvait-elle être un monstre ? Je frissonnai quand il me rejoignit sur le rocher, prêt et érigé.

— Tu as envie de moi. L'idée suffit à te faire mouiller. Rassure-toi, je suis tout à toi, murmura-t-il avant de me pénétrer profondément.

Au contact de sa peau glacée, mes blessures se rouvrirent, envoyant des décharges douloureuses à travers mon système nerveux. J'avais l'impression d'être un morceau de viande, frappée au maillet.

Compte jusqu'à cent. Ne pense à rien d'autre qu'aux nombres. Quand j'arriverai à cent, ça sera terminé.

Je me mis alors à compter silencieusement, me concentrant pour faire de chacun des nombres le pilier de mon existence. J'allais jusqu'à cent, cinq cents, deux mille. À ce moment-là, le monde commença enfin à m'échapper. Alors qu'il était encore à l'intérieur de moi, Dredge me secoua pour m'empêcher de sombrer. Quand je le regardai avec des yeux vitreux, il me frappa au visage.

— Tu n'as pas intérêt à mourir tout de suite ! gronda-t-il en s'entaillant le poignet avec ses ongles acérés.

J'observai le sang dégouliner le long de son bras quand, tout à coup, il porta la blessure à mes lèvres. Je suffoquai en essayant de détourner la tête, mais le sang se déversa dans ma bouche. J'avais l'impression de me noyer. Je ne pouvais rien faire d'autre qu'avaler.

— C'est ça, dit-il. C'est bien. Bois. Calme ta soif.

Soudain, je me rendis compte que ma gorge était sèche d'avoir trop crié. Sans réfléchir, je collai mes lèvres à son poignet pour avaler davantage du précieux liquide qui calmait l'atroce douleur que je ressentais.

— C'est ça, aspire bien. Avale, petite fille. Avale tout, murmura-t-il en me caressant la tête.

Un éclat de triomphe dans les yeux, il recommença à bouger doucement en moi. Tandis que la peine s'envolait, un autre sentiment grandit à l'intérieur de moi. Non ! Je ne voulais pas y prendre du plaisir. Il ne devrait avoir aucun effet sur moi ! Toutefois, sans prévenir, je sentis le bord du précipice s'effondrer sous mes pieds et me propulser vers un orgasme à faire trembler les étoiles.

Quand le tourbillon d'énergie se dissipa enfin, je me rendis compte que mon corps ne me faisait plus mal. Je me vis alors allongée sur le rocher avec Dredge à mon côté qui arborait une expression triomphante.

Qu'est-ce que tu penses de ça ? pensai-je. *Je suis morte. Je suis libre ! Il peut faire ce qu'il veut de mon corps à présent, je ne sens plus rien.*

En marchant un peu, je découvris une caverne de glace qui avait la couleur de l'eau des glaciers, brillante, pure et propre. Il était temps de retrouver mes ancêtres. J'aperçus une lumière au bout du tunnel. Aussitôt, je me mis à courir jusqu'à elle. Je me sentais libre, joyeuse, prête à pénétrer dans le royaume des chutes d'argent où le peuple de mon père trouvait le repos éternel. Au loin, une silhouette se dessina dans l'ombre et le brouillard. Ma mère m'attendait de l'autre côté !

— Mère ! m'écriai-je en me précipitant vers elle.

Malgré le fait qu'elle soit humaine, elle avait été admise auprès des ancêtres de mon père. À présent, nous vivrions ensemble dans le royaume des morts.

— Menolly, viens avec moi, ma chérie !

Elle était si belle que je ne pus retenir mes larmes de couler le long de mes joues. Elle me protégerait, me purifierait et guérirait mon âme meurtrie.

C'est alors que je sentis qu'on me tirait en arrière par la nuque. Lorsque je me retournai, je me rendis compte qu'un lien en argent me reliait à mon corps. *Qu'est-ce que... ? Je suis morte !* Arriverai-je un jour à échapper à Dredge ?

Lentement, le fil commença à changer de couleur. La teinte rouge sang qu'il prenait se rapprochait petit à petit de moi. Que se passait-il ? L'énergie qui s'en dégageait était dérangeante. Je ne voulais pas qu'elle me touche. Je tentai d'atteindre le passage, mais le lien me retint en arrière. Quand le rouge atteignit mon esprit, je me sentis attirée de nouveau dans mon corps.

Non!

— Je ne veux pas y retourner!

Réintégrer ce corps rempli de cicatrices? Faire de nouveau face à Dredge? Jamais!

Pendant que je me débattais, ma mère, pétrifiée, observait la scène d'un air terrifié.

— Menolly! Mon bébé… Laissez-la partir!

En larmes, elle se laissa tomber à genoux par terre, les bras tendus vers moi. Une douce aura de lumière éclatante se rapprocha de moi pour m'envelopper.

— Mère! criai-je en me démenant. (Si je pouvais seulement l'atteindre… mais le lien qui me retenait devenait de plus en plus fort.) Je n'y retournerai pas, Mère. Sauve-moi! Par pitié, sauve-moi!

Puis la lumière se mit à décliner et je l'entendis crier mon nom une dernière fois, avant de me retrouver de nouveau dans la grotte, dans un corps froid comme la pierre. Je n'avais pas de pouls, pas d'air dans les poumons. Je n'arrivais pas à trouver ma place dans cette enveloppe que j'avais pourtant habitée pendant des années.

Tandis que je tentais désespérément d'entendre les battements de mon cœur, je me mis à paniquer. J'allais étouffer! Je me débattais de droite à gauche quand, soudain, le rire de Dredge me parvint. Aussitôt, j'ouvris les yeux et me relevai en position assise, arrachant mes menottes au passage.

— Elle a de la force, Maître, dit une ombre dissimulée dans un coin.

— Oui, répondit Dredge. Elle nous sera utile.

Tout en parlant, il tendit la main vers moi. Dans sa paume se trouvait une toute petite personne : une version miniature de moi-même, mon ombre. Lorsqu'il la serra, je sentis la pression contre mes côtes. Je ne pus réprimer un hoquet de surprise.

— Danse, ma marionnette !

Aussitôt, sans pouvoir m'en empêcher, je me levai et me mis à danser.

— Non ! Tu ne peux pas me contrôler ! Je ne te laisserai pas faire ! criai-je.

Il rit de plus belle.

— Tu as soif, mon enfant ? Rentre donc chez toi ! Nourris-toi bien. Retourne auprès de ta famille pour leur arracher le cœur. Deviens un fléau pour ce monde. Détruis tout sur ton passage !

À ces mots, la soif m'envahit soudain. Du sang. J'avais besoin de sang. J'avais besoin de boire. Ma vision était obstruée par un nuage rouge de souffrance et de désir. Sans demander mon reste, je retirai les chaînes qui me retenaient. Tandis que je m'échappais, je pouvais entendre le rire de Dredge résonner contre les parois de la grotte. Je devais rentrer chez moi pour me nourrir.

Puis tout devint noir.

— Menolly, est-ce que tu m'entends ?

Une voix d'homme s'insinua à travers l'aura douloureuse qui entourait mes pensées. Où étais-je ? Dans la grotte ? Mes souvenirs me revinrent alors : j'étais en sécurité dans un temple, attachée, sous l'œil attentif d'une personne qui m'aidait.

Je m'humectai les lèvres. Je pensais que ma voix allait être rauque à force d'avoir crié mais il n'en fut rien. Elle paraissait parfaitement normale.

— Oui… Oui, je vous entends.

— Nous avons vu ce qu'il t'est arrivé. À présent, nous pouvons essayer de trouver un moyen pour briser le lien qui te relie à Dredge. Tu me comprends ?

Ses mots faisaient leur chemin dans mes pensées si bien que je vécus de nouveau le moment où Dredge m'avait forcée à danser. Comme une marionnette. Il m'avait appelée « marionnette » !

— Que dois-je faire ?

— Tu dois retourner à ce moment précis et trouver le fil d'énergie qui vous lie. Ce n'est pas seulement son sang qui fait de lui ton sire.

Retourner ? Avait-il dit « retourner » ? Plonger de nouveau dans ce bourbier de peine et de haine était la dernière chose dont j'avais envie ! Néanmoins, ma liberté semblait me tendre les bras comme une carotte devant un âne.

— C'est très simple. Quand tu y retourneras, je serai là pour t'aider à rester connectée avec la réalité. Concentre-toi sur la recherche de ce fil. Nous devons connaître l'endroit exact où il est attaché à ton âme pour le sectionner. Mais d'abord, nous devons découvrir où se cache Dredge. Pour cela, il nous faudra suivre le lien dans le présent et toucher son âme, expliqua-t-il en repoussant une mèche de cheveux qui me tombait devant les yeux.

Ce simple geste me donna envie de pleurer. Revivre le passé était douloureux et épuisant. Toutefois, ce n'était rien à côté d'y penser tous les jours, toutes les heures et à chaque minute. Ces mots résonnèrent dans mes pensées. Je clignai des yeux derrière mon bandeau. Ma colère et ma souffrance ne disparaîtraient jamais, mais peut-être pouvais-je les apaiser, arrêter de me raccrocher à mes souvenirs.

— D'accord, répondis-je finalement. Allons-y. Qu'est-ce que je dois faire pour rester consciente ?

— Maintenant que je sais à quoi on a affaire, je serai à ton côté. Repose-toi sur moi. Puise dans ma force.

— Dredge a essayé, pas vrai ? demandai-je alors que l'odeur du sang devenait de plus en plus forte. Vous l'avez ramené au jour de sa transformation ?

Jareth soupira longuement.

— Oui. J'ignorais qu'il avait été un prêtre de Jakaris quand il était en vie. Ces années de perversion avaient déformé son âme. C'est pour ça que le rituel s'est mal passé. Au lieu de se libérer de sa haine, il cherchait un moyen de s'approprier la force de son propre sire. Il a réussi.

J'y réfléchis un moment. Dredge avait trompé Jareth pour arriver à ses fins. Il avait donné son âme au diable. Alors, peu importait le prix, je ne suivrai jamais les pas de mon créateur.

— Je suis prête, déclarai-je.

Il y eut un moment de silence. Puis Jareth reprit ses incantations et déposa de nouveau trois gouttes de sang sur mon front.

Abandonne tes attentes. Abandonne tes doutes.
Abandonne tes peurs. Abandonne ta force.
Abandonne ta colère. Abandonne ton contrôle.

Puis trois sur mes lèvres. Je les léchai aussitôt et me préparai au voyage qui m'attendait.

Créature de la nuit, démon du sang
Remonte le temps, remonte les minutes, les heures et les années
Revis la nuit qui t'a vue renaître
Revis la nuit de ta transformation

Soudain, je me retrouvai dans la grotte, dans mon corps mort. En revanche, cette fois, il y avait une aura dorée autour de ma tête. J'essayai de rassembler mes souvenirs. J'étais morte. Dredge m'avait transformée en vampire. Non, attendez ! Il s'agissait d'un rêve, d'une vision dont je faisais de nouveau l'expérience.

C'est vrai, pensai-je en calmant ma peur. *Je m'appelle Menolly et je suis un vampire depuis douze années terriennes. Je suis allongée dans le temple du jugement. Tout ce que je vois en ce moment fait partie de mon passé.*

J'essayai de me concentrer pour trouver Jareth. Je me rendis alors compte qu'il s'était matérialisé dans le halo de lumière autour de ma tête. Il veillait sur moi. D'instinct, je pris une grande inspiration, mais mes poumons refusaient de fonctionner. Normal, j'étais morte.

Tandis que mes souvenirs me revenaient, le rouage de mes pensées se mit en route. Ah oui, il m'avait fallu un an pour réussir à prendre une inspiration. Pendant ce temps-là, je n'arrêtais pas de rêver de suffocation.

Je sentis les mains de Jareth courir le long de mon dos pour me rappeler que je n'étais pas seule avec Dredge. Je n'aurais pas à refaire l'expérience de cette année de folie, emprisonnée comme un animal pendant que l'OIA tentait de recoller les pièces de mon âme brisée.

Bon… Il était temps de trouver ce fil. Je me forçai à me calmer pour chercher son énergie dans mon corps. Le sang, le viol et la torture avaient attiré des parasites qui se nourrissaient d'émotions intenses. Pour la première fois, je vis qu'ils s'étaient attachés à mon aura et qu'ils devaient toujours y être aujourd'hui. Frissonnant, je fis un geste pour les faire fuir, mais Jareth m'arrêta. Ce n'était pas important pour le moment.

De nouveau, j'examinai mon corps à la recherche du lien qui me connectait à Dredge. J'étais couverte de cicatrices. Lorsque j'étais morte, les blessures étaient encore fraîches. Puis, à mon réveil, elles s'étaient refermées. Néanmoins, elles ne disparaîtraient jamais. Du cou aux chevilles, j'étais vouée à être marquée comme son disciple jusqu'à la fin.

Soudain, je m'arrêtai. Là. Derrière ma nuque. Je clignai des yeux. Pourquoi ne l'avais-je pas remarqué plus tôt ? Sûrement parce que je ne savais pas quoi chercher. Mais il était bien là, me connectant intimement à Dredge, attaché à son chakra le plus profond, le tourbillon de la survie.

Avant de faire quelque chose de stupide comme le retirer toute seule, je fis comprendre à Jareth que je l'avais découvert.

L'instant d'après, je fus propulsée hors de la caverne, de retour dans le présent. Quand j'ouvris de nouveau les yeux, le bandeau et les menottes avaient disparu. Le sourire aux lèvres, Jareth me tendit la main.

— Le fil relie ma nuque au dernier chakra de Dredge, dis-je.

— Menolly ! s'écria Camille en accourant vers moi.

Son visage était couvert de larmes. Heureusement, elle portait du mascara *waterproof*. Morio, lui, resta en retrait.

Je relevai la tête vers Jareth.

— Que savent-ils ? demandai-je.

— Nous avons tout vu, répondit Camille. C'était comme un film. Nous avons tout entendu. (Elle tomba à terre, les mains crispées sur sa jupe et les yeux remplis de larmes.) Je ne savais pas. Je suis désolée. Je ne savais pas ! Pardonne-moi…

Quand je descendis de l'estrade, je me rendis compte qu'à part un léger mal de mer, tout allait bien. Je m'agenouillai à côté de ma sœur et la pris dans mes bras.

— Je ne voulais pas que tu le saches, murmurai-je. Ni Delilah. Et je le pense toujours. Elle n'est pas assez forte pour le supporter.

Camille posa ses lèvres sur mon visage, m'embrassant les joues, les yeux, le front.

— Ma précieuse Menolly. Mère a essayé… Elle a essayé de t'aider.

— Je sais, répondis-je, les yeux rivés au sol. Je lui en ai voulu parce que je pensais qu'elle n'avait pas été assez forte, que son humanité m'avait condamnée.

Maintenant, je comprends. Elle voulait m'aider, mais elle ne pouvait pas gagner contre Dredge.

—Tu as été transformée en vampire, Menolly. Aucun mortel ne peut changer ça, tant sur le plan réel qu'astral. Ce qui compte, c'est qu'elle ait essayé. Elle t'aime.

Pour être franche, je me demandais si notre mère pouvait aimer ce que j'étais devenue, mais je repoussai cette pensée.

—Au moins, nous avons identifié le fil qui me relie à Dredge.

—Et moi, je connais les épreuves par lesquelles tu es passée, ajouta-t-elle. J'ai l'impression de mieux te comprendre.

—Oui, acquiesçai-je doucement.

C'était sans doute mieux ainsi. À partir de maintenant, Camille pourrait m'aider à canaliser ma rage et ma soif. Je me tournai vers Morio qui me regardait d'un air sérieux.

—Menolly, ne sous-estime pas Delilah, fit-il. Un jour, pour sa propre sécurité, tu seras sûrement amenée à lui dire. Elle n'est pas aussi faible que tu sembles le penser.

Je clignai des yeux. Trillian m'avait dit la même chose. Je devrais peut-être en tirer une leçon.

—Je m'en souviendrai, répondis-je en acceptant l'aide de Jareth pour me relever. Qu'est-ce qu'on fait maintenant ? Combien de temps nous reste-t-il avant le lever du jour ?

Il prit une grande inspiration.

—Comme je vous l'ai déjà dit, le temps n'a aucune

emprise sur nous ce soir. Vous serez rentrés à l'aube. Suivez-moi.

Il nous mena dans une pièce à gauche de celle où nous nous trouvions. Un pentacle avait été gravé dans le sol de marbre et recouvert d'hématites. Je pouvais sentir l'attraction du minerai qui maintenait la magie au sol.

Le reste de la pièce était vide, à l'exception de quatre podiums placés autour du cercle, sur lesquels reposaient des pierres précieuses grosses comme mon poing : une émeraude au nord, un diamant à l'est, un rubis au sud et un saphir à l'ouest. En les voyant, Camille écarquilla les yeux.

Je posai la main sur son épaule.

— Tu n'es pas très discrète, remarquai-je.

— Ils sont impressionnants, pas vrai ? demanda-t-elle, tout sourires. Je ne savais pas qu'il en existait de si gros !

— Ils doivent valoir une fortune, dis-je en me tournant vers Jareth. Vous n'avez pas peur des vols ?

Jareth m'adressa un regard amusé.

— Tu crois vraiment que quelqu'un serait capable de pénétrer dans notre cité puis de passer à travers toutes nos barrières ? De plus, nous sommes en dehors de l'espace-temps, dans un monde parallèle. Il n'y a qu'une seule façon d'y entrer et d'en sortir et la porte n'est visible que pour nous.

Morio et Camille s'approchèrent du pentacle.

— Il y a une forte concentration de magie, ici, remarqua Morio en reniflant.

— Oui, nous allons nous en servir pour briser le lien qu'il y a entre Menolly et Dredge, répondit Jareth. Prenez l'élément de l'est. (Malgré son air étonné,

Morio obéit. Jareth se tourna ensuite vers Camille.) Occupez-vous de l'ouest.

Aussitôt, ma sœur s'approcha du saphir.

— Et moi ? demandai-je, impatiente d'en finir.

— Au centre, mais ne bouge pas encore. (Lorsqu'il frappa dans ses mains, la porte s'ouvrit et deux personnes vêtues de capes pénétrèrent dans la salle. Leur capuche cachait leur visage. En silence, l'une d'elles se plaça à côté du rubis et l'autre de l'émeraude.) Une fois les pierres réveillées, tu pourras aller au milieu et je te suivrai. Après, ils refermeront le cercle.

La lumière des globes faiblit. Jareth fit signe à la personne qui tenait l'émeraude de commencer.

— Faites comme eux, dit-il à l'attention de Morio et Camille.

La femme – dans cet espace clos, je pouvais sentir son odeur – attrapa la pierre à deux mains. Une lueur s'alluma en son centre avant de scintiller plus fort. Puis un rayon s'en échappa pour aller frapper le diamant.

— Par la terre et les branches, sanctifie et protège ce lieu, dit-elle d'une voix qui résonna dans toute la pièce.

Morio jeta un coup d'œil à Jareth qui lui demanda de continuer. Aussitôt, il plaça les mains sur le diamant et prit une grande inspiration. De nouveau, la pierre se mit à briller si intensément que la lumière manqua de nous aveugler. Un rayon s'échappa pour embrasser le rubis.

— Par le vent et la tempête, sanctifie et protège ce lieu.

Puis vint le tour de l'homme qui se tenait près du joyau rouge. Il y avait quelque chose de familier chez lui mais je n'arrivais pas à mettre le doigt dessus. Il répéta à son tour l'action.

— Par les flammes et le soleil, sanctifie et protège ce lieu.

— Attendez un instant, intervint Jareth pour arrêter Camille. Menolly, viens avec moi. (Il me mena à travers l'ouest et le nord jusqu'à l'intérieur du cercle avant de reporter son attention sur ma sœur.) Fermez le cercle.

Alors, elle s'empara du saphir et son rayon vint se lier à l'émeraude.

— Par l'eau et la glace, sanctifie et protège ce lieu.

À ces mots, le sol se mit à trembler et une plateforme s'éleva du centre du pentacle. Dessus se trouvait une grosse boule de cristal.

— Maintenant, dit Jareth en me regardant dans les yeux, il est temps de localiser Dredge et de briser tes chaînes.

Je m'agenouillai pour m'emparer de la boule. Nous y voilà. J'espérais seulement que Dredge ne s'en apercevrait pas. Sinon, il était capable de faire un massacre avant notre retour.

Chapitre 15

La boule de cristal se mit à luire et chatouilla le bout de mes doigts.

— Regarde à l'intérieur. Pense à Dredge. Souviens-toi de cette nuit.

Debout derrière moi, Jareth avait posé ses mains sur mes épaules pour partager son énergie.

— Dredge ? Où est-ce que tu te caches ? murmurai-je.

Tout à coup, un tourbillon se forma à l'intérieur du cristal. Grâce à la présence de Jareth, je réussis à ne pas perdre pied. Nous étions toujours connectés. Si Dredge se rendait compte que je l'observais, il gagnerait un avantage certain. Ça signifiait que je devais pénétrer dans son esprit et en ressortir avant qu'il remarque ma présence.

À l'intérieur de la boule, la brume continuait à tourner en une fantasmagorie de fils rouge et bronze. Les couleurs chatoyantes semblaient m'appeler à elles. On aurait dit des serpents ondulant durant la saison des amours.

Autour de moi, la pièce s'assombrit et je me sentis attirée en avant vers une silhouette d'un rouge écarlate. Alors que je m'approchais, la présence de mon sire se fit plus imposante, plus mortelle. Là. Dredge se tenait au centre de cette lumière sanguinolente. En le voyant ainsi, je compris pourquoi il avait autant d'autorité sur les siens. Son corps immortel était empli de pouvoir à l'état pur, emprisonné par la luxure et l'avidité qui n'avaient cessé de grandir à l'intérieur de lui pendant toutes ces années. Le chaos qui l'entourait était comme des centaines de flèches dirigées vers ses ennemis.

Soudain, un éclat de rire me fit sursauter. Je me retournai vivement pour voir de qui il s'agissait. Derrière Dredge se trouvait un loup géant, mais ce n'était pas un garou, un lycanthrope ou même un esprit. Non, je ne l'avais que trop bien reconnu. Loki, seigneur du chaos, seigneur des géants, seigneur de la malice. Et celui-ci tenait fermement l'âme de Dredge entre ses mains. Alors comme ça, il avait abandonné le seigneur du vice pour se tourner vers le chaos et la folie…

Des liens de feu et de glace le connectaient au demi-dieu. Pas étonnant que le vampire soit devenu si puissant ! En échange de son âme, Dredge apaisait son appétit pour la destruction. Ce qui signifiait que… Oh mon Dieu ! Loki n'était autre que le sire de Dredge ! Voilà pourquoi Jareth n'avait pas réussi à le libérer ! Et dans la foulée, Dredge avait absorbé certains pouvoirs de Loki.

Secouant la tête, j'essayai de me concentrer sur ma mission. Pour l'instant, le demi-dieu ne m'avait pas remarquée et je ne voulais pas que ça change. Faire face à Dredge, ça passait encore… mais à Loki ? Aucun mortel n'était assez fort pour vaincre un dieu. Ni aucun vampire.

Quand je m'approchai pour l'observer, Dredge ne cilla même pas. Jareth m'avait juré qu'il n'aurait aucun moyen de me détecter s'il ne prêtait pas attention au plan astral. Apparemment, son esprit était ailleurs. Même si je passais un bras par-dessus ses épaules, il ne bougerait pas car nous partagions le même sang.

La partie la plus délicate de la mission commençait...

Je sentis les pensées de Jareth se fondre aux miennes. Je compris alors qu'il se trouvait quelque part dans ma tête ; il avait réussi à y pénétrer. Normalement, ça m'aurait mise en colère, mais, pour le moment, j'étais simplement contente de ne pas être seule.

— Et maintenant ? demandai-je en espérant l'atteindre.

Je sus qu'il m'avait entendue lorsqu'il sursauta.

— Pas si fort !

Je clignai des yeux.

— Oups ! Désolée...

— Écoute-moi bien. Tu dois aller regarder par ses yeux pour voir ce qu'il voit. Essaie de découvrir où il se trouve. Mais tu n'as pas beaucoup de temps ! Dès que tu auras trouvé un indice, éloigne-toi et nous briserons votre lien. Je le vois parfaitement. Surtout ne joue pas au héros. Une fois à l'intérieur de lui, il ne mettra pas longtemps à sentir ta présence. Compris ?

— Oui.

J'avais compris, mais ce n'était pas pour ça que j'avais envie de lui obéir.

L'estomac retourné, je m'approchai de Dredge. Même sur le plan astral, je pouvais sentir son odeur qui me rappelait tant de mauvais souvenirs. Je fis alors un bon en arrière dans le temps, vers ses mains sur mon corps, son rire, son sexe à l'intérieur de moi qui me glaçait jusqu'au plus profond de mon cœur. Puis, son poignet contre ma bouche, m'obligeant à boire, et je compris la peine et la colère que l'on ressent quand on meurt toute seule.

— Continue, ne te laisse pas envahir par tes souvenirs, me pressa la voix de Jareth.

Je m'humectai les lèvres. J'avais encore le goût de son sang dans la bouche.

— Désolée, j'y vais, dis-je en secouant la tête.

C'était du passé. Il était temps d'avancer… en commençant par tuer le fils de pute qui m'avait entraînée dans ce cauchemar.

Jouer au passager ne m'enthousiasmait pas, mais je n'avais pas le choix. Je sautai à l'intérieur de lui. Aussitôt, une vague de pouvoir m'envahit. L'idée de détruire son âme et de m'emparer de son corps me traversa. Après tout, Kyoka l'avait fait et, en utilisant Dredge, je deviendrais plus forte que dans mes rêves les plus fous. Puis, je me souvins du lien qui le reliait à Loki et mis cette pensée de côté. Échanger un sire dégénéré pour un maître dix fois pire ? Non merci.

Après avoir observé l'endroit où je me trouvais, je réussis à me retourner pour voir à travers les yeux de Dredge.

La pièce dans laquelle il se tenait était grande et bien meublée. Je voulais vérifier si Erin était là, elle aussi, mais son angle de vue ne me le permettait pas : il regardait par la fenêtre.

Dans la nuit de Seattle, je remarquai deux éléments importants. Le premier était une statue, érigée peu de temps auparavant sur le port. Elle avait été baptisée

Les Mains du port, en hommage aux marins. Le second était *Le Sushirama*, un nouveau restaurant dont Camille m'avait parlé. Ces indices signifiaient que Dredge se cachait dans un entrepôt dans les alentours. Et je parierais qu'il logeait au *Halcyon*, un hôtel au-dessus d'une boîte de nuit dont le propriétaire était une créature surnaturelle terrienne. À mon avis, il ne savait pas que Dredge était un vampire outremondien.

Je jetai un dernier coup d'œil dehors pour évaluer la hauteur – troisième ou quatrième étage – avant de m'extirper de son corps.

— Je suis prête.

Jareth me mena alors à l'écart de la forme astrale de Dredge. Aussitôt, nous nous retrouvâmes au centre du pentacle. J'ouvris les yeux.

— Je sais où il est. Finissons-en pour que Camille et moi puissions retourner à la maison et le vaincre, déclarai-je en me tournant vers ma sœur. (Je savais ce qui lui passait par la tête.) Je n'ai pas vu Erin. Je ne sais pas où il la retient prisonnière. En revanche, je sais dans quel quartier il se cache. Ce ne sera pas difficile de trouver l'endroit exact.

Elle hocha la tête.

— Pour briser les chaînes qui vous unissent, je n'ai besoin que d'un instrument et, bien sûr, de ton désir de liberté, expliqua Jareth en sortant une dague en cristal de sa cape.

J'observai l'arme. Forgée dans du quartz minutieusement gravé, elle possédait un cabochon de saphir dans son manche.

— Êtes-vous originaire des montagnes tygeriennes ? Faites-vous partie de l'ordre de la dague de cristal ?

S'il faisait partie de la communauté de moines qui surveillait la source tygerienne, ça expliquait l'étendue de ses pouvoirs.

Jareth hocha brièvement la tête.

—Nous sommes plusieurs à habiter dans la cité des prophètes, fit-il d'un ton qui signifiait clairement qu'il n'avait pas l'intention d'en dire plus. Il faut que tu enlèves ton pull.

Il s'arrêta, comme s'il cherchait le meilleur moyen de dire quelque chose.

—Continuez. Je ne reculerai pas maintenant.

—Très bien. La pointe de la dague doit pénétrer dans la chair de ton cou, là où le fil te relie à Dredge. La lame a été sanctifiée. Comme tu es un vampire, elle ne te blessera pas, mais elle détruira tout lien ou serment.

—C'est une dague de warlock? demanda Camille en frissonnant.

Les warlocks étaient des traîtres... des magiciens de la pire espèce. Sur Terre, pendant l'Inquisition, ils avaient fait partie des chasseurs de primes qui dénonçaient les sorcières et les sages-femmes. En Outremonde, ils avaient bafoué les dieux, qui les avaient reniés.

Quand Jareth lui adressa un regard noir, elle n'en dit pas plus.

—Je ne suis pas un warlock. Mais je suis autorisé à défaire les serments qui retiennent prisonniers ceux qui ne les ont pas voulus ou dont les termes ne sont pas justes. Pour ça, je dois utiliser une dague de warlock.

—Je suis désolée, s'excusa Camille, les yeux rivés au sol. Je ne me rendais pas compte de ce que j'impliquais. Veuillez accepter mes excuses.

Elle avait l'air si repentante que je faillis en rire. Ma sœur ne s'excusait presque jamais. Ce ne pouvait être que sincère.

—Aucun problème, répondit Jareth. N'y pensez plus. Menolly, comme je te l'ai dit, je dois enfoncer l'extrémité de la lame dans ton cou. Je te promets de ne pas te blesser plus que nécessaire, mais ça sera quand même douloureux. Briser le lien qui unit un vampire et son sire est la séparation la plus importante qui existe. La seule chose qui s'en rapproche est l'exil magique ou ordonné par les dieux. Tu portes ce lien en toi depuis douze ans. Tu sentiras la différence. Es-tu certaine de pouvoir supporter le changement ?

Je le regardai dans les yeux.

—Pour être franche, je ne sais pas à quoi m'attendre, mais je suis prête. Faites-le ! Si je veux détruire Dredge, je dois me défaire de ce lien. Je ne supporterai pas d'être attachée à lui une minute de plus, déclarai-je en enlevant mon pull.

Les yeux de Jareth parcoururent ma peau couverte de cicatrices.

Comme d'habitude, Camille frissonna, mais il y avait quelque chose de différent à présent. Une angoisse. Elle avait appris d'où elles venaient. Lorsque je levai le pouce vers elle, elle m'adressa un léger sourire.

—Agenouille-toi devant moi près de la boule de cristal et dégage ta nuque. Baisse la tête.

Tout en murmurant, il se plaça sur ma gauche. Comme il me l'avait demandé, je repoussai mes tresses et me mis à genoux. Au fond de moi, j'avais peur qu'une fois le lien brisé, j'explose ou je sois réduite en cendres. C'était stupide, mais la peur ne suivait aucune logique.

Pendant que Jareth psalmodiait, l'énergie se changea en cyclone autour de nous.

— Menolly D'Artigo, renonces-tu à ton sire ? demanda-t-il d'une voix tonitruante.

— J'y renonce.

Le tourbillon inversa sa course.

— Fais-tu le choix de continuer ton chemin seule, coupée de l'ascendance qui te relie à Dredge, ton sire ?

— Je fais ce choix.

Les vents se mirent alors à tourner dans le sens inverse des aiguilles d'une montre et, à chaque tour, je sentais le lien forgé durant les jours, les semaines et les mois que j'avais passés rattachée à Dredge disparaître. Une à une, les connexions se démêlèrent, se déroulèrent et se défirent.

— Menolly D'Artigo, fais-tu le choix de marcher dans ce monde, liée seulement à toi-même et aux dieux auxquels tu as prêté serment, abandonnant ainsi le chemin tracé par ton sire ?

— Je fais ce choix. (J'entendis un cri. Dredge se débattait.) Dépêchez-vous ! Il a senti notre présence.

— Ne bouge pas. Il a seulement senti que quelque chose n'allait pas. Ne le nourris pas de ta peur ! (Jareth s'agenouilla près de moi et posa une main sur mon épaule. L'autre tenait toujours la dague.) Menolly D'Artigo, réfutes-tu le pouvoir de Dredge sur toi ?

C'était la fin. Je pouvais le sentir. La réponse que je m'apprêtais à donner ferait de moi un paria parmi les vampires traditionnels, une traîtresse. De toute façon, une fois que j'aurais tué Dredge, je serais doublement fichue.

— Je renonce à Dredge. Je le réfute. Je le bannis de ma vie. Je lui retire le droit de sentir ma présence pour toujours.

Pendant que je prononçais ces mots, Jareth plongea la dague dans ma nuque, en plein milieu du lien qui me connectait au monstre de mes cauchemars, à mon créateur, à mon sire.

La douleur qui me frappa soudain ne ressemblait à rien de ce que j'avais ressenti depuis la nuit de ma transformation. Ma colère et ma souffrance s'entremêlèrent à sa luxure et à son avidité pour former un serpent fou. Il était prêt à fondre sur moi lorsque Jareth dessina une rune entre nous. La créature cria avant d'exploser dans un nuage rouge. Je vacillai. Puis, Jareth retira la lame de ma chair et je tombai sur le côté, sur le marbre froid.

Agenouillé près de moi, Jareth me prit dans ses bras. Je grimaçai. Pour la première fois depuis des années, mon corps me faisait mal. Tandis qu'il me portait hors du cercle pour m'allonger sur un banc, je me demandai si mes pouvoirs avaient diminué.

— L'aube approche ? murmurai-je, épuisée.

— Non, il reste encore beaucoup de temps, mais ton âme a subi des changements majeurs. Tu as besoin de reprendre des forces. Je te promets que vous rentrerez chez vous sans encombre. Pour le moment, tu dois te nourrir.

— Je ne peux pas chasser. Je suis trop fatiguée.

— Tu as besoin de sang frais. Notre réserve ne fera pas l'affaire. (Dégrafant sa cape, Jareth s'accroupit près de moi.) Bois. Tu ne me feras aucun mal. Prends ce dont tu as besoin. Ce n'est pas ma première fois.

Je le dévisageai.

— Vous me proposez de boire votre sang ? m'exclamai-je. (Il m'avait sauvé la vie. Il nous avait peut-être tous sauvés.) Je ne peux pas. Pas après ce que vous avez fait pour moi.

— Bois. Ça te permettra de regagner des forces. Tu n'as pas vraiment le choix. Si tu refuses, tu risques de mourir.

Il avait oublié de mentionner ce petit détail. Je clignai des yeux en me tournant vers Camille.

— Pour une fois dans ta vie, dit-elle, obéis sans poser de questions ! Si Jareth dit que tu dois boire, bois !

Je m'éclaircis la voix.

— Est-ce que Morio et toi pourriez sortir ? Je ne veux pas que vous me voyiez me nourrir.

Quand elle acquiesça d'un hochement de tête, Jareth sollicita l'aide des deux autres participants au rituel.

— Emmenez-les dans la salle de préparation. Je vous appellerai quand ce sera terminé.

Une fois qu'ils furent partis, je repris la parole.

— Jareth, il faut que vous vous asseyiez près de moi. Je n'ai pas la force de me lever.

Il prit alors place sur le banc à côté de moi, dévoilant la peau blanche attirante de son cou.

— Vous ne vous exposez pas beaucoup au soleil, pas vrai ? demandai-je pour détendre l'atmosphère. Vous avez dit avoir déjà offert votre sang à un vampire ?

Moine de l'ordre de la dague de cristal ou non, je devais vérifier qu'il savait dans quoi il s'embarquait.

Il soupira.

— Il y a très longtemps, bien avant ta naissance, j'étais fiancé à une femme qui s'appelait Cassandra.

C'était un vampire. Les villageois près du monastère l'ont découvert et l'ont tuée. J'ai alors décidé de quitter les montagnes tygeriennes et de me réfugier ici.

Sa voix ne tremblait pas. Son expression n'avait pas changé. Néanmoins, les lignes qui se formèrent autour de ses lèvres lorsqu'il prononça son nom le trahirent.

Cassandra. Je me demandais à quoi elle ressemblait, qui elle était, pourquoi il l'avait aimée au point de vouloir l'épouser. Mais aucune de ces questions ne franchirent mes lèvres. Ses souvenirs ne me regardaient pas. Ce n'était pas à moi d'exposer sa souffrance.

— Alors, vous comprenez la beauté du sang, affirmai-je.

Jareth hocha la tête.

— Plus que tu le penses. Bois. Reprends des forces. J'ai confiance en toi. Je sais que tu t'arrêteras avant de me mettre en danger.

Sa confiance était un cadeau. Je devais faire en sorte de ne pas le décevoir. En m'asseyant sur ses genoux, je sentis son érection contre moi. Aussitôt, je relevai la tête pour croiser son regard. Pouvais-je ? Oserais-je ? En un sens, il m'avait rendu la vie. Il m'avait libérée. La moindre des choses serait qu'il trouve du plaisir dans tout ça, lui aussi.

— Jareth, écoutez-moi. Je vais boire à votre source. Laissez-moi vous embrasser dans le cou, murmurai-je en jouant de mon charme surnaturel.

Quand les yeux de Jareth devinrent noirs de désir, je compris qu'il avait baissé sa garde. Dans le cas contraire, je n'aurais pas été capable de le séduire avec mes mots.

— Bois-moi, chuchota-t-il. Bois-moi jusqu'au plus profond de mon âme, Menolly.

Mes lèvres descendirent alors sur lui et je léchai lentement son cou. Il gémit lorsque mes canines s'allongèrent et vinrent chatouiller sa peau. Je me concentrais sur la passion, sur la sensualité du moment que je pouvais alimenter.

—Ne ressens aucune peine, murmurai-je, que de la joie.

Il frissonna tandis que j'enfonçais profondément mes canines dans son cou, stimulant sa circulation sanguine. Des gouttes commencèrent à s'échapper des petits trous que j'avais créés. Je pressai mes lèvres contre eux pour les avaler, pour me nourrir du puits de vie qui s'échappait de ses veines.

Jareth hoqueta et je suçai plus fort. Le liquide chaud coulait dans ma gorge, me revigorait, me sortait de la stupeur dans laquelle j'avais sombré. Lorsque je le poussai en arrière pour qu'il s'allonge sur le banc, son vêtement tomba par terre et dévoila sa nudité, ferme, pâle et dure.

Sans retirer mes lèvres de son cou, je me débarrassai de mon jean et m'empalai aussitôt sur la hampe de son désir. C'était la première fois qu'un homme était à l'intérieur de moi depuis Dredge, la première fois que je me laissais toucher par un homme depuis Dredge.

Son corps vibrait de magie. Pendant que je buvais, Jareth commença à bouger sous moi. Purs comme la vie, purs comme la mort, le sang et le sexe se rencontraient dans une étreinte passionnée tandis que nous faisions l'amour. À chaque seconde qui s'écoulait, ma force augmentait, l'énergie courait dans mes veines. Jareth agrippa mes hanches pour me guider, pour me supplier de continuer.

Des images de Dredge à l'intérieur de moi, au-dessus de moi, essayèrent de remonter à la surface, mais je les repoussai pour me concentrer sur Jareth. Jareth qui m'avait aidée à libérer mon âme. Jareth qui avait traversé les flammes avec moi. Jareth qui m'avait offert son sang pour me sauver. À ce moment-là, je me rendis compte qu'il avait atteint ses limites de donneur et je m'écartai. Le silence de la pièce fut brisé par le bruit des perles dans mes cheveux, s'entrechoquant.

— Menolly, Menolly, ne me laisse pas comme ça, ne me quitte pas…, supplia Jareth en inversant nos positions.

Je le laissai m'écarter les jambes pour s'enfoncer plus profondément en moi, à la recherche de quelque chose qu'il avait perdu depuis très longtemps. Cependant, je n'arrivais pas à faire tomber les barrières de mon esprit.

D'un geste empli de passion, il prit mon visage entre ses mains et me força à le regarder dans les yeux.

— Laisse-toi aller, Menolly. Oublie tout. Je ne suis pas Dredge. Tu n'as pas besoin d'élever de barrière contre moi. Et tu ne deviendras pas un monstre, non plus. Je te le promets. Tu m'entends ? Laisse-toi aller, murmura-t-il. N'aie pas peur.

Pour la deuxième fois en quelques jours, je laissai tomber mes barrières, j'abandonnai le contrôle sur mon corps et me laissai emporter par le tourbillon obscur de l'orgasme et la paix qui le suivait.

Un fois rhabillée, je fus prête à reprendre la route. Camille et Morio évitèrent poliment de me demander comment ça s'était passé. Je devais avouer que Camille savait se faire discrète quand il le fallait.

Au moment de partir, je me souvins de la promesse que j'avais faite à Iris à propos de l'aqualine. Jareth nous en céda une gracieusement qu'il plaça à l'intérieur d'une petite bourse de velours.

— Combien vous devons-nous ? lui demandai-je.

— Rien du tout, répondit-il. Vous ne pourriez pas me payer son vrai prix. De toute façon, si cette Iris est une prêtresse d'Undutar, elle en fera bon usage. Allez-y. Les premiers rayons du soleil ne sont pas loin.

Aucun de nous deux ne parla de notre interlude. Parfois, les mots semblaient inappropriés. Tandis que nous nous dirigions vers la porte, je me demandai si je le reverrais un jour. Peut-être bien que oui. Peut-être bien que non. Les heures passées ensemble avaient été tellement intenses que je n'avais pas envie de les diluer.

Dans la salle principale, Jareth nous arrêta.

— J'aimerais que quelqu'un vous accompagne sur Terre, mais je vous préviens, et je suis sérieux, ne posez aucune question avant d'être rentrés chez vous. Les espions sont partout. Vous risqueriez de vous attirer encore plus d'ennuis.

— Aucun problème, répondis-je. Je vous fais confiance. (Une vague de gratitude me submergea. Allant à l'encontre de ma nature, je le pris dans mes bras.) Comment puis-je vous remercier ? Je suis libre. Je peux me battre contre Dredge à présent.

— Je suis content d'avoir pu t'aider, murmura Jareth, mais ne fais pas l'erreur de le sous-estimer, Menolly. Il est dangereux. À l'instant où il comprendra que votre lien n'existe plus, il entrera dans une rage folle. (Il déposa un baiser sur mon front.) Si tu repasses par ici, n'hésite pas à venir me voir. Crois-moi, nous vivons très très longtemps à Aladril. Je serai là. À présent, comme le temps passe vite, je vais vous téléporter jusqu'au portail. Fermez les yeux et tenez-vous la main.

Bien que mal à l'aise, je lui obéis. Camille, en revanche, avait l'habitude de la magie. Une fois familiarisée avec les énergies du temple, elle s'était sentie chez elle. Pas moi. Soudain, le bruit du vent me remplit les oreilles et je sentis le monde glisser sous mes pieds. Je serrai la main de ma sœur si fort que je l'entendis hoqueter de douleur.

Avant d'avoir eu le temps de desserrer ma prise, tout était revenu en place. J'ouvris les yeux. Nous nous tenions dans les bois, devant le portail et les trois gardes qui nous avaient accueillis à notre arrivée.

Ils récupérèrent leurs colliers en silence et nous escortèrent à l'intérieur.

— Maître Jareth vous demande d'emmener cet homme avec vous. Ne posez aucune question. Ne lui parlez même pas avant d'être rentrés chez vous.

Nous découvrîmes le moine à capuche qui avait été en charge du rubis durant le rituel au temple. Il demeura silencieux. Nous aussi. Après tout, Jareth était de notre côté. Il devait avoir une bonne raison pour nous faire accompagner de ce prêtre. Pour ma part, je lui faisais confiance. Ensemble, nous traversâmes donc le portail jusqu'à Elqavene où Trenyth nous attendait. Comme l'aube approchait à grands pas, il nous proposa de faire notre rapport par le biais du miroir des murmures et nous congédia.

Lorsque nous émergeâmes dans la forêt de Grand-mère Coyote, je levai la tête pour observer le ciel. Le soleil se lèverait dans moins de une heure. Et même cachée derrière les nuages et les flocons de neige, sa lumière me réduirait en cendres. J'étais tellement fatiguée que je pouvais à peine garder les yeux ouverts, tandis que nous regagnions le 4x4 de Morio.

Camille se tourna vers notre invité mystère.

— Qui êtes-vous ? demanda-t-elle.

— Peu importe, rétorquai-je. Je dois rentrer à la maison !

— Elle a raison, acquiesça Morio. Ne t'en fais pas, tu apprendras son nom bien assez tôt.

Camille pencha la tête sur le côté, curieuse.

— Tu le sais ?

— Jareth et moi avons eu le temps de discuter pendant que tu aidais Menolly, dit-il en haussant les épaules.

Il retomba alors dans le silence et, malgré tous ses efforts, ma sœur ne parvint pas à le faire parler. Notre invité observa la voiture un moment avant de nous suivre à l'intérieur. J'avais l'impression qu'il n'était jamais venu sur Terre auparavant.

À la maison, Delilah nous attendait avec Chase, Iris et Nerissa. Une fois la porte refermée derrière moi, je me retournai vivement vers notre nouvel ami.

— Bon. Il ne me reste plus beaucoup de temps avant d'aller me coucher et je ne compte pas attendre jusqu'à demain pour savoir qui vous êtes. Alors, enlevez-moi cette capuche !

L'homme s'exécuta lentement. J'entendis Camille hoqueter de surprise et Delilah crier.

— Eh bien, qui est-ce ? s'impatienta Chase.

— Shamas ! C'est notre cousin Shamas ! s'exclama Camille. Nous te pensions mort !

Elle s'élança pour prendre dans ses bras ce grand homme aux cheveux noirs qui avait la même peau claire et les mêmes yeux violets qu'elle.

Un mois auparavant, alors qu'il travaillait pour Tanaquar, Shamas avait été capturé par Lethesanar et condamné à mort. Heureusement, il avait réussi à s'échapper avec un groupe de moines, envoyé par Tanaquar pour l'assassiner, avant qu'il se fasse torturer. Ainsi, sa mort aurait été beaucoup moins douloureuse. Mais, contre toute attente, Shamas avait réussi à utiliser leur énergie pour s'enfuir. Il avait alors disparu et personne n'avait plus jamais entendu parler de lui.

— Shamas ! Comment as-tu... Pourquoi... Comment est-ce arrivé ? (Je n'en croyais pas mes yeux.) Nous avons tous cru que tu avais implosé ou quelque chose dans le genre !

À ces mots, notre cousin éclata d'un rire rauque.

— Camille, Delilah, Menolly... C'est si bon de vous revoir ! Je n'étais pas certain de revoir quiconque de notre famille avant de rejoindre nos ancêtres.

Il retira ses vêtements pour dévoiler un corps trop maigre. Ses bras étaient couverts de cicatrices. En fin de compte, Lethesanar avait commencé à le torturer avant l'arrivée des moines.

— Laissez-le s'asseoir, fis-je. Vous ne voyez pas qu'il est épuisé ? Tu as faim, Shamas ? Tu veux manger quelque chose ?

Les yeux plissés, il se passa une main sur le front.

— Je suis secoué, c'est tout. Tant de choses se sont produites, ces dernières semaines ! (Tandis que nous l'emmenions au salon, il ajouta :) Je prendrais bien une tasse de thé ou du bouillon.

Aussitôt, Iris prit les choses en main.

— De la soupe, du thé, et du pain frais bien chaud. Tu es beaucoup trop maigre et fatigué. Les filles, apportez-lui une couverture et un coussin et installez-le dans le fauteuil. Tes blessures sont guéries ? demanda-t-elle franchement.

— Oui, répondit Shamas en hochant la tête. Les moines de Dayinye m'ont sauvé la vie. J'étais à l'article de la mort quand j'ai brisé leurs protections et atterri dans leur temple.

— Tu as réussi à pénétrer dans Aladril sans autorisation ? s'étonna Morio. Tu dois être très puissant !

— Je vous parie que la reine Asteria était parfaitement au courant de sa présence là-bas, dis-je à Camille. Je ne sais pas comment, mais elle tire certaines ficelles du destin.

Shamas poursuivit sa conversation avec Morio.

— Visiblement, j'ai plus de pouvoir que je le pensais, mais seulement quand je suis sous pression. Et je ne suis même pas capable de le contrôler. Je vous en reparlerai une fois que j'aurai récupéré mes affaires. (Il observa les alentours avec une expression de pur étonnement.) C'est la première fois que je viens sur Terre. J'ai beaucoup de choses à apprendre.

— Delilah et Camille s'en chargeront pendant que je dormirai, déclarai-je en jetant un coup d'œil à l'horloge. J'adorerais me mesurer tout de suite à Dredge, mais si je sors maintenant, je serai réduite en cendres avant d'avoir dit « ouf ».

— Va dormir, m'incita Camille en désignant la cuisine. Morio et moi nous chargerons d'informer les autres de nos avancées. Oh, au fait, Iris, j'ai ton cristal.

Lorsqu'elle tendit la bourse de velours à Iris, les yeux de celle-ci s'illuminèrent.

— Voilà qui va nous être utile ! s'exclama-t-elle.

Même si j'étais curieuse de savoir comment, je choisis de rester silencieuse. Après avoir embrassé Maggie, je me dirigeai vers mes appartements. Pourrais-je enfin dormir sans faire de cauchemar ?

Je ne fus pas déçue. Pour la première fois depuis ma transformation, aucun rêve, aucun souci ne vint troubler mon sommeil. Mon cœur avait trouvé la paix.

Chapitre 16

À mon réveil, je trouvai Camille assise dans le rocking-chair, l'air nerveux. Je secouai la tête pour m'éclaircir les idées.

— Qu'est-ce qui se passe ? Ton expression n'annonce rien de bon.

Elle fronça les sourcils.

— Tu as raison. Monte avec moi, on doit parler. Chase est en haut avec Wade et Siobhan.

Chase ? Wade ? Siobhan ? Curieuse, j'enfilai mes vêtements à la hâte et la suivis à l'étage.

Là, Wade et Siobhan parlaient à voix basse, assis sur le canapé. Quant à Iris et Maggie, elles s'étaient installées sur le petit rocking-chair que nous avions acheté pour la Talon-haltija. Shamas discutait avec Morio dans un coin, tandis que Delilah et Anna-Linda jouaient aux cartes sur la petite table.

La jeune fille me paraissait totalement différente depuis notre dernière rencontre : le visage propre, elle portait un jean ample et un mignon petit tee-shirt. Et surtout, elle souriait.

Toutefois, ce fut Chase qui attira mon attention. Il se tenait la tête entre les mains, si bien que je ne pouvais pas voir son expression, mais ses vêtements avaient l'air froissé, ce qui était plutôt inhabituel pour quelqu'un habillé en Armani. Quand il se tourna vers moi en se passant la main sur le visage, je m'aperçus qu'il avait les yeux injectés de sang et qu'il semblait sur le point de vomir.

Camille s'assit sur un repose-pieds près de lui.

— Allons-y, dit-elle.

— Qu'est-ce qui s'est passé ? Encore des meurtres ? demandai-je car il s'agissait de l'explication la plus logique.

Chase secoua la tête.

— Pas que je sache… du moins pas encore. Non, c'est pire que ça.

— Qu'est-ce qui peut être pire que des meurtres ?

La réponse apparut rapidement sous mes yeux. Delilah me tendit un exemplaire jauni de *La Rumeur de Seattle* qu'elle adorait lire. Personnellement, je ne me torcherais même pas avec ce truc, mais ma sœur aimait les journaux à scandales.

Je jetai un coup d'œil à la une. J'y découvris écrit en grand et gras : « Les vampires ont pris le pouvoir des bas-fonds de Seattle. »

— Comment est-ce que… ?

Je parcourus le torchon, sautant les histoires palpitantes qui ne contenaient même pas un semblant de vérité, jusqu'à la page qui m'intéressait. Je compris tout de suite pourquoi tout le monde paraissait accablé.

Le chef de la brigade Fées-Humains du CSI aurait dissimulé des faits importants à propos d'une bande de vampires assoiffés de sang. En effet, d'après les rumeurs, plusieurs citoyens de Seattle auraient disparu sans que le célèbre inspecteur, Chase Johnson, s'en préoccupe.

Pourtant, à La Rumeur, *nous avons des indices qui pointent vers la terrifiante vérité : ces innocents auraient été transformés en buveurs de sang ! Non, vos yeux ne vous jouent pas des tours. Savez-vous que Seattle héberge quarante-cinq de ces dangereuses créatures ? Alors quand les contribuables de Seattle se mettent à disparaître, à qui doit-on confier notre protection ? À la police ? Réfléchissez-y à deux fois.*

Kylie Wilson, présidente de l'association des chiens de garde, nous a annoncé que son groupe venait de fusionner avec celui des anges de la liberté. Ensemble, ils prévoient des manifestations importantes durant les prochains mois contre la population croissante de créatures surnaturelles dans notre ville. « Si Dieu avait voulu que les créatures surnaturelles vivent en grand nombre sur cette Terre, nous serions tous nés mutants et dégénérés. »

Interrogé sur la question, l'inspecteur chef Richard Devins affirme qu'il n'existe aucune conspiration : « Aucune disparition ne nous a été signalée. Si nous passions notre temps à dissimuler des meurtres, nous n'en aurions plus pour traquer les criminels, nous a-t-il confié ce matin. Mais ne vous inquiétez pas, nous allons enquêter pour vous prouver que ces allégations sont fausses. En attendant, je demande aux habitants de Seattle de ne pas céder à la panique. »

— Bordel de merde ! m'exclamai-je en posant le magazine et en me tournant vers Chase. Pourquoi est-ce que les nouveau-nés n'ont pas été portés disparus ? Vous avez une idée ?

— Anna-Linda, ça te dit d'aller manger quelque chose dans la cuisine ? demanda Delilah. On continuera à jouer là-bas.

La jeune fille se contenta de ricaner.

— Vous voulez simplement m'éloigner de votre conversation. (Elle me regarda avant de courir vers moi pour me prendre dans ses bras.) Merci ! Merci de m'avoir aidée !

Bouche bée, je me tournai vers Siobhan qui m'adressa un grand sourire.

— Anna-Linda va aller vivre chez sa tante à Boise, m'expliqua-t-elle. Avec Nerissa, nous avons découvert qu'elle y avait de la famille. Et, surprise ! Le mari de sa tante est…

— Laisse-moi lui dire, laisse-moi lui dire ! s'écria Anna-Linda en sautillant.

— OK, vas-y. Dis-lui la bonne nouvelle, fit Siobhan en riant.

La jeune fille se tourna alors vers moi.

— Le mari de ma tante est un loup-garou et ils ont des jumeaux de quatre ans ! Le garçon, Darrin, est un HSP mais sa sœur, Chrissie, est aussi un loup-garou. Je les aiderai dans leur ranch. Ils produisent du lait. Et puis j'aiderai tante Jean avec les enfants, j'apprendrai à monter à cheval et je retournerai à l'école !

Elle avait les yeux qui brillaient. J'eus soudain envie de pleurer. Pas à cause de ce qui lui était arrivé, mais parce qu'elle avait eu la chance de s'en sortir. Elle ne se retrouverait pas dans la rue. Tout irait bien. Elle allait grandir et mener une vie heureuse.

— Je suis si contente pour toi ! Si je comprends bien, ta mère et ta tante ne se parlent pas beaucoup, hein ?

L'expression d'Anna-Linda s'assombrit légèrement. Elle secoua la tête.

— Non, ma mère dit que tante Jean est une traîtresse et qu'elle ne la comprend pas. Mais ça ne la gêne pas que j'habite chez elle.

Aïe. Comment une mère pouvait ne pas s'inquiéter de l'endroit où vivait sa fille ?

Siobhan plaça ses mains sur les épaules de l'adolescente.

— Allons toutes les deux dans la cuisine manger un morceau. Comme ça, Delilah pourra rester ici pour discuter avec les autres.

— D'accord. Je peux avoir du beurre de cacahouète ? demanda-t-elle en dansant la gigue jusqu'à la cuisine.

Iris se leva avec Maggie dans les bras.

— Je viens avec vous. C'est l'heure de donner à manger à Maggie. Que dirais-tu de quelques biscuits au beurre de cacahouète avec un sandwich à la dinde et du lait ?

— Cool ! s'exclama-t-elle en disparaissant, suivie d'Iris et de la gargouille.

Siobhan attendit ce moment pour se tourner de nouveau vers moi.

— Tu as sauvé Anna-Linda de l'enfer sur Terre. Tu peux en être fière… Grâce à toi, elle va pouvoir s'épanouir.

Tandis qu'elle s'éloignait, je sentis ma gorge se nouer. Pendant longtemps, je m'étais demandé si mes bonnes actions servaient à quelque chose. À présent, j'en étais convaincue.

Je reportai mon attention sur Chase.

— À propos des personnes disparues…, dit-il. Quelques-unes ont été signalées. J'ai tiré quelques ficelles pour qu'elles arrivent directement dans mon bureau. J'ai déjà fait des recherches auprès de leur famille et de leurs amis pour essayer de gagner du temps. J'espère juste qu'aucun d'entre eux ne lit ce torchon. Je ne veux pas qu'ils se fassent des idées.

— Je n'arrive pas à croire que les autres nouveau-nés n'ont pas encore été portés disparus. C'est triste, fit Delilah.

— Oui, mais dans notre intérêt, il vaudrait mieux que ça continue comme ça, répondit Chase d'un ton amer.

— Quelle a été la réaction de ton chef par rapport à l'article ? m'enquis-je.

— Le quoi ? Ce truc n'est pas un article, dit Chase en secouant la tête. Le sociopathe qui a écrit cette merde déteste tous les étrangers, qu'ils viennent du Mexique, de Mars ou d'Outremonde. Bref, pour répondre à ta question, Devins m'a passé un savon pour ne pas avoir su éviter les rumeurs. Il m'a ordonné d'y remédier si je ne voulais pas passer le restant de mes jours à établir des procès-verbaux.

— Qu'est-ce que tu comptes faire ? demanda Morio.

— Eh bien, je peux l'obliger à revenir sur ses propos. J'ai un ami qui détient le plus gros de la publicité de ce torchon. On pourrait mettre la pression à ce… Comment est-ce qu'il s'appelle déjà ? L'auteur de l'article ?

— Andy Gambit, répondit Delilah.

— C'est ça, Gambit. Il a toujours adoré échauffer les esprits. Je peux faire en sorte de le museler pendant quelque temps, mais Devins ne va plus me lâcher.

— Est-ce qu'il pense que nous sommes impliqués ?

Nous n'avions pas besoin que Devins vienne mettre son nez dans les affaires de l'OIA ou ce qu'il en restait. Heureusement, Chase me rassura.

— Non, dit-il, il se sert de cette excuse pour me persécuter. Il ne supporte pas l'idée que ma brigade soit un succès. La première fois que j'en ai parlé, il a essayé de m'écraser comme un insecte, tu sais ? C'est quand l'OIA et le gouverneur Tomas m'ont placé à sa tête qu'il a commencé à me haïr.

Aussitôt, Delilah se serra contre lui et l'embrassa doucement sur la joue.

— C'est pour ça qu'il te traite comme ça ?

— Oui. En y réfléchissant, je pense qu'il est simplement jaloux. Mon ami fera reculer *La Rumeur* et j'inventerai une explication aux récentes disparitions. Je ferai en sorte que Devins ne s'en serve pas contre moi.

Le pauvre petit avait l'air tellement perdu que j'eus presque envie de l'embrasser, moi aussi, mais il aurait sûrement eu une crise cardiaque.

Alors, je me contentai de reprendre la parole :

— Nous savons où se cache Dredge. Nous l'affronterons ce soir. Il est très dangereux, mais nous avons une chance de gagner. (Je me tournai vers Delilah.) Bien sûr, si son clan est avec lui, la bataille promet d'être rude. Toutefois, nous ne savons rien à leur sujet. Je ne sais pas quoi en penser. Delilah, tu peux afficher une carte du centre-ville sur ton ordinateur ? J'aimerais vous montrer où il se trouve.

— Bien sûr, dit-elle en allumant son portable. Camille nous a raconté ce qui s'était passé à Aladril.

Ses mots restèrent suspendus dans l'air, rempli de milliers de questions et de commentaires. Je devais dire quelque chose avant que chacun se mette à s'excuser.

— Chaton, Camille, écoutez-moi bien. Ce que Dredge m'a fait… rien de ce que vous ferez ne pourra jamais l'effacer. Aujourd'hui, je dois vivre avec et avancer avec les cartes que nous avons en main. (Je me devais d'effacer la culpabilité que je lisais dans leurs yeux. La culpabilité du survivant, bien intentionnée et pourtant déplacée.) J'ai enfin accepté ce que je suis et, grâce à Jareth, Dredge n'a plus aucun contrôle sur moi. Il m'a offert le plus beau cadeau qu'il soit.

— Pourquoi ne nous en as-tu pas parlé ? demanda Delilah en tapant sur le clavier. Nous n'étions pas conscientes de l'horreur que tu avais vécue.

— Qu'est-ce que ça aurait changé ? Vous n'auriez rien pu y faire. J'ai pensé qu'il valait mieux ne rien dire.

Ainsi soit-il, *Let it be*, comme le disait la célèbre chanson des Beatles… même si je n'aimais pas leur musique et que je n'étais pas chrétienne. Alors que Delilah était le point de protester, Camille l'interrompit.

— Elle a raison. Nous aurions agi exactement comme elle. Tout ce qui compte, c'est que Menolly soit libre. Concentrons-nous sur le présent parce que Dredge n'a pas l'intention de nous accueillir à bras ouverts. Il nous montrera plutôt ses canines…

— Voilà, dit ma plus jeune sœur en posant son ordinateur sur la table basse. C'est une carte du centre-ville. Pour zoomer, clique une fois et sers-toi de la barre de graduation sur le côté.

Je m'agenouillai pour être face à l'écran.

— Là, dis-je en agrandissant l'image. Vous voyez cet entrepôt ? C'est ici que se cache Dredge, juste en face de la statue des mains du port et du *Sushirama*. Sûrement au troisième ou quatrième étage. Je m'en rendrai compte sur place.

Delilah observait la carte par-dessus mon épaule.

— Si je ne me trompe pas, cet entrepôt a été transformé en hôtel et boîte de nuit. Il s'appelle *Le Halcyon*.

— C'est bien ce que je pensais. J'ai rencontré le patron. Il fait partie de ces gens qui pensent que toutes les créatures surnaturelles ont un bon fond, qu'elles sont simplement incomprises.

Nous connaissions des personnes comme lui sur Terre et en Outremonde, qui étaient persuadées que les autres races étaient meilleures que la leur. Généralement, ils finissaient avec le cœur brisé lorsqu'ils se rendaient compte qu'un humain n'était qu'un humain, un Fae, qu'un Fae, les créatures surnaturelles, que des créatures surnaturelles et que les notions de bien et de mal n'avaient rien à voir avec un acte de naissance.

— Voyons ce qu'on peut trouver sur cet endroit, dit Delilah en ouvrant une deuxième page.

Pendant qu'elle faisait des recherches sur le Net, je tournai la tête vers Camille et Morio qui partageaient un fauteuil. Shamas, lui, était assis en face d'eux et nous observait avec un air ébahi.

— Comment ça va ? lui demandai-je en m'asseyant près de lui. Est-ce que mes sœurs t'ont expliqué la vie sur Terre ?

— J'ai passé toute la matinée à regarder la téélée, dit-il en allongeant les « é ». Je n'avais jamais compris à quel point les humains étaient différents de nous, ni à quel point le fossé s'était agrandi entre nos deux cultures. Je croyais qu'ils roulaient toujours en charrette et qu'ils se battaient à l'épée.

— Comme à la maison ? lançai-je, tout sourires. Fais-toi une raison. Nous avons développé la magie. Eux, la technologie.

Shamas rit.

— C'est vrai. Mais comment avez-vous fait pour vous adapter ? Je ne sais pas combien de temps je supporterai de côtoyer ces simples d'esprit.

Je le dévisageai, consciente que Camille et Delilah avaient entendu son commentaire. Personnellement, ça ne me touchait pas, mais, chaque fois qu'un membre de notre famille ou un étranger insultait les humains, je savais que mes sœurs se sentaient blessées.

Je m'approchai pour lui donner une claque.

— Très cher cousin, il y a une chose que tu ne dois jamais oublier. Notre mère était humaine. Au sang pur. Par conséquent, nous sommes toutes les trois à moitié humaines. Côtoyer des simples d'esprit, comme tu les appelles, n'est pas plus difficile que côtoyer des crétins prétentieux qui utilisent davantage leur magie que leur cerveau. Compris ? demandai-je en ajoutant un feulement pour rendre la menace complète.

Clignant des yeux, il me dévisagea avant de se tourner vers mes sœurs.

— Je suis désolé, s'excusa-t-il en baissant la tête. Je ne pensais pas que vous le prendriez mal. Je suppose que j'ai un peu peur. Après tout, je connais Outremonde comme ma poche, mais je n'y retournerai pas avant un bon bout de temps. Alors qu'ici... je ne sais pas comment survivre. Ça ne voulait rien dire de plus.

— Les membres de notre famille se sont beaucoup servis de cette insulte, fit Delilah. Au moins, ici, nous n'avons pas à la supporter. Nous sommes chez nous.

Soudain, je sentis son aura vaciller, signe d'une transformation imminente.

— Chaton, calme-toi. Nous n'avons pas de temps à perdre. (J'adressai un regard noir à Shamas.) Ne la contrarie pas comme ça. Elle est très sensible aux critiques qui portent sur la famille.

— Tout va bien, mon cœur, dit Chase en posant la main sur ses genoux.

— Oui, ça ira, répondit-elle.

Néanmoins, j'aurais juré l'avoir entendue ajouter : « Va te faire foutre, toi aussi. »

— Est-ce qu'on peut se concentrer sur notre problème ? demandai-je tandis que je m'élevais vers le plafond. (Je me sentais toujours mieux en altitude.) Delilah, tu as trouvé quelque chose ?

Elle hocha la tête.

— Oui, il y a soixante ans, *Le Halcyon* était l'entrepôt d'une scierie. Les bateaux acheminaient leur cargaison depuis la péninsule Olympique où il y avait d'importantes exploitations forestières. Malheureusement, il y a trente ans, cette industrie a subi une crise économique et l'entrepôt a été abandonné. C'est comme ça que Exo Reed l'a acheté il y a quatre ans et l'a retapé pour le convertir en hôtel boîte de nuit, *Le Halcyon*, dont les principaux clients sont des créatures surnaturelles terriennes et quelques Outremondiens. Je ne vois aucun lien avec l'OIA. Hmm… Il a tout de même quatre étoiles.

—Et Exo Reed ? demanda Morio.

—Lycanthrope activiste pour les droits des créatures surnaturelles, pour le port d'armes à feu…

—Une femme ? Des enfants ? s'enquit Chase.

—Oui, il est marié et a trois enfants. Il est aussi écrit que Reed est le président de la ligue des chasseurs de Seattle.

—Génial, comme si on avait besoin de ça : un bon samaritain qui se balade avec un flingue et se transforme en loup-garou à la pleine lune, marmonna l'inspecteur.

Quand j'éclatai de rire, Delilah et Camille me regardèrent d'un air surpris.

—Quoi ? Il n'a pas tort ! me défendis-je. Les lycanthropes ont la gâchette facile les nuits de pleine lune… mais avec sa famille et sa position, je ne pense pas qu'il aurait hébergé Dredge s'il savait le genre de monstre qu'il est en réalité.

—Surtout que sa famille vit à l'hôtel, confirma Delilah en regardant une dernière page Internet. Voilà, c'est tout ce que j'ai pour l'instant.

—Alors, allons faire un tour au *Halcyon*, fis-je en me levant d'un bond et en attrapant mes clés. On prend quelles voitures ?

Delilah referma son ordinateur portable.

—Je vais avec Chase.

—Camille et moi, on va prendre le 4x4, répondit Morio tandis que ma sœur descendait de ses genoux et lissait sa robe.

—Est-ce que je peux venir ? demanda Shamas.

— Non, tu restes ici avec Iris. Tu n'es pas prêt pour ce genre de bataille. Putain, pourquoi Trillian n'est pas de retour ? (Un coup sur la porte m'interrompit.) J'y vais.

Lorsque j'ouvris la porte, une rafale de vent fit entrer de la neige dans la maison, suivie de Roz qui tenait une serviette ensanglantée contre son cou.

— Oh merde ! Entre vite ! m'écriai-je en le tirant vers le salon. Il est blessé. Allez chercher de l'eau et des bandages pendant que je… (Je m'arrêtai. L'odeur de son sang me rappelait l'ambroisie. Le regard rivé sur la serviette, je sentis la soif m'envahir.) Camille !

Dès qu'elle entendit ma voix trembler, elle se précipita à mon côté.

— Va dans le coin là-bas et regarde par la fenêtre jusqu'à ce que tu aies repris le contrôle de toi-même. Delilah, demande de l'aide à Iris. Il nous faut des serviettes, de l'eau et des bandages. Tout de suite.

Pendant que Delilah s'exécutait, je me forçai à observer la nuit et à oublier la fragrance qui m'enivrait. Au bout d'un moment, je réussis à me calmer.

— Qu'est-ce qui s'est passé ? Tu vas bien ? demandai-je sans bouger.

— Oui, me répondit-il d'une voix rauque. Je les ai trouvés. Les nouveau-nés. Et cette face de légume que vous appelez Wisteria.

— Wisteria ? Tu l'as vue ? Où est-ce qu'elle se cache ? m'écriai-je en me retournant.

À présent, l'odeur et la vue du sang ne me dérangeaient plus… pas après avoir appris que cette garce se trouvait dans les parages.

Quand Roz leva la tête vers moi, je le vis reculer d'un pas.

— Qu'est-ce qui t'est arrivé ? Tu as tellement changé ! dit-il. Tu as l'air plus calme, entre autres.

— Je t'expliquerai plus tard, fais-moi confiance. Maintenant, j'ai une chance de le battre. Alors, dis-nous tout.

Au même moment, Delilah et Iris réapparurent avec une bassine d'eau chaude, plusieurs serviettes et une boîte à pharmacie.

— Comme les attaques ont eu lieu du côté du zoo, j'ai décidé de patrouiller autour. Oh, au fait, vous avez vu les gros titres ?

— Oui, oui. Continue.

Camille commença à nettoyer sa blessure. Il grimaça.

— D'accord, je voulais juste vérifier. Comme je te l'ai dit, je suis allé patrouiller et, pour jeter un coup d'œil parmi les fourrés dans le parc, j'ai utilisé un sort de camouflage. Et, il y a deux heures, j'ai entendu quelqu'un se débattre. J'ai suivi le bruit jusqu'à me retrouver face à l'une des femmes vampires qui nous avaient échappé l'autre soir. Elle traînait avec une floraède.

— Une floraède ?

— Oui, c'est ce que j'en ai déduit grâce à la description que vous m'en avez faite. Bref, tu te souviens du garçon de la dernière fois ?

— L'adolescent ? demanda Camille en soupirant.

— Oui. Il a amené une fille qui ne devait pas avoir plus de seize ans dans les fourrés. Visiblement, elle ne savait pas qui il était parce qu'à la minute où elle a aperçu Wisteria et l'autre nana, elle a essayé de s'échapper. Mais la floraède l'a attrapée et l'a maintenue en place pour que l'ado se nourrisse.

— Il a réussi ? demandai-je d'un air sombre.

— Tu me prends pour un amateur ? Non, j'ai tout de suite gâché leur petite fête. La jeune fille a eu plus de peur que de mal. Le garçon, en revanche, est parti en poussière. La femme aussi. Wisteria, elle, est devenue folle. Cette garce m'a blessé avec ses ongles. (Il sursauta.) Aïe ! Qu'est-ce que tu fabriques ?

— Ne bouge pas, le réprimanda Camille pendant qu'elle appliquait une crème antibactérienne et fongicide sur la plaie. Si tu ne fais pas attention, les blessures causées par des dryades peuvent rapidement se transformer en champignon infectieux. Encore deux petites minutes. Je vais devoir recoudre une des entailles. Elle est trop profonde.

— Beurk ! fit Chase avec une grimace. Tu ne vas quand même pas recoudre le cou de ce type ? Ici ? Je n'arrive toujours pas à croire ce que vous m'obligez à supporter, les filles. La prochaine fois, vous me présenterez Frankenstein ? Ou... Ah non, Dracula existe vraiment.

Il soupira si fort que je ne pus m'empêcher de rigoler. Shamas m'imita.

— C'est trop pour toi ? demanda-t-il.

— Ça le serait pour n'importe qui, rétorqua Chase en souriant, mais je n'échangerais ma place pour rien au monde.

Delilah s'approcha pour observer Camille passer habilement l'aiguille des deux côtés de la chair.

— Elle t'a plus amoché que moi ! dit-elle en lui montrant sa propre cicatrice. Visiblement, Wisteria s'intéresse de près aux gorges des gens. Peut-être qu'elle veut devenir un vampire ?

— À mon avis, elle a surtout perdu le peu de bon sens qui lui restait. Elle est pire qu'un chien enragé ! (Roz frissonna lorsque Camille coupa le fil de suture avec ses dents.) Tu embaumes le sexe, murmura-t-il en passant un bras autour de sa taille, suffisamment fort pour que tout le monde l'entende.

— Qu'est-ce que je t'ai déjà dit ? commençai-je.

Après lui avoir donné une pichenette sur le front, ma sœur s'éloigna.

— Et toi, tu embaumes les ennuis, fit-elle tout sourires. Pas touche. Je suis déjà prise. Trois fois.

— Bien vu, répondit Roz. Voilà, avec un bandage, je serai comme neuf. Vous étiez sur le point de partir, pas vrai ?

— Nous savons où se cache Dredge…

— Et moi, je sais où se trouve votre amie, me coupa-t-il. C'est la raison pour laquelle je suis venu ici… je veux dire, griffure de chatte enragée et soins mis à part. Sans vouloir te vexer, Delilah.

— Non, non, répondit-elle.

— Tu sais où se trouve Erin ? demanda Camille en se levant et en enfilant sa cape. Pourquoi tu ne l'as pas dit tout de suite ?

— Parce que j'avais besoin d'être soigné, jeune femme. Mais oui, j'ai senti Erin. Elle est retenue prisonnière par les nouveau-nés. Je ne sais pas exactement où, mais à mon avis, il suffira de suivre face de plante.

— Elle n'est pas avec Dredge ?

Je ne savais pas si je devais en pleurer ou en rire.

Ça signifiait qu'il ne l'avait peut-être pas torturée. Néanmoins, il faudrait la trouver.

Camille interrompit mes pensées.

— Dredge sera toujours là dans quelques heures. Pas Erin. Surtout si Wisteria est en colère. Regardez ce qu'elle a fait à Delilah et Roz… alors à une HSP ? Tu sais ce qu'elle ressent pour les humains, Menolly.

— Tu as raison, dis-je en la dévisageant. Erin est toute seule avec un tas de vampires nouveau-nés et une floraède qui a une dent contre l'humanité. La délivrer sera notre priorité. Roz, montre-nous l'endroit où tu les as trouvés. Leur planque ne doit pas être loin.

Il renfila son manteau.

— Pas de problème. Qui vient avec nous ?

— Delilah, Camille, Chase et Morio. Shamas reste ici avec Iris.

— Je le surveillerai bien, dit-elle pour me rassurer. Il va m'aider à faire des biscuits avec Anna-Linda.

Avant qu'il ait pu dire quoi que ce soit, notre cousin se trouva poussé vers la cuisine.

— Bien, allons-y ! (Je me rendis alors compte que Roz n'avait pas de voiture. Comment était-il arrivé ici ?) Roz, tu viens avec moi.

Comme d'habitude, Delilah monta avec Chase, et Camille avec Morio. Quand tout ceci serait terminé, nous aurions vraiment besoin de vacances ! L'endroit vers lequel nous nous dirigions ne faisait pas partie du top 10 de la chaîne voyage du câble.

Chapitre 17

Dans la voiture, Roz défit la ceinture de son manteau pour vérifier que toutes ses armes étaient à leur place. Si je me fiais au bruit de métal que j'entendais, il semblait bien équipé.

— Pieux, OK. Nunchakus, OK. Sarbacane et fléchettes, OK. Micro-Uzi, OK. Dagues, OK…

— Attends un peu ! Un Uzi ? demandai-je en me tournant vers lui. (Que fabriquait un incube avec une arme automatique ? Et pas la plus inoffensive, de surcroît.) Où est-ce que tu as déniché ça ?

— J'ai mes sources, répondit-il tout sourires, mais ça ne nous sera d'aucune utilité face aux vampires. (Il rangea l'arme dans son étui et sortit tout un assortiment de pieux.) Non, ce soir, nous avons besoin de ces bébés. Pour ton information, j'ai aussi une chaîne en argent, quelques talismans… Quoi d'autre… ?

Pendant que je tentais de ne pas détourner les yeux de la route, il prit son sac sur les genoux pour l'inspecter.

— Tu as tout un arsenal, là-dedans, cow-boy, mais j'aimerais quand même savoir pourquoi la reine Asteria t'a envoyé à nous.

— Tu n'es pas la seule à te poser des questions, rétorqua-t-il. Tu ferais mieux de te contenter d'accepter mon aide.

— Elle est au courant de ce que tu trimballes ?

— Oui, ne t'en fais pas.

Après avoir refermé son sac, il laissa son manteau ouvert pour accéder facilement à ses armes.

J'observai alors son pantalon en cuir noir moulant, ses pectoraux mis en valeur par son tee-shirt en filet de pêche et sa peau luisante qui se cachait sous ses vêtements. Son ventre était recouvert d'une fine couche de transpiration. Je sentis alors quelque chose s'allumer à l'intérieur de moi, comme sous l'action d'un interrupteur. Aussitôt, je reportai mon attention sur la route. Assez.

— Tu apprécies la vue ? demanda-t-il avec un sourire satisfait.

— Je vais faire semblant de n'avoir rien entendu. Nous sommes là pour sauver Erin, c'est tout.

— Si tu le dis, fit-il en haussant les épaules. Tu es consciente que votre amie pourrait être…

— Morte ? Ou pire ? Je sais. Camille et Delilah aussi. Mais on ne peut pas l'abandonner comme ça… S'il reste une petite chance de la sauver, nous devons essayer.

Je tournai à gauche pour me diriger vers le sud de la ville.

— Tu as quelque chose de différent, remarqua Roz, l'air curieux. Tu as changé. Ta peur a disparu. Tu veux en parler ?

— Non, répondis-je. Pas vraiment. Tout ce que tu as besoin de savoir, c'est qu'à présent, je peux me mesurer à Dredge avec l'espoir de le vaincre. Ce n'était pas le cas avant…

— Hmm…, fut sa seule réponse. (Toutefois, je savais qu'il n'en resterait pas là.) Tourne ici. À gauche. Puis encore à gauche. Tu peux te garer dans le parking. Le repaire des nouveau-nés ne se trouve pas très loin.

Tandis que j'ouvrais le chemin, Camille et Delilah me suivirent. Dans les ténèbres des rues, le verglas n'avait toujours pas disparu. Ce détail me frappa alors de plein fouet. Loki! Loki détenait l'âme de Dredge entre ses mains.

— Certains disent que le monde périra par le feu, d'autres par la glace…

— Quoi? demanda Roz d'un air perdu.

— C'est un poème que m'a lu Camille. Le feu et la glace… L'hiver anormal… Loki et Dredge: Tu ne comprends pas? Loki est lié à Dredge, seigneur du chaos! Alors quand il a traversé le portail, il a amené cette énergie avec lui. C'est pour ça que le temps s'est détraqué. Toute la neige qui est tombée cette année est due à l'incroyable pouvoir que Dredge puise de Loki!

— Qu'est-ce que tu racontes? Loki et Dredge? s'enquit Roz qui commençait à perdre patience.

Exaspérée, je laissai échapper un soupir.

— J'ai découvert que Dredge est intimement lié à Loki, son sire. En fait, sa puissance s'explique en partie par le fait qu'il sert de catalyseur au demi-dieu. Loki passe son temps avec Fenris, son fils damné à l'apparence de loup. Ensemble, ils font tout leur possible pour semer la pagaille dans le monde. Ça signifie qu'il utilise peut-être Dredge pour créer sa propre version de Ragnarock. Depuis le début de l'hiver, quelque chose de pas naturel traîne dans l'air. Et devine qui est arrivé à ce moment-là ?

Roz se redressa.

— Dredge est lié à Loki ? Loki est un vampire ?

— En un sens, oui. Du moins, suffisamment pour pouvoir transformer Dredge. (Je ne savais pas comment l'expliquer.) C'est comme ça. Fais-moi confiance.

— Comment l'as-tu découvert ? Merde ! Dans ce cas-là, il est beaucoup plus dangereux que je le pensais ! Pas étonnant que personne n'ait réussi à l'attraper jusqu'à maintenant.

— Ne me demande pas d'explication. Je n'ai pas envie de rentrer dans les détails, dis-je. Je me suis détachée de lui, Roz. J'ai subi la cérémonie pour me libérer de mon sire.

Les mots étaient simples et pourtant, Roz eut un hoquet de surprise.

— Menolly, tu as conscience de tout ce que ça implique ?

— Oui. Comme je te l'ai déjà dit, ne me pose pas de question. Je ne veux pas parler de ce que ça m'a coûté.

— Je n'ai pas envie de me taire. Tu as des couilles, je ne peux pas dire le contraire, mais est-ce que tu te rends compte que tu as enfreint la règle cardinale de ta race ?

Haussant les épaules, je me garai et coupai le moteur.

— Qu'est-ce que j'en ai à foutre ?

— Rien, apparemment, répondit-il avec un rire rauque. Les autres arrivent. Allons nous farcir quelques vampires.

Quand il sortit de la voiture, j'observai son visage : allongé, sombre, mal rasé… effrayé. La menace de Loki ou ma trahison envers Dredge l'avait décontenancé. À mesure que nous rejoignions les autres, il distribuait des pieux à tout le monde. Je fixai le mien à ma ceinture.

Nous coupâmes à travers la pelouse jusqu'à un taillis de sapins et de saules. J'avais pris la tête de notre groupe pour essayer de détecter les morts-vivants qui se promenaient dans les environs. À l'approche des arbres, je sentis un frisson remonter le long de mon dos.

— Ils sont tout proches, dis-je. Soit leur repaire n'est pas bien caché, soit quelqu'un fait une balade nocturne.

Aussitôt, Camille et Delilah se séparèrent. La première leva les mains au ciel, pendant que l'autre essayait de se servir de son odorat surdéveloppé. Chase et Morio, eux, surveillèrent nos arrières.

Au bout d'un moment, Camille baissa les bras.

— La Mère Lune chante ce soir. Elle nous recommande de faire attention aux arbres. Ils servent de sentinelles à une créature malveillante.

— Je sens de la dryade. Qui parie que Wisteria traîne dans les parages avec ses protégés ? demanda Delilah en sortant son couteau d'argent de sa botte et en ouvrant celui attaché à son poignet. Je suis prête.

— Allons-y. Nous nous chargerons de Dredge après en avoir fini ici. Surtout, n'oubliez pas : pas de quartier ! Wisteria ne sera pas facile à vaincre, mais elle ne pourra rien contre des armes à feu, déclarai-je en avançant aux côtés de Roz.

Les autres nous emboîtèrent le pas. Chase et Delilah se mirent en position pour protéger Camille et Morio qui préparaient un sort.

À peine avions-nous pénétré dans le taillis qu'un remue-ménage annonça de la compagnie. Les fougères géantes s'écartèrent pour révéler trois floraèdes. Wisteria se trouvait au milieu.

— Eh bien, si ce ne sont pas mes jolies ravisseuses ! s'exclama-t-elle. Trop tard, les filles. Vous êtes sur notre territoire, à présent.

Le sourire aux lèvres, elle me regardait dans les yeux.

— Toujours aussi sûre de toi, à ce que je vois, rétorquai-je en faisant signe à Roz pour qu'il laisse passer Camille et Morio.

En les voyant, les dryades se donnèrent la main et, soudain, des ronces s'élevèrent du sous-bois. Je n'avais pas vraiment envie de me frotter à leurs épines. Camille, elle, éclata de rire.

— C'est tout ? demanda-t-elle en attrapant la main de Morio pour lancer un nouveau sort qui résonna à travers les arbres.

Venu du ciel, un éclair argenté pétrifia les ronces qui se brisèrent comme une sculpture de glace sous le coup d'un marteau.

Wisteria hurla. Tandis que ses amies s'élançaient dans notre direction, elle tendit les mains vers nous. Ses doigts s'étirèrent pour former de longues tiges qui s'enroulèrent autour de Camille, la rendant ainsi prisonnière de leur toile végétale.

— Feu du renard ! s'écria Morio à l'attention de la floraède.

Il lança un globe de lumière qui la toucha entre les deux yeux avant d'exploser. Profitant de l'aveuglement temporaire de Wisteria, Delilah se fraya un chemin parmi les branches et lui planta son couteau dans la poitrine.

— Salope ! s'écria-t-elle en s'élançant vers moi.

Je sautai sur le côté pour l'éviter. Puis, d'un geste fluide, je l'attrapai par la tête et la tirai en arrière si vite et si fort que j'entendis sa nuque se briser. Quand je la lâchai, elle s'effondra par terre. Derrière moi, des bruits de course me firent me retourner : les deux floraèdes restantes s'échappaient en direction du parking.

— On les suit ? demanda Delilah.

Je jetai un coup d'œil vers elles. Pas la peine de revenir sur nos pas.

— Non, laissez-les. Les nouveau-nés sont notre priorité. Mais, avant toute chose, je veux m'assurer que cette garce est vraiment morte. Quelqu'un a du feu ?

Aussitôt, Roz sortit une petite balle ronde de sa poche.

— Reculez !

— Ça ne fera pas mal aux animaux ? s'enquit Delilah.

Il secoua la tête.

— Non, c'est de la magie. La flamme est localisée et ne dure pas longtemps. Dépêchez-vous.

Tandis que nous nous exécutions, il retira un sceau et jeta l'objet sur la poitrine de Wisteria. Les flammes qui embrasèrent son corps étaient si lumineuses qu'elles me faisaient mal aux yeux, mais, au bout de quelques secondes à peine, elles disparurent et il ne resta qu'un tas de cendres de notre fauteuse de troubles.

— Je veux les mêmes ! s'exclama Delilah.

Roz ricana.

— Tu peux toujours rêver, rétorqua-t-il.

— Qu'est-ce que tu caches d'autre sous ton manteau ? demanda Camille en s'approchant pour jeter un coup d'œil.

— Je serai content de te le montrer quand tu veux,

chérie, répondit Roz d'une voix enjôleuse en battant des cils. On joue au docteur?

— Ça suffit! On y va! les interrompis-je.

En s'enfonçant dans les taillis, Camille leva de nouveau les mains au ciel.

— Les saules sont redevenus silencieux. Wisteria les contrôlait. Maintenant, ils se contentent de nous observer, c'est tout.

Les sous-bois laissèrent place à un sentier. Visiblement, on s'était donné du mal pour le dissimuler aux yeux des passants. Les fougères couvertes de neige étincelaient dans l'obscurité du bois et de petits bruits trahissaient la présence d'écureuils et d'autres créatures qui vivaient autour du zoo.

— Par là, indiquai-je.

Je pouvais sentir les vampires dans le vent. Pas un parfum. Pas de la moisissure. Non, nous avions la même odeur que la terre des cimetières, les vieux os, le lilas, les ifs et la promesse de passion nocturne. Les vampires reconnaissaient toujours leurs congénères, ce qui signifiait que si les nouveau-nés étaient dans les parages et prêtaient attention, ils savaient que j'approchais.

Alors que nous nous frayions un chemin parmi les buissons, Camille me tapa sur l'épaule.

— Là-bas, tu vois? me demanda-t-elle.

Je plissai les yeux pour scruter l'obscurité. L'entrée d'un abri avec des marches en pierre m'apparut. Il s'agissait probablement d'une remise à l'abandon ou des fondations d'une vieille maison. Quoi qu'il en soit, les nouveau-nés s'y étaient installés. Dredge avait sûrement chargé les floraèdes de leur trouver une cachette.

— Allons-y. Préparez vos pieux. Surveillez vos arrières, dis-je avant de me tourner vers Roz. Viens, on passe devant. Je suis celle qui ai le moins de chance d'être blessée. Tu es le deuxième. Camille, Morio, suivez Roz. Puis, Chase. Delilah, ferme la marche.

L'escalier en pierre s'était fendu et de l'herbe avait poussé dans les craquelures. La neige et la glace parsemaient le ciment foncé. Lentement, je descendis, la main posée sur le pieu à ma ceinture. En bas, la porte était faiblement éclairée par une petite lampe accrochée de travers sur le mur. Je ne savais pas ce qu'avait été ce lieu à l'origine, mais il dépassait à peine du sol. Nous étions presque totalement sous terre.

Je fronçai les sourcils. La porte était en métal et s'ouvrait avec un volant qui me faisait penser aux sous-marins des films sur la Seconde Guerre mondiale.

— Un bunker ! murmura Chase.

— Un quoi ?

— Un abri anti-atomique. Je vous parie qu'il a été construit pendant la guerre froide, dit-il en soupirant. L'ancien propriétaire a dû oublier de mentionner son existence.

La guerre froide. La notion m'était vaguement familière, mais ça n'avait pas d'importance, comparé aux vampires qui nous attendaient de l'autre côté. Leur odeur était beaucoup plus forte à présent. Je ne connaissais pas leur nombre exact. Pourtant, je devinais qu'il y en avait au moins quatre.

— Soyez prudents. Je n'ai pas besoin de compagnie de mon côté de la barrière.

Puis, d'un coup de pied, je défonçai la porte dans un

bruit de métal tordu. Roz me suivit immédiatement à l'intérieur. Là, des ombres se mouvaient.

Nous nous trouvions dans un couloir qui menait à une pièce plus grande. Il y avait également deux portes sur le côté. À vue d'œil, nous avions affaire à trois vampires. Je pris le premier en chasse tandis que Roz avançait vers le deuxième. Quand le dernier se précipita vers Camille, la bataille commença.

Mon adversaire était une femme. Sifflant, elle me frappa du revers de la main avant que je l'évite. *Merde*, pensai-je en tombant en arrière. Une adepte d'arts martiaux. Elle devait déjà être très forte avant de mourir. À l'instant où je touchais le sol, je me retournai et me réceptionnai sur mes jambes, le temps de trouver un meilleur angle pour l'attaquer sans qu'elle me touche. J'apprenais vite. Frappée une fois, pas deux.

— Pourquoi les aides-tu ? me demanda-t-elle en me faisant signe d'approcher. Rejoins-nous, ma sœur, tu es l'une des nôtres.

— Je suis aussi proche d'un ogre que je le suis de vous, dis-je avant de cracher. Je te donnerais bien une chance de vivre, d'apprendre à contrôler ta soif, mais quelque chose me dit que tu n'en serais pas capable.

— Pourquoi le devrais-je ? Notre maître nous a promis un terrain de jeu.

Au même moment, elle attaqua de nouveau. Seulement, cette fois, j'avais observé le moindre de ses mouvements et j'étais prête. Lorsqu'elle se jeta sur moi, je me déplaçai sur le côté pour l'attraper par le bras.

— Désolée de ne pas rester plus longtemps. Je n'ai pas le temps de jouer, lançai-je.

La mort l'avait peut-être rendue plus forte, mais je l'étais davantage. Pendant qu'elle essayait de se débattre, je l'attirai à moi et lui enfonçai mon pieu dans le cœur. Alors, comme la lave sombrant dans la mer, elle explosa en cendres. Récupérant mon pieu, je me tournai pour voir comment les autres s'en sortaient.

Au même moment, Roz détruisit l'un des hommes. Deux en moins. Plus qu'un.

Le dernier vampire tenait Camille par la gorge et essayait de la mordre. Avant que j'intervienne, Morio se transforma en moins de temps qu'il n'en fallait pour dire « renard ».

C'était la première fois que je le voyais sous sa forme démoniaque. Du haut de ses deux mètres cinquante, il avait les yeux rougeoyants et un pelage cuivré. Il ressemblait à un homme-renard, sur deux pattes avec un long museau poilu, mais il n'avait rien d'un renard peureux. Non, il était un démon. Sa truffe était noire et humide et de la vapeur s'échappait de ses narines. Quand il grimaça, une rangée de dents aiguisées comme des lames de rasoir étincelèrent dans la semi-obscurité du bunker.

À la place de pattes, il avait toujours ses mains et ses pieds. Toutefois, ils étaient couverts de poils et ses ongles s'étaient transformés en longues griffes recourbées. Sans réfléchir, je laissai mon regard descendre plus bas. Wouah! Pas étonnant que Camille l'apprécie! Morio n'était peut-être pas grand, ni très musclé, mais, visiblement, il se rattrapait ailleurs.

Après avoir attrapé le garçon par le col, il l'éloigna de Camille d'un geste vif. Le vampire laissa échapper un cri d'effroi. Pendant un instant, je crus voir un semblant d'humanité dans ses yeux morts. Puis, la peur disparut et il s'élança vers Morio, le touchant au bras.

Le démon-renard répliqua aussitôt en lui ouvrant le thorax de bas en haut. Delilah qui jusqu'à maintenant se contentait de protéger Chase s'interposa pour planter un pieu dans son cœur exposé à l'air libre. Le vampire eut un soubresaut avant de se changer en poussière, comme les autres.

Morio se tourna alors vers Camille.

— Tu vas bien ? demanda-t-il d'une voix qui résonna dans toute la pièce.

— Oui, il n'a pas réussi à me blesser, répondit-elle avec la tête levée vers lui. Ce qui n'est pas ton cas…

Après avoir repris forme humaine, il secoua la tête et rattrapa son sac.

— Ne t'en fais pas. C'est juste une égratignure, dit-il en jetant un coup d'œil à sa blessure sous sa chemise déchirée. Ne t'inquiète pas pour moi.

À présent que le combat était terminé, j'en profitai pour observer la pièce dans laquelle nous nous trouvions. Les deux portes attirèrent mon attention. Deux cachettes potentielles supplémentaires pour des vampires. L'odeur du sang emplissait l'air, pourtant ça ne me dérangeait pas. J'étais encore impressionnée par la transformation de Morio. En revanche, s'il y avait vraiment d'autres vampires, ils ne tarderaient pas à être attirés.

— Sois prudent. Ta blessure est aussi appétissante que du bacon…, commençai-je avant d'être interrompue par l'ouverture d'une des deux portes. (Deux buveurs de sang en sortirent.) Qu'est-ce que je te disais ? m'écriai-je en m'élançant dans la bataille avec Roz.

Cette fois, le combat fut beaucoup plus court. Camille lança un sort pour aveugler nos ennemis. Malheureusement, au lieu de s'échapper d'un globe au milieu de la pièce, la lumière jaillit de ses yeux. Dans ces conditions, elle ne pouvait plus se battre. Je vins à son secours avec Roz. Les rayons disparurent en même temps que les vampires.

— Merde. Je sais ce que ressentent les cierges étincelants maintenant.

— Oui, c'était très ressemblant, fis-je. Tout va bien ?

Elle toussa en essayant de déglutir.

— J'ai l'impression d'avoir avalé une bouteille de whisky, mais à part ça, je crois que ça va.

Quand Morio ricana, Camille lui adressa un regard noir.

— Ne me regarde pas comme ça, se défendit-il. C'était marrant et tu le sais.

— Tais-toi, j'entends quelque chose, dit-elle en levant la main. (S'élançant de l'autre côté de la pièce, elle ouvrit la seconde porte avant que je l'arrête.) Erin ! J'ai trouvé Erin !

J'entrai dans la pièce en vérifiant que nous étions seuls. Delilah me suivait de près avec les garçons.

Erin était attachée par terre, les seins nus. D'habitude si pleine de vie, elle avait l'air maigre et semblait horriblement blessée. Son sang avait éclaboussé les murs et le sol. Visiblement, les nouveau-nés s'étaient nourris d'elle. En sentant la peur qui émanait d'elle, je ne pus empêcher mes canines de s'allonger et la soif de me ronger de l'intérieur.

Camille s'accroupit à côté d'elle pour prendre son pouls. Blême, elle releva la tête.

—Elle est en train de mourir. Elle n'y survivra pas. Même si, par miracle, une ambulance arrivait dans cinq minutes, elle ne recevrait pas de sang à temps. (Son regard étincela.) Je veux qu'ils meurent, tous autant qu'ils sont!

Je m'approchai à mon tour du corps d'Erin. Elle n'était pas encore morte, il restait de l'air dans ses poumons. Cependant, Camille avait raison: elle ne tarderait pas à rendre son dernier souffle.

Camille se tourna vers moi.

—Tu peux la sauver, me dit-elle.

—Quoi? Comment? Je ne pourrais jamais l'emmener à l'hôpital à temps!

L'air perdu, je jetai un coup d'œil aux autres. Roz et Morio se regardaient d'un air entendu, tandis que Chase ne semblait pas se rendre compte de ce qui se passait.

—Oui, intervint Delilah en se postant de l'autre côté d'Erin. Tu peux la sauver, Menolly. Tu dois le faire! Elle n'a pas demandé à mourir. Elle n'en a pas envie.

Alors, je compris ce que l'on attendait de moi.

—Quoi? Vous plaisantez! Vous voulez que je la transforme? (Me relevant d'un coup, je reculai vers Roz.) Je n'arrive pas à croire que vous me demandiez de faire une chose qui me répugne.

Camille posa délicatement la tête d'Erin sur les genoux de Delilah avant de se lever. Ses yeux lançaient des éclairs.

—Ce qui t'est arrivé était complètement différent. Tu as été torturée de toutes les manières qui passaient par l'esprit de Dredge. Erin, elle, a servi de garde-manger, mais elle ne porte aucune autre cicatrice. Et elle n'a jamais demandé à être impliquée dans cette affaire. Tu ne comprends pas ? Si tu ne fais rien, elle va mourir !

— Les gens meurent, Camille, fis-je en observant le corps allongé par terre. Les gens vivent et meurent. C'est dans l'ordre des choses.

— Ce n'est pas une fatalité, intervint Delilah. Elle ne sera pas comme ces nouveau-nés. Regarde Wade, Sassy… et toi ! Vous êtes différents, parce que vous l'avez choisi. Tu peux aider Erin à le devenir.

— Tu te rappelles les paroles de Grand-mère Coyote ? demanda Camille en penchant la tête sur le côté. Tu te souviens de ce qu'elle a dit ? Tu vas devoir aller contre tes principes, mais, moi, je saurais que c'est la meilleure chose à faire. On y est. Transformer Erin en vampire est la meilleure chose à faire.

Envahie par la panique, je me tournai vers Morio pour qu'il la contredise.

— Dis-lui qu'elle a tort, le suppliai-je, que c'est son désir de sauver Erin qui la fait parler.

Morio secoua la tête.

— Si Grand-mère Coyote l'a prédit, je ne peux qu'aller dans le sens de Camille. Les sorcières du destin disent toujours la vérité.

Sans tenir compte de mon air choqué, Camille me fit me retourner.

— Fais-moi confiance quand je te dis qu'Erin aura un rôle important à jouer dans le futur. Tu dois faire en sorte qu'elle en soit capable. Transforme-la, bon sang ! Que ça te plaise ou non, tu dois le faire !

Elle était si en colère que je me surpris à la craindre. Toutefois, ma conscience me jouait des tours. Que m'avait dit Grand-mère Coyote ? « *Menolly, tu vas devoir accomplir quelque chose que tu as juré de ne jamais faire. Quand l'heure viendra, tu sauras de quoi je voulais parler, mais tu essaieras de te dérober. Pourtant, même si l'idée te révulse, tu ne dois pas fuir ! Le destin dépend de cet acte... ou de son absence. Ne me déçois pas. Si tu te défiles, tu bouleverseras l'équilibre.* »

C'était donc ça ? Parlait-elle de la transformation d'Erin ?

Je demeurai un instant immobile pour sonder mes sentiments, les tréfonds de mon âme. Lorsque j'avais retrouvé ma santé mentale, j'avais juré de ne jamais transformer quiconque, de ne jamais grossir le nombre de victimes.

Pourtant... si Grand-mère Coyote avait raison, ainsi que Camille et Delilah ? Erin était-elle destinée à être un vampire ? Dans ce cas-là, qui était mieux placé que moi pour la transformer ? Je pouvais lui donner tout ce qu'un autre sire lui refuserait : un guide, une conscience, de l'amour. Je pouvais l'aider à s'adapter à sa nouvelle vie, à amortir le choc des premiers jours. Était-ce la voie à emprunter ?

— Dépêche-toi, elle ne vivra pas encore très longtemps, me dit Delilah.

Camille m'attrapa par le poignet.

— Fais-le, putain ! Si tu ne le fais pas tout de suite, je jure de te lancer la Mère Lune aux trousses, Menolly. Crois-moi, ce n'est pas seulement l'amie d'Erin qui parle. Je sais qu'elle doit vivre, je le sens ! Et il n'existe pas d'autre moyen de l'aider.

J'entendis Delilah s'étrangler. Sous le coup de la colère et de la peur, elle était en train de se transformer.

— Merde ! m'exclamai-je. Delilah, reste avec nous, chaton. Oh, putain. Camille, prends-la dans tes bras. Aide-la à se calmer pour qu'elle reprenne forme humaine. Je vais le faire, OK ? Je vais devenir le sire d'Erin. Mais ne me menace plus jamais, compris ?

Sans répondre, Camille se précipita vers notre chat de sœur pendant que je m'approchais d'Erin. En évitant de trop y réfléchir, je me penchai et bus à sa gorge ouverte. Elle en garderait une légère cicatrice. Quand je sentis son sang chaud couler le long de ma gorge, je m'entaillai le poignet avec mes ongles. Aussitôt, je le pressai contre la bouche d'Erin.

— Erin, c'est moi, Menolly. Tu dois boire si tu veux survivre. Si tu ne bois pas mon sang, tu vas mourir. (Je la soutins d'un bras comme un bébé avec mon poignet contre ses lèvres. Elle ouvrit alors les yeux et cilla, essayant de me voir.) Écoute-moi bien. Tu as le choix. Si tu bois, je ferai de toi un vampire et je t'aiderai à contrôler ta soif. Tu ne deviendras pas un monstre. Mais si tu préfères abandonner, je ne te forcerai pas. À toi de décider.

Delilah dans les bras, Camille nous observait. Roz, Morio et Chase, eux, montaient la garde devant la porte. Même s'il ne disait rien, l'inspecteur avait l'air mal à l'aise.

— Bois, s'il te plaît, Erin, dit Camille. (Elle tendit Delilah à Chase avant de s'asseoir à côté de son amie.) Nous avons besoin de toi. Le monde a besoin de toi. Le destin a des projets pour toi. Si tu refuses l'aide de Menolly, le futur en sera changé. Grand-mère Coyote nous a prédit que ce moment arriverait.

Le regard d'Erin croisa le mien. Quand elle ouvrit la bouche pour parler, ses lèvres étaient si sèches qu'elles se craquelèrent et saignèrent.

— Tu… Tu promets de veiller sur moi ? De me tuer si je deviens un monstre ? Je ne veux pas être comme eux ! cracha-t-elle.

À son ton, je compris qu'elle parlait des nouveau-nés.

— Je te le jure de tout mon cœur et de toute mon âme. Si tu bois mon sang, je te guiderai jusqu'au bout. Je ne te laisserai pas sombrer dans un cauchemar.

Dans quoi est-ce que je m'embarquais ? Je n'en avais pas la moindre idée. Pourtant, à l'instant où j'avais prononcé ces paroles, je savais que j'avais pris la bonne décision.

Quand elle prit une brève inspiration, je compris qu'elle était sur le point de mourir.

— Alors, je vais boire, conclut-elle.

Ainsi, je pressai mon poignet contre sa bouche.

— Suce aussi fort que possible. Quelques gouttes suffisent à te transformer, mais tu auras besoin de beaucoup plus pour te remettre d'aplomb. La transition n'en sera que plus facile.

Lorsqu'elle se mit à lécher les gouttes de sang qui s'échappaient de mes veines, je fermai les yeux pour lutter contre les émotions contradictoires qui s'éveillaient en moi. Ma conscience me criait d'arrêter, de la laisser se reposer auprès de ses ancêtres. Pourtant, mon intuition, elle, me disait de la laisser boire, de la transformer et de faire en sorte qu'elle survive.

Étonnamment forte, Erin parvint à boire l'équivalent d'un demi-verre de mon sang avant de commencer à convulser dans mes bras. Puis, soudain, elle cessa complètement de bouger.

— Elle est morte ? Je croyais que tu allais la transformer ! cria Camille dont la voix résonna dans la pièce.

Je la dévisageai. Même si j'adorais ma sœur, j'avais une furieuse envie de la frapper. Cependant je me retins en me rappelant qu'elle était bouleversée et ignorante du déroulement de la transformation.

— Oh, crois-moi, ce n'est pas terminé, lançai-je. Elle va changer d'un instant à l'autre. Ce n'est qu'une question de temps.

— Qu'est-ce qu'on fait en attendant ?

Je jetai un coup d'œil à Chase qui caressait Delilah. Lorsqu'elle se mit à étinceler, je toussai.

— Tu ferais mieux de la poser, Johnson. Elle revient à elle.

Après m'être relevée, j'époussetai mon pantalon et me tournai vers mon autre sœur.

— C'est simple. On attend. Alors calme-toi et assieds-toi. Oh, au fait, nous avons besoin de nourriture pour elle. Elle sera morte de faim à son réveil. Si aucun de vous ne veut se porter volontaire, il faut trouver quelqu'un d'autre.

— Je m'en charge, fit Roz, tout sourires. Je sais comment faire.

Il disparut sans me laisser le temps de répondre, nous laissant ainsi seuls dans le silence de la nuit.

Chapitre 18

Comme je n'avais jamais transformé quelqu'un auparavant, je ne connaissais pas tous les rouages de l'opération. Toutefois, j'étais certaine que ça ne pouvait pas être pire que ma propre renaissance.

Ouvrir les yeux et me croire vivante avait été un énorme choc, mais m'étouffer en essayant de respirer avait été encore plus effrayant. À ce moment-là, j'avais compris que j'étais morte. On m'avait simplement refusé l'accès à l'autre monde. Puis, la folie et la soif m'avaient envahie. Au moins, Erin, elle, avait eu le choix. J'espérais seulement qu'elle ne regretterait pas sa décision.

Je jetai un coup d'œil autour de moi. Des rideaux et des coussins recouvraient le sol.

— Ramassez les rideaux et faites un lit avec les coussins pleins de sang que vous placerez au centre de la pièce.

Morio et Chase m'obéirent sur-le-champ tandis que Camille et Delilah fouillaient le bunker à la recherche de quelque chose qui pourrait nous être utile.

— Restez tous hors de portée d'Erin. À son réveil, elle sera désorientée et assoiffée. Le besoin de se nourrir sera si fort qu'elle attaquera n'importe qui.

La sonnerie de mon téléphone retentit dans le silence du repaire. Je l'attrapai d'un geste vif. Qui pouvait bien m'appeler ? J'avais prévenu Chrysandra que je ne serais pas joignable cette nuit et peu de personnes possédaient mon numéro. Je vérifiai l'origine de l'appel. Iris. Oh, merde ! Quoi encore ?

— Iris ? répondis-je. Qu'est-ce qui se passe ? (Un grésillement me répondit. Aussitôt, je me dirigeai vers l'escalier de pierre où la réception était meilleure.) Dépêche-toi, je suis dans une situation délicate. Qu'est-ce qu'il y a ?

Iris prit une grande inspiration.

— Je suis au courant. Roz est ici. Il veut te parler. Oh, et Trillian vient de rentrer d'Outremonde.

Le ton de sa voix m'inquiéta.

— Il va bien ?

— Il est blessé. Il a été touché par un archer de Lethesanar.

Merde ! M'avait-elle appelée pour que j'en parle calmement à Camille ? Trillian était-il mort ? Je me surpris à faire une prière pour l'amoureux de ma sœur.

— Raconte-moi tout.

— Il vivra, mais il a perdu beaucoup de sang. Il va rester alité pendant un bon bout de temps. Donc ne compte pas sur lui pour vous aider ce soir. Il a l'épaule déboîtée. J'ai appelé Sharah pour qu'elle vienne l'examiner. (Iris avait l'air pressé.) Elle sera là dans un instant. En attendant, je te passe Roz.

— OK, répondis-je.

Je décidai d'attendre un peu avant de parler de Trillian à Camille. Si elle s'inquiétait pour lui, elle ne serait pas entièrement concentrée sur notre mission. Et puis, Iris m'avait promis qu'il vivrait, alors il n'y avait pas urgence.

Roz prit le téléphone.

—J'ai trouvé un volontaire. Je n'ai pas ton radar pour trouver des pervers, du moins pas ceux dont tu as l'habitude. Et je ne voulais pas choisir un innocent puisque Erin sera assoiffée.

—Alors qui as-tu trouvé ? Et comment es-tu arrivé à la maison aussi vite ? Tu ne conduis pas, pas vrai ?

—Ça n'a aucune importance. Le problème, pour l'instant, c'est que tu ne vas pas aimer l'identité du donneur.

—Pourquoi ? (Quelque chose me disait qu'il avait raison. Je sentais que ça n'allait pas me plaire.) Qui est-ce ?

Il s'éclaircit la voix.

—Votre ami. Cleo… Tim Winthrop. Je l'ai trouvé facilement et il me semblait être le choix le plus judicieux. Quand je lui ai parlé d'Erin, il a tout de suite accepté.

Merde ! Bien sûr qu'il avait accepté ! Il considérait Erin comme un membre de sa famille. Je pris une grande inspiration. Les choses allaient de mal en pis. Tim devait penser à sa fille ! Que lui arriverait-il si les choses tournaient mal ?

—Attends, je vais en parler avec les autres.

Je mis le téléphone sur silencieux pendant que je retournais dans le bunker pour expliquer la situation à Camille et Delilah. Chase et Morio écoutèrent, mais ils comprirent que c'était à nous de prendre une décision.

—Alors, qu'est-ce que vous en pensez ? demandai-je. Est-ce que je dis à Roz d'amener Tim avec lui ?

— Combien de temps reste-t-il avant son réveil ? fit Camille, les yeux rivés sur le corps sans vie d'Erin.

Je secouai la tête.

— Je n'en ai pas la moindre idée. Plus très longtemps, je pense.

— À mon avis, nous n'avons pas le choix, intervint Delilah. Erin aura besoin de sang. Il nous faut un donneur. Pas le temps de faire des manières. Après tout, Tim s'est porté volontaire. Nous ferons simplement de notre mieux pour qu'elle ne le vide pas de son sang.

— Delilah a raison, acquiesça Camille. Tim connaît les risques. Dis à Roz de se dépêcher.

À leur expression, je compris qu'elle savait parfaitement ce que nous faisions. Nous avions pris la responsabilité de transformer Erin, alors, maintenant, nous devions en accepter les conséquences. Tuer ma propre « fille » était la dernière chose dont j'avais envie.

Une fois de retour sur les marches, je repris la conversation.

— Reviens ici avec Tim. Et dépêche-toi, il ne nous reste plus beaucoup de temps.

— On arrive tout de suite, répondit-il avant de raccrocher.

Je n'eus pas le temps de lui demander comment il comptait revenir aussi vite. Après avoir vérifié que personne ne traînait dans les parages, je retournai auprès d'Erin.

— Ils arrivent. Espérons que Roz sache voler, dis-je en m'agenouillant à côté de ma protégée.

Elle était froide, plus froide que la mort. Je pris sa main dans la mienne et fermai les yeux, me souvenant de ma propre expérience.

— C'est comment ? demanda Camille. Qu'est-ce qu'elle ressent en ce moment ?

— Quand tu te rends compte que tu es toujours rattachée à ton corps, tu y retournes. Tu as vu mes souvenirs. Le tunnel de glace… puis des veines écarlates s'insinuent dans le lien argenté qui relie le corps à l'esprit, comme des artères remplies de feu. Tout avait l'odeur du sang. Mon ventre me faisait mal. J'étais affamée, assoiffée.

— La soif de sang, fit Delilah.

— Oui… la soif de sang. C'est comme si… tout le reste disparaissait. Comme une blessure ouverte qui démange. Je ne pensais qu'à attaquer quelqu'un pour me nourrir.

Je baissai la tête. Je n'avais pas l'habitude de parler de mon envie de boire avec mes sœurs. Après tout, ce n'était pas un sujet qu'elles pouvaient facilement comprendre. Ou du moins, c'est ce que je pensais.

Pourtant, Camille hocha la tête.

— Je ressens la même chose avec la chasse. Durant la pleine lune, si je ne me laisse pas emporter par la magie, la Mère Lune risque de me rendre folle. Si je ne cours pas dans les bois, je perds la tête. Et quand je chasse… rien ne peut m'arrêter, à part la mort.

— C'est tout à fait ça, répondis-je, surprise par la justesse de ses propos.

— Et moi, je le ressens quand je me transforme à la pleine lune, intervint Delilah. Je ne peux rien y faire. Pire, si on m'en empêchait, je crois que j'en mourrais. C'est encore plus difficile quand mon titre de fiancée de la mort s'en mêle. Le seigneur de l'automne contrôle ma forme de panthère et il ne me prévient jamais de son apparition.

Je contemplai le corps d'Erin. En fin de compte, à leur manière, elles comprenaient parfaitement. Je n'avais jamais pensé à comparer la nature de mes sœurs et la mienne, mais elles avaient raison. Nous nous battions toutes les trois pour garder le contrôle sur notre véritable forme.

— Peut-être que j'aurais dû vous en parler avant, murmurai-je. Je n'ai jamais pensé que vous aviez vos propres démons intérieurs et que vous répondiez aussi à des forces supérieures. Enfin, je le savais, mais je n'y ai jamais vraiment réfléchi.

Je relevai la tête. Même si Chase et Morio faisaient les innocents, c'était évident qu'ils nous écoutaient.

— Et toi, Chase ? Est-ce qu'il y a une chose que tu ne peux pas contrôler ? À laquelle tu réponds sans écouter ta conscience ?

Surpris d'être soudain inclus dans la conversation, il fronça les sourcils.

— Je n'en suis pas sûr. Les humains aiment croire qu'ils contrôlent leur petit monde alors qu'en réalité, on se laisse porter par les événements. Sans être comparable à vos conditions, il existe des gens qui sont attirés par des forces qui dépassent l'entendement : les extrémistes religieux, les psychopathes...

Curieuse, Delilah le dévisagea.

— Tu crois en un dieu ? demanda-t-elle.

Chase haussa les épaules.

— Je ne dis pas qu'il n'existe pas de forces supérieures, mais est-ce que je les prie ? La réponse est non. J'ai appris à mes dépens que je ne peux compter que sur moi-même. Mon père était un junkie qui a disparu quand j'étais gosse et ma mère, elle, était cinglée. Comme elle ne pouvait pas garder un seul job, nous vivions des aides familiales.

Lorsque son regard croisa celui de Delilah, je compris qu'ils en avaient déjà parlé.

— Qui s'est occupé de toi ? demandai-je.

— Moi-même. Ado, je distribuais les journaux le matin, travaillais à McDonald's après l'école et le soir, je faisais des livraisons pour un restaurant chinois. Avec ça, j'arrivais à payer le loyer et à me nourrir.

— Et ta mère ne faisait rien pour t'aider ? demanda Delilah.

Le ton de sa voix trahissait sa colère. Pas étonnant qu'il évite de parler avec elle. Delilah m'avait dit que sa mère lui reprochait de ne pas l'appeler assez souvent. Je comprenais pourquoi, à présent.

— Elle était trop occupée à chercher l'homme idéal pour se soucier de moi. Et comme je les insultais, ses petits amis ne se gênaient pas pour me flanquer une correction. Ils lui donnaient de l'argent pour qu'elle mange. Seulement pour elle. Avec les aides sociales, elle s'achetait des vêtements et de l'alcool. Alors je passais mes journées à travailler. C'était soit ça, soit rejoindre un gang. Et ce n'est pas mon genre.

— Des aides sociales ? demandai-je.

— Elle percevait des aides en tant que mère célibataire, expliqua Chase.

— Oh. Ton père n'est jamais revenu ? s'enquit Camille en fronçant les sourcils.

Il secoua la tête.

— Non, je ne l'ai plus jamais revu. Ma mère a fini par se remarier quand j'étais à l'école de police, répondit-il en haussant les épaules. Depuis, de l'eau a coulé sous les ponts.

Soudain, un bruit interrompit notre conversation. Erin avait bougé. Il ne nous restait que quelques minutes.

— Merde, merde, merde ! Où sont Roz et Tim ?

— Ici ! répondit quelqu'un dans le couloir.

Aussitôt, les deux hommes entrèrent dans la pièce. Tim était si pâle qu'il semblait sortir d'une essoreuse. Ou peut-être que Roz l'avait amené ici sur un tapis volant. Dans tous les cas, ils étaient arrivés et c'était tout ce qui importait.

— Tim, écoute-moi bien. Je n'ai pas le temps de tout t'expliquer. Erin est sur le point de se réveiller et elle va être assoiffée. Si tu es toujours consentant, je t'aiderai jusqu'au bout. Elle devra boire suffisamment pour ne pas sombrer dans le coma. Autrement dit, quand elle aura fini, tu seras dans les vapes. Tu n'es pas anémique ? Tu n'as aucun problème de santé ? Les virus et les infections ne lui feront rien. C'est de toi qu'il faut se préoccuper.

Il secoua la tête, les yeux rivés sur le corps sans vie d'Erin.

— Est-ce que je vais devenir un vampire, moi aussi ?

— Non, pas tant que tu ne boiras pas de son sang. Tim, écoute-moi. Il y a une possibilité que les choses tournent mal. Je suis beaucoup plus forte qu'elle. Je l'empêcherai de te tuer. Ou du moins, je suis sûre à quatre-vingt-dix-neuf pour cent d'en être capable. Je ne peux pas te promettre davantage.

Pas la peine de lui expliquer que son amie pouvait sombrer dans la folie et le côté obscur du vampirisme. Dans ce cas-là, je serais contrainte de la tuer.

Tim retira sa chemise.

— Quelle quantité boira-t-elle ? demanda-t-il.

Sans voix, je contemplai son torse imberbe et ses tablettes de chocolat.

— Wouah, tu prends soin de toi ! m'exclamai-je sans y réfléchir.

Il sourit en baissant la tête.

— Jason m'aime comme ça.

— Il est au courant de ta présence ici ?

— Non, fit-il. Il ne comprendrait pas. Je ne pense pas que je vais le lui dire.

— OK. (D'après ce que je savais de Jason, il ne faisait aucun doute que Tim redeviendrait célibataire si son fiancé apprenait ce qu'il était en train de faire.) Bien. Le mieux, c'est que tu lui offres ton poignet. De cette manière, elle ne pourra pas te briser la nuque dans un excès de passion et ça sera plus facile pour moi de la maîtriser. Ne sois pas surprise si elle ne te reconnaît pas et ne la laisse pas t'effrayer. À son réveil, elle aura peur et soif. Elle ne se souviendra de son identité qu'après.

— Menolly ! cria Camille d'un ton qui attira tout de suite mon attention.

Je me retournai d'un coup. Erin convulsait.

— Tout le monde sort sauf Tim et moi. Attendez-nous dans la pièce principale et n'en sortez pas avant d'en avoir reçu l'autorisation.

Chase et Morio m'obéirent sur-le-champ, mais Delilah et Camille hésitèrent.

— Dépêchez-vous ! Sortez de là ! Je ne pourrai pas me concentrer sur Erin si je m'inquiète pour vous.

Enfin convaincues, elles sortirent de la pièce et refermèrent la porte derrière elles.

Je me tournai vers Tim.

— Reste dans le coin jusqu'à ce que je t'appelle. Si tu as changé d'avis, tu dois me le dire maintenant. Parce que, dans ce cas-là, je vais devoir lui enfoncer un pieu dans le cœur et je préférerais le faire avant qu'elle se réveille.

Tim pâlit à vue d'œil.

— Erin m'a accueilli chez elle lorsque ma femme a découvert que j'étais gay et m'a mis à la porte. Elle m'a aidé à être honnête avec Patty et moi-même. Elle m'a aussi aidé à renouer des liens avec ma fille. C'était très dur. J'ai dû accepter le fait que mes décisions pouvaient faire souffrir mon entourage, mais elle a toujours été là pour me soutenir. Je lui suis redevable, Menolly.

Hochant la tête, je m'approchai d'Erin. De l'écume rouge s'échappait de sa bouche. Une transformation n'était jamais belle à voir. C'était sale, désagréable, à des lieues de l'image qu'en donnaient les films de série B. Ce n'était pas non plus l'expérience sensuelle que l'on voulait nous faire croire. Pour ça, il fallait attendre un peu. En fait, tant que le nouveau-né n'avait pas repris conscience, ça ressemblait beaucoup à une crise de diabète.

— Erin… Erin, est-ce que tu m'entends ?

Je n'essayai pas de maintenir sa tête. Elle m'attaquerait et, de toute façon, elle ne risquait plus de se faire mal.

Dès qu'elle ouvrit les yeux, Erin se redressa. Une expression familière traversa son visage. Les nouveau-nés ne paniquaient pas tous lorsqu'ils se rendaient compte qu'ils ne respiraient plus mais, visiblement, Erin partageait plus que mon sang. Les yeux écarquillés, elle se mit à écorcher son cou avec ses ongles.

— Arrête ! Erin, Arrête ! Tout va bien se passer ! N'essaie pas de respirer. Tu n'en as pas besoin. Calme-toi.

Tremblante, elle m'obéit et s'humecta les lèvres. Quand elle releva la tête vers moi, elle tressaillit. J'avais eu la même réaction en voyant Dredge. Les vampires étaient capables de reconnaître leur sire car le lien qui les unissait était plus fort que n'importe quel autre serment.

Face à la soif que je lisais dans ses yeux et à son air désorienté tandis qu'elle rampait sur le sol près de moi, je ne pus m'empêcher de me haïr. Je me détestais pour ce que je lui avais fait.

— C'est bon ? demanda Tim.

Son ton confiant me rassura. Il n'y avait aucun dégoût dans ses yeux. Il avait seulement l'air soulagé à la vue d'Erin. Il s'aperçut de ma surprise.

— C'est mon amie. Elle serait morte sans ton aide. Laisse-moi l'aider, d'accord ?

Comme je ne savais pas quoi répondre, je hochai la tête.

— Approche doucement.

Je m'accroupis derrière elle pour lui maintenir les bras d'une main. De l'autre, je lui caressai les cheveux. Tant qu'elle ne se serait pas nourrie, elle serait faible. Elle ne se débattit pas. Au contraire, elle tourna la tête vers moi, comme pour me demander ce qui allait se passer. Pour le moment, elle réagissait mieux que la majorité des nouveau-nés. Elle me reconnaissait malgré sa soif et pas seulement parce que j'étais son sire.

Tim lui tendit son poignet.

— Erin, tu sais qui je suis ? Tim. Je vais t'aider. Tu vas boire mon sang. Tout ira bien…

Sa voix était apaisante, à des lieues de celle qu'il utilisait pour les spectacles de Cleo Blanco. C'est ainsi que je l'imaginais raconter des histoires à sa fille, le soir.

Erin semblait y être réceptive, elle aussi. La tête penchée sur le côté, elle le dévisageait. Sans couper le contact visuel, elle se pencha vers le poignet offert, toutes canines dehors.

Pour la rassurer, je la guidai tout en l'éloignant de l'artère. Elle n'avait pas besoin de boire directement à la source. Lorsque la pointe de ses dents transperça la chair, Tim eut un hoquet de surprise.

— Tu as mal ? m'enquis-je pendant qu'Erin se mettait à boire, léchant la plaie pour stimuler l'écoulement.

— Non, fit Tim en tremblant. Non, ça ne fait pas mal. J'ai l'impression d'être au paradis. Oh, mon Dieu, je ne m'attendais pas du tout à ça…

En le voyant haletant, en train de prendre son pied, je me sentis soudain fière de ma fille. Elle était beaucoup plus avancée que moi. Après tout, Dredge m'avait renvoyée chez moi assoiffée, avec à peine assez de sang pour avancer. J'avais fait un massacre.

Quand je sentis l'énergie d'Erin se stabiliser, je l'écartai doucement de Tim qui s'était laissé tomber à terre, inconscient du danger auquel il s'exposait. Erin essaya d'abord de se débattre, mais quand son regard croisa le mien, elle lâcha son poignet.

— Tim… Tim !

Interloqué, il releva la tête vers moi.

— Hein ?

— Écarte-toi ! Éloigne-toi d'elle doucement en rampant. Tout de suite ! Elle a assez bu pour l'instant. (J'attendis qu'il m'obéisse pour tourner Erin de façon qu'elle soit face à moi.) Erin, est-ce que tu me reconnais ?

Elle me dévisagea un instant avant de hocher la tête.

— Menolly. Que s'est-il passé ? Où suis-je ?

— Tu te souviens de ton enlèvement ? demandai-je lentement.

Si elle ne se souvenait pas de tous les détails, je ne voulais pas lui apprendre la vérité trop brutalement, mais, encore une fois, elle me surprit.

— Oui, répondit-elle, les yeux rivés au sol. Les vampires m'ont capturée. Ils ont failli me tuer.

— Ils t'ont tuée, fis-je, mais nous t'avons trouvée avant que tu meures. Tu comprends ce que je veux dire ?

Tandis que le sang courait dans ses veines, lui donnait des forces, elle jeta un coup d'œil à Tim.

— Je suis comme toi maintenant, murmura-t-elle en reportant son attention sur moi. Je suis un vampire et j'ai bu le sang de mon meilleur ami. C'était bon. J'en veux encore. Qu'est-ce qui va m'arriver ?

À ces mots, je la serrai dans mes bras. Elle me rendit mon étreinte, trentenaire pour l'éternité, avec des cheveux courts et un peu de ventre.

— Tout va bien se passer. Tu ne suivras pas la voie de la terreur et de la destruction. Tu ne deviendras pas un monstre. Bien sûr, nous sommes des prédateurs, nous nous nourrissons de sang. Mais toi seule peux décider de tes victimes et de faire ressentir du plaisir ou de la douleur. Je serai là pour t'aider. Mes amis des Vampires Anonymes aussi.

Au bout d'un moment, je la repoussai légèrement pour la regarder dans les yeux, l'air sérieux.

— En revanche, Erin, tu dois savoir une chose : je suis ton sire. En résumé, si tu décides de massacrer des innocents, je te pourchasserai et je te tuerai. Je serai toujours capable de te retrouver. Compris ?

Erin frissonna.

— Oui, j'ai fait mon choix. Je ne te tiendrai jamais responsable, Menolly.

Je me mordis la langue. Si je n'avais pas été là, rien de tout cela ne se serait produit. Dredge n'aurait pas semé le chaos ni menacé mes amis. Toutefois, je n'avais pas de temps à perdre en spéculations. Nous devions nous concentrer sur le moment présent.

Ces douze dernières années m'avaient au moins appris une chose : ne pas s'encombrer de regrets. Même s'ils étaient toujours là, on ne pouvait rien y faire. La seule chose que l'on pouvait changer, c'était le présent et, par conséquent, le futur. Maintenant que j'étais débarrassée du lien qui me retenait à Dredge, je pouvais le détruire et sauver la Terre d'un fléau qui aurait dû l'être depuis des siècles.

Je me tournai vers Tim.

— Tu peux aller chercher Delilah ?

Il hocha la tête avant de se diriger vers la porte. Au même moment, Erin se mit à paniquer.

— Je ne peux pas respirer !

— Non, rappelle-toi ! Tu ne peux plus respirer de la même manière. N'essaie pas et ne t'inquiète pas pour ça. Tu n'en mourras pas. Tu ne vas pas t'asphyxier non plus. Pour tout te dire, respirer demande de la concentration. Ce n'est plus un réflexe. Ton cerveau essaie de reprendre les habitudes de ton ancien corps, mais, en tant que vampire, tu n'as plus besoin d'oxygène. Ton métabolisme ne saura pas quoi en faire.

— Comment vais-je faire pour apprendre tout ça ? demanda-t-elle, visiblement terrifiée.

Je l'attrapai par les épaules.

— Écoute-moi. Écoute-moi bien. D'abord, arrête de lutter. Expire. N'inspire pas. Laisse sortir l'inspiration que tu as essayé de prendre.

L'air s'échappa en sifflant de ses poumons sans vie et je la sentis se dégonfler contre moi.

— Très bien. Maintenant, je veux que tu fermes les yeux. Regarde à l'intérieur de toi. Concentre-toi bien. Ça va ? Est-ce que tu as l'impression que tu vas t'évanouir si tu ne respires pas ?

Elle m'obéit. Puis, après un moment de silence, elle reprit la parole.

— Non, si je n'essaie pas de respirer, je ne me rends pas compte que mes poumons ne fonctionnent pas.

— Tu as tout à fait raison. La panique t'envahit uniquement lorsque ton cerveau te demande de faire quelque chose à laquelle ton corps n'est pas préparé. Tu es tout à fait capable de prendre une grande inspiration, mais tu dois d'abord préparer tes poumons au mouvement. Ça fait partie de la transformation.

Pendant qu'elle tentait de se calmer, je lui tenais les mains. Alors, Delilah entra dans la pièce avec Tim.

— Tout va bien ? demanda-t-elle en s'agenouillant prudemment à quelques pas.

Erin se tourna vers elle.

— Delilah ! Je ne suis pas sûre… de savoir quoi faire. Je ne peux plus m'occuper de ma boutique, pas vrai ? Et je ne peux pas rentrer chez moi comme ça ! Menolly, qu'est-ce qui va m'arriver ?

— Tu apprendras tout ce qu'il faudra, la rassurai-je avec un sourire. Delilah, va chez Sassy Branson avec Roz et demande-lui de venir nous retrouver. Si elle n'est pas là, appelle Wade. Non, en fait, appelle-le en premier. Il s'est spécialisé dans l'adaptation des nouveau-nés. (Je lui lançai mon téléphone portable.) Tu trouveras son numéro dans mon répertoire.

— Pas de réseau. Il faut que je sorte.

— N'y va pas toute seule. Prends Roz avec toi. Reviens me voir avant d'aller chez Sassy. Et dépêche-toi, nous n'avons pas de temps à perdre.

Tim s'éclaircit la voix.

— Erin, je peux demander à quelqu'un de s'occuper de ta boutique pendant quelques jours. Certaines protégées de Lindsey, tu sais, la fondatrice du refuge *La Déesse verte*, ont besoin d'un emploi temporaire.

Quand il se mordit la lèvre, je secouai la tête pour l'arrêter : des gouttes de sang commençaient à se former. Les essuyant du revers de la main, il m'adressa un sourire d'excuse.

Même si elle n'en avait pas l'air, Erin se battait toujours pour ne pas perdre le contrôle. La majorité des vampires deviennent fous après leur transformation. Puis, ils comprennent la situation et se rendent compte que plus rien ne sera jamais comme avant.

— Merci, répondit-elle, mais ne lui dis pas ce qui s'est passé. Pas encore. Je dois d'abord trouver mes marques. Dis-lui que je suis malade.

— Aucun problème, fit Tim.

— Tu devrais retourner dans l'autre pièce, les interrompis-je. Elle a besoin de se reposer, sans être distraite par le son de ton cœur qui bat si fort que je l'entends d'ici.

Il hocha la tête.

— D'accord. Erin, je t'aime toujours, OK ? Sinon, je ne me serais jamais proposé pour te donner mon sang.

— Merci, murmura-t-elle pendant qu'il quittait la pièce.

Après un moment de silence, Delilah refit son apparition.

— Wade sera là dans quelques minutes. Pas la peine d'aller chez Sassy, il y était quand j'ai appelé. Elle prépare une chambre pour Erin.

Quelques minutes après, Wade entra.

— Delilah m'a tout expliqué, dit-il. Vous avez tué les nouveau-nés.

— La majorité. Je pense que certains se sont échappés. Alors nous devons rester sur nos gardes. Nous les chercherons après avoir détruit Dredge. Pour l'instant, est-ce que tu peux emmener Erin chez Sassy ? Et faire en sorte que Tim rentre chez lui sans problème ? Comme il est mon ami, il est encore en danger et, pour être franche, Erin lui a pris un peu trop de sang. Il ne s'en rend pas compte, mais il est très faible.

Wade secoua la tête.

— Je crois que ça serait plus sûr si Tim allait chez vous. Iris est parfaitement capable de le protéger, pas vrai ?

— Tu as sûrement raison. Delilah, demande à Roz de ramener Tim chez nous et de revenir le plus vite possible. Je ne sais pas comment il fait pour se déplacer aussi rapidement, mais pour l'instant, ça joue en notre faveur.

Tandis qu'elle se dirigeait vers la porte, je reportai mon attention sur Erin.

— Écoute-moi bien. Wade est un très bon ami à moi. Il a créé une association à laquelle j'appartiens. Tu m'en as déjà entendu parler : les Vampires Anonymes.

— Oui, répondit-elle en hochant vivement la tête, je vois très bien de quoi tu parles. Salut, Wade !

— Salut, Erin, fit-il doucement. Bienvenue dans l'autre monde !

— Wade va t'accompagner chez Sassy Branson. C'est un vampire qui fait aussi partie des V.A. Ensemble, ils t'aideront à t'adapter à ta nouvelle vie. Pour ma part, j'ai un combat à mener ce soir. Si j'en sors victorieuse, et j'y compte bien, je viendrai te retrouver. Sûrement demain soir, au coucher du soleil. En attendant, je veux que tu suives Wade et que tu lui obéisses. Tu peux lui faire confiance.

Comme je l'avais espéré, son désir de me faire plaisir l'emporta et elle tendit une main à Wade qui l'aida à se relever.

Dredge avait utilisé la même astuce pour m'envoyer tuer ma famille. Heureusement, ma haine pour lui et mes souvenirs des tortures qu'il m'avait infligées étaient remontés à la surface. Ainsi, j'avais réussi à m'enfermer dans ma chambre avant d'attaquer Camille. Puis, l'OIA était intervenue. Au moins, Erin, elle, ne garderait pas de mauvais souvenirs de moi. En fait, sa transformation se passait beaucoup mieux que je l'aurais pensé.

Lorsque Wade la guida à l'extérieur, je les suivis pour les regarder s'éloigner dans la nuit. Erin ne verrait plus aucune journée ensoleillée, ne sentirait plus jamais la chaleur d'un après-midi d'été. Cependant, elle avait fait son choix… qui n'en avait pas vraiment été un. Mourir ou vivre pour l'éternité. Aucun vampire de ma connaissance n'avait plus de cinq cents ans. Qu'était-il arrivé aux plus vieux ? Qui le savait ?

Peut-être qu'il n'y en avait pas. Peut-être que le vampirisme n'était pas aussi ancien. Peut-être… qu'après une éternité, emprisonné dans un même corps, ils finissaient par se donner la mort. Je n'avais pas l'intention de vivre aussi longtemps pour m'en rendre compte par moi-même. Jusqu'à ce que mes sœurs retournent auprès de nos ancêtres ? Bien sûr. Un millier d'années ? Sûrement. Après tout, la plupart des Fae atteignaient cet âge. Mais l'éternité ? Pas question.

Une fois Wade et Erin partis, je me tournai vers les autres.

— Tout devrait bien se passer. Je pense qu'elle s'en sortira. J'aurais simplement aimé ne pas avoir à lui faire subir ça.

Chase s'éclaircit la voix.

— Oui, répondit-il. Quant à moi, je vais devoir trouver une excuse pour la disparition de la propriétaire de *La Courtisane Écarlate* avant que les journaux à scandale me tombent dessus.

— On va t'aider, dis-je. Erin peut appeler quelques amis pour leur dire qu'elle prend des vacances. Ou quelque chose comme ça.

— Bon, pas la peine de s'attarder ici, fit Camille. Qu'est-ce qu'on fait, maintenant ?

Je leur fis signe de me suivre à l'extérieur.

— Qu'est-ce qu'on fait ? Dès que Roz revient, on part à la recherche de Dredge et on lui règle son compte !

Je vérifiai que mes pieux étaient toujours à leur place. D'une manière ou d'une autre, je comptais en finir avec lui. Et ça serait moi qui porterais le coup mortel.

Chapitre 19

La nuit, Seattle était magnifique à cause du contraste qu'offraient les ruelles sombres avec les lumières étincelantes des gratte-ciel et du Space Needle. Petit à petit, j'avais appris à aimer l'image et les bruits de la ville endormie. Bien sûr, les vagabonds, les étudiants, les prostituées et les rabatteurs habituels envahissaient les trottoirs. Et des gangs et des bandits faisaient ronfler le moteur de leur voiture. Cependant, Seattle savait se défendre toute seule.

Quand nous entrâmes dans le parking près de l'hôtel, l'eau du port brillait sous les lumières de la jetée. Silencieux comme la nuit, nous nous rassemblâmes tous les six entre deux bâtiments. À l'ouest, je pouvais apercevoir la route qui menait au centre-ville. À l'est, une rangée d'entrepôts et de bâtiments nous attendait.

— Là-bas, dis-je en désignant *Le Halcyon*. Le rassemblement des créatures surnaturelles de la ville. J'espère que ce fumier de Dredge est encore là.

Nous traversâmes le parking qui n'était en fait que du béton recouvert de gravier avec des lignes de démarcation pour indiquer les places et des lampes par-ci par-là. Mis à part la nôtre, il n'y avait que très peu de voitures. L'une d'elles, une Hummer, possédait une plaque d'immatriculation personnalisée où était marqué : « SEXYSUCC ».

Je la montrai aux autres.

— Je vous parie tout ce que vous voulez qu'elle appartient à un succube.

Camille éclata de rire.

— Des fois, je me dis que j'en aurais fait un bon.

— Oui, mais ton premier amour reste la magie, la coupa Morio.

Je jetai un coup d'œil à Delilah. Morio connaissait mieux Camille que je le pensais.

— Bon, écoutez. Nous savons tous que Dredge est très dangereux, mais souvenez-vous que c'est un sadique. Il aime faire mal par-dessus tout. S'il vous attrape, il essaiera de vous briser. Il ne peut pas se contenter de vous tuer.

— Tu penses vraiment qu'on a une chance de le vaincre ? demanda Camille, soudain sérieuse. Et qu'est-ce qu'on fait du reste du clan d'Elwing ?

— Ils représentent un problème, mais étrangement, nous avons uniquement entendu parler de Dredge. Pas de ses shérifs. Quoi qu'il en soit, si on ne le tue pas ce soir, on passera notre vie à regarder par-dessus notre épaule et tous nos amis et notre famille seront en danger.

Dans le pire des cas, je serais capable de m'enfuir. Roz aussi. Les autres, en revanche... Chase, surtout, mais aussi mes sœurs et Morio n'étaient pas immortels.

Tandis que nous approchions du bâtiment, je fis signe à tout le monde de s'éloigner du champ de vision des fenêtres au-dessus du parking.

—Il faut que je calcule l'étage auquel il se trouve. Je doute que l'accueil de l'hôtel nous donne le renseignement. Même sans ses pouvoirs vampiriques, Dredge sait se montrer charmant. Je vous parie qu'ils ne sauront pas de qui on parle ni pourquoi. Il leur a probablement demandé de ne pas parler de lui.

J'observai les fenêtres avant de me tourner vers le port. Là-bas. Une statue portant un lourd fardeau vers la mer. *Les Mains du port.* C'était la statue que j'avais vue à travers les yeux de Dredge. Et juste derrière se trouvait *Le Sushirama.* Ce qui signifiait... Je reportai de nouveau mon attention sur l'hôtel.

—Quatrième fenêtre sur la gauche. J'en suis certaine. Mais quel étage ?

Lentement, je m'élevai dans les airs. Pas le premier. Le deuxième, non plus. Peut-être le troisième. Au quatrième, je claquai des doigts et redescendis aussitôt.

—Quatrième étage, quatrième fenêtre sur la gauche. Allons-y ! dis-je en les entraînant à l'intérieur.

Le Halcyon était un hôtel avec une boîte de nuit au rez-de-chaussée. Comme la majorité des nombreux clubs ouverts récemment, la clientèle de créatures surnaturelles était essentiellement d'origine terrienne. Cependant, du moment qu'ils ne causaient pas de problème, les Outremondiens étaient les bienvenus. Depuis l'entrée, nous percevions la musique et le brouhaha. Les Doors hurlaient dans les enceintes.

—On dirait que l'héroïne coule à flots, remarqua Camille.

—Tant que ce n'est pas du Z-fen..., dis-je en regardant autour de moi.

Elle avait raison. La décoration semblait sortir tout droit d'un délire psychédélique, avec ses lampes à lave et ses posters phosphorescents. Je clignai des yeux. Exo Reed avait des fantasmes assez particuliers…

— Tu crois qu'Exo est là ? demanda Delilah.

— Je ne sais pas, répondis-je, mais n'oublie pas qu'il vit ici avec sa famille.

— Ce n'est pas le meilleur endroit pour élever des enfants, remarqua Chase. Si ce n'était pas un loup-garou, j'hésiterais à appeler les services sociaux.

Je le fis taire.

— Ce n'est pas ce que je voulais dire. Comme il y a sûrement des enfants dans le coin, il ne faut pas mettre qui que ce soit en danger et surtout pas Exo. Si Dredge l'a charmé, il risquerait de nous dénoncer sans s'en rendre compte. Compris ?

— Bon, on prend l'ascenseur ou l'escalier ? demanda Delilah en désignant les marches de l'autre côté du hall.

Même si l'ascenseur était plus rapide, la chambre de Dredge ne se trouvait qu'au quatrième étage.

— L'escalier. Au moins, on ne risque pas de se retrouver nez à nez avec Dredge ou l'un de ses sbires à l'ouverture des portes.

Pendant que nous montions les marches à la hâte, mes pensées se bousculaient. Comment allions-nous nous y prendre ? En plus d'être très fort, Dredge était lié à Loki. Mon cœur me murmurait que nous pouvions gagner. Toutefois, ma raison, elle, me mettait en garde de ne pas crier victoire trop vite si je ne voulais pas aller au désastre.

Comme si elle avait lu dans mes pensées, Delilah prit la parole:

—Qu'est-ce qu'on fait? Je suppose que Roz et toi passez en premier?

Je hochai la tête.

—Oui, nous nous défendrons plus facilement face à lui.

—Et nous avons le plus grand besoin de revanche, ajouta Roz l'air sombre. N'oubliez pas qu'il a tué ma famille. Tout entière.

—Vous allez directement essayer de lui enfoncer un pieu dans le cœur? demanda Camille en s'arrêtant avant le troisième étage. Est-ce que la magie peut l'atteindre?

Je m'adossai au mur.

—Si on fait ça, il n'aura aucun mal à nous vaincre. Non, le combat va être bien plus long et difficile. Il est vulnérable à certaines formes de magie. Tu ne serais pas capable de ressusciter, par hasard? demandai-je en ne plaisantant qu'à moitié. (Après tout, Morio semblait bien connaître la magie de la mort. Je le suspectais de nous cacher certains de ses pouvoirs.) Ça le tuerait sûrement.

—Non, il te faudrait un puissant nécromancien, répondit-il.

Chase, lui, semblait sur la même longueur d'onde que moi.

—Camille et toi vous entraînez beaucoup. Vous n'avez rien en magasin pour un vampire?

Morio regarda Camille avant de hausser les épaules.

—Peut-être. On pourrait le ralentir ou lancer une illusion pour le déstabiliser. Est-ce qu'il a peur de quelque chose?

Je réfléchis un instant à la question.

—Oui, ou du moins, ça le fera hésiter. Est-ce que tu peux lui faire croire que Fenris se tient derrière nous ?

—Fenris ? s'exclama Roz en me dévisageant. Ah... je crois savoir où tu veux en venir.

—Qui est Fenris ? demanda Chase.

Camille fronça les sourcils.

—Un loup géant. C'est le fils de Loki.

—Je peux maintenir l'illusion pendant quelques minutes, répondit Morio en inclinant la tête, mais il se rendra rapidement compte de la supercherie.

—Quelques secondes me suffisent, dis-je. Je veux que le loup soit derrière nous dès notre entrée dans la chambre. Changement de plan. Camille, toi et Delilah vous venez à l'avant avec moi. Roz, tu nous suis avec Morio. Chase, reste en arrière et prépare-toi à récupérer les blessés pour les mettre hors de danger. Roz, qu'est-ce que tu as à nous proposer ?

—J'y vais avec un pieu, mais j'ai un joker dans la manche. (Il en sortit un pétard rond.) C'est un pétard qui dégage de la fumée parfumée à l'ail. Il s'allume au contact d'un mort-vivant. Ce bijou lui ferait mouiller son froc s'il en était encore capable. Dans tous les cas, la douleur le déconcentrera pendant la bataille. Tu ne le supporteras pas non plus, Menolly, alors, si je m'en sers, sors tes jolies petites fesses de la pièce.

Je grimaçai.

—Beurk, éloigne ce truc de moi et, par pitié, préviens-moi avant de t'en servir. (Je fermai les yeux. Il n'y avait pas de raison d'attendre davantage.) OK, allons-y. Soyez prudents, s'il vous plaît. J'ai transformé assez de monde pour ce soir et croyez-moi, vous n'avez pas envie de tomber entre les mains de Dredge.

Une minute plus tard, nous atteignîmes le quatrième étage. Le couloir était vide. Je comptai les portes avant de m'arrêter devant celle où devait se trouver Dredge. Là, l'odeur de vampire était suffocante. Aucun doute possible. Il était sûrement au courant de la mort de ses nouveau-nés mais, avec un peu de chance, il ne saurait pas qui les avait tués. Dans le cas contraire, il nous attendait.

Je me retournai vers les autres.

— Allons-y ! murmurai-je avant d'enfoncer la porte, suivie de Delilah et Camille.

Il y eut un soudain silence. Pendant un instant, je crus que des gens avaient cessé de parler à notre arrivée. Puis, je me rendis compte qu'il n'y avait que Dredge dans la pièce. Aucun autre vampire à l'horizon.

— Menolly, bafouilla Delilah.

Quand je jetai un coup d'œil par-dessus mon épaule, je me rendis compte que mes sœurs avaient été les seules à me suivre.

Avec un sourire triomphant, Dredge s'assit contre le bureau placé près de la fenêtre. Il était comme dans mes souvenirs : beau, dangereux, vêtu entièrement de cuir.

— Tu en as mis du temps, remarqua-t-il. Quoi ? Tu comptais me prendre par surprise ?

— Merde ! Il a élevé une barrière magique, dit Camille en observant la porte. Menolly, les autres ne peuvent pas passer.

Tandis qu'elle reculait, je pouvais sentir son énergie devenir de plus en plus puissante. Puis, tout à coup, elle la libéra en une lumière aveuglante.

J'en profitai alors pour m'élancer vers Dredge qui se protégeait les yeux, mais l'énergie de ma sœur perdit de sa force. J'eus à peine le temps de m'écarter avant qu'il m'attrape par le poignet.

Putain ! Saleté de sang mêlé qui déréglait tout ! Je devais gagner du temps pour que les garçons arrivent à franchir la barrière.

— Quoi ? Tu nous as séparés parce que tu as peur de tous nous affronter en même temps ?

Sifflant, il secoua la tête.

— Au contraire, ma jolie Menolly. J'ai préféré te recevoir en petit comité. Seuls les Fae peuvent franchir cette barrière. Aucun démon, ni humain… Eh oui, je sais que tu traînes avec un incube et un démon renard. Malheureusement pour vous, je n'ai invité que vous trois à ma petite fête. Et vous ne pouvez pas non plus traverser la barrière dans l'autre sens. Nous voilà en tête à tête… Toi, moi… et tes sœurs, dit-il en se frottant les mains. Je sens que je vais apprécier cette soirée.

Je jetai un coup d'œil autour de moi.

— Où sont tes sbires, Dredge ?

— Dehors. Je leur ai donné diverses missions à accomplir. Crois-moi, je n'aurai pas besoin d'eux pour nettoyer, après le sort que je vous réserve.

Merde, ça signifiait qu'ils étaient dans la nature.

— Alors qu'est-ce que tu attends, Dredge ? Je sais tout de toi à présent. Je connais le nom de ton maître.

Les bras croisés, Dredge agita un doigt vers moi.

— Menolly, Menolly, Menolly, honte sur toi, ma fille. À cause de tes mauvaises fréquentations, je vais devoir te réduire en petits morceaux. Après, je m'occuperai de tes sœurs. Je les violerai jusqu'à ce qu'elles me supplient de les tuer. Puis, je les transformerai avant de les lâcher dans la ville pour qu'elles terrorisent ses habitants.

— Laisse-les en dehors de tout ça. C'est entre toi et moi.

Le sourire de Dredge disparut pour laisser apparaître son visage sans pitié.

— Ferme-la ! C'est moi qui décide de la manière dont se déroulent les choses !

Le regard empli d'une haine que je ne lui connaissais pas, Camille leva les mains au ciel et se mit à réciter une incantation :

Par la lueur de la lune, par la clarté du soleil,
Par le courroux de la chasseuse, je t'éveille.
Puise dans ma douleur et dans ma colère,
Traverse mon corps de ta pluie d'éclairs.

Comme un coup de tonnerre, une onde bleue vint frapper le bureau derrière Dredge et le réduisit en échardes. Un morceau de bois s'enfonça dans son bras. Manqué. Les flammes bleues se dirigèrent également vers le cadre de lit en fer où les draps s'embrasèrent.

Dredge plissa dangereusement les yeux.

— Tu viens de t'offrir un aller simple pour l'enfer, ma petite, dit-il avant de s'approcher de Camille.

— Non ! s'écria Delilah en sortant sa dague.

Quand la lame en argent s'enfonça dans son bras, Dredge recula, ce qui laissa le temps à Camille de s'enfuir de l'autre côté de la pièce. La couette brûlait rapidement et de la fumée commençait à envahir la pièce. J'entendis Camille murmurer une incantation. Aussitôt, la pluie se mit à tomber pour éteindre les flammes et nous trempa.

Profitant du chaos, je m'élançai vers Dredge, pieu à la main. Sentant ma présence, il se retourna et, ensemble, nous tombâmes par terre. Au-dessus de moi, il essaya d'atteindre ma gorge avec ses ongles, mais je réussis à le maintenir à distance en plaçant mes mains sur ses épaules.

— Pourquoi ? Pourquoi est-ce que tu m'as trahi ? Salope ingrate ! Sale chienne ! Comment oses-tu me défier ? Comment as-tu osé briser notre lien ?

Se redressant, il m'assena un coup de poing dans le ventre. Si j'avais été encore vivante, j'en serais morte. Dans l'état actuel des choses, ça me déstabilisa.

— Laisse-la tranquille ! cria Delilah.

J'entendis Dredge gémir avant de s'écarter. Ma sœur l'avait touché à l'épaule droite. Ce n'était pas suffisant pour le tuer, mais l'argent devait lui faire souffrir le martyre.

Profitant de ce moment de répit, je me relevai. Dredge était sur le point de se tourner vers moi lorsque Camille jeta un nouveau sort. Malheureusement, il attrapa Delilah pour la placer entre l'éclair d'énergie et lui.

Camille dévia aussitôt l'attaque qui rebondit contre l'épaule de Delilah avant de terminer sa course à travers la fenêtre, dans la nuit.

Gémissant de douleur, ma sœur se tourna vers Dredge.

— Buveur de sang de mes deux ! cria-t-elle.

Je crus d'abord qu'elle allait se transformer en chat, ce qui n'aurait pas été à notre avantage. Puis, je sentis l'odeur des feux de joie. Oh oh. Visiblement, quelqu'un ne voulait pas que sa fiancée meure... Lorsqu'elle laissa échapper un grognement, pour la première fois, Dredge parut nerveux. Cet instant de distraction fut tout ce dont j'avais besoin : je m'élançai de nouveau vers lui avec mon pieu.

Il réussit à contrer mon attaque, mais il ne se rendit pas compte de la présence de Camille derrière lui. Elle tenait quelque chose à la main. C'était plus petit qu'un pieu. Elle sauta alors sur son dos, entourant sa taille de ses jambes et serra son cou à deux mains. Avant qu'il ait eu le temps de la faire tomber, elle porta une main à sa bouche et la maintint fermement, même lorsque Dredge lui lacéra les cuisses avec ses ongles.

Il y eut un bruit étouffé. Puis, elle le lâcha et tomba à terre, les jambes en sang.

Je reniflai l'air. Oh merde ! Je savais ce qu'elle avait fait ! Elle avait piqué un pétard à l'ail de Roz et le lui avait enfoncé dans la gorge ! L'instant d'après, Delilah se transforma en panthère noire dans un éclat de lumière tandis que son rugissement résonnait dans la pièce.

— Qu'est-ce que... ? s'étonna Dredge avant de tousser.

Griffant sa propre gorge, il commençait à montrer des signes de douleur.

— Ça fait mal, hein ? Je croyais que tu aimais la souffrance ?

Sans tenir compte de l'odeur d'ail et du sentiment d'étourdissement qu'elle me procurait, je m'approchai de lui. Je n'étais concentrée que sur une seule mission : éliminer l'ennemi. C'était la seule chose qui comptait.

—Alors, tu vas sûrement aimer ça ! m'exclamai-je tout en lui donnant un coup de pied dans le ventre.

Le coup le fit voler jusqu'au mur, les bras écartés. Les finitions en stuc se fissurèrent. Lorsqu'il tomba par terre, la pièce trembla de nouveau. Il essaya de se relever, mais Delilah fut plus rapide. Elle enfonça ses crocs dans sa jambe, si profondément que j'aperçus l'éclat de ses os lorsqu'elle arracha un morceau de chair.

—Recule, Delilah. Il est à moi, dis-je.

Elle m'adressa un regard interrogateur avant de s'exécuter. Quand je m'approchai de lui, Dredge tenta de se remettre debout. Aussitôt, je le frappai le plus fort possible avec mon pieu.

—Meurs !

Très calmement, il observa le morceau de bois enfoncé dans sa poitrine. Pourquoi n'avait-il pas explosé ? Où était le problème ? C'est alors que j'aperçus une ombre derrière lui, celle d'un homme entouré de flammes qui tenait un loup monstrueux par une chaîne. L'homme et le loup me regardaient tous les deux d'un air moqueur. Puis, Loki se tourna vers Dredge en riant.

—L'heure est venue de payer pour tes actions, dit-il d'une voix qui résonna dans toute la pièce, en une cacophonie de percussions et de vent hurlant.

—Non, non, pas encore ! Pas encore ! s'écria Dredge en essayant de retirer le pieu.

—Pas question !

Je m'élançai vers lui sans me soucier de la scène qui se jouait sous mes yeux. Après avoir attrapé l'extrémité du pieu, je me battis contre mon sire de toutes mes forces.

— Ce n'est pas encore fini, fit-il lorsque son regard moqueur croisa le mien. Je n'en ai pas fini avec toi.

— Tu n'as jamais entendu parler du divorce, fils de pute ?

Avec un dernier coup, je tombai contre le pieu et l'enfonçai à deux mains. Le bout transperça lentement le cœur et ressortit dans son dos, touchant le sol sous lui. J'entendis Loki éclater de rire alors que le corps de Dredge, vieux de mille ans, se transformait en cendres dans un cri perçant pour venir joncher le tapis. Je me laissai tomber à terre devant le demi-dieu.

Écartant mes cheveux de mon visage, je relevai la tête pour faire face à Loki qui tenait un globe d'énergie dans la main. L'âme de Dredge. Je fis un pas en arrière. Qu'allait-il se passer à présent ? Contre toute attente, Monsieur L. se contenta de me regarder de haut en bas avant de me faire un clin d'œil. J'entendis Dredge crier une dernière fois pendant que tous trois disparaissaient.

— Camille ? Tu peux te lever ?

Une fois retransformée, Delilah s'était précipitée au côté de notre sœur dont les jambes saignaient toujours.

— Où est-il ? demanda Morio en entrant dans la pièce.

La barrière avait disparu. Il parcourut la salle du regard, aperçut le pieu ensanglanté et en tira ses propres conclusions.

— Tout le monde va bien ? Camille ? Camille ! s'exclama-t-il avant de rejoindre Delilah qui tentait d'arrêter le saignement avec les draps restants.

Roz et Chase entrèrent alors à leur tour. L'incube fit s'écarter Morio et Delilah.

— Laissez-moi faire. J'ai apporté du baume cicatrisant. Ça arrêtera le saignement jusqu'à ce qu'un médecin l'examine.

Quand il appliqua la lotion, Camille grimaça.

— Par tous les saints, ça pique !

— Je me venge pour les points de suture que tu m'as faits, répondit-il en souriant.

— Alors, il est parti ? Il est mort ? demanda Chase en sifflant. Vous n'y êtes pas allées de main morte sur cette pauvre chambre ! Murs fissurés, lit brûlé, tapis déchiré, vitres brisées… Une chose est sûre, je ne vous laisserai jamais habiter chez moi.

Je ricanai.

— Merci, Monsieur Je-me-crois-malin. Si tu veux tout savoir, Camille a invité des éclairs à venir jouer avec nous. C'est ce qui a mis le feu. Elle a aussi fait pleuvoir pour l'éteindre. En revanche, je suis responsable pour le mur.

Chase nous observa les unes après les autres avant d'éclater de rire.

— Un jour comme les autres dans la vie des sœurs D'Artigo ?

Je m'agenouillai près du pieu et du tas de cendres. Soudain, une brise les emporta en tourbillonnant vers la fenêtre. Roz se joignit à moi pour les observer disparaître dans la nuit froide de Seattle.

— Je ne sais pas comment nous avons fait. Franchement, je ne suis pas sûre de savoir comment nous l'avons tué, lui dis-je. Est-ce qu'on est si douées que ça ?

— Apparemment. Mais peut-être qu'on vous a un peu aidées ? demanda Roz.

Il attrapa le pieu et observa sa pointe ensanglantée.

— Qu'est-ce que tu veux dire ?

— Peut-être que Loki était enfin prêt à faire payer ses actes à Dredge. Ou non. Dans tous les cas, je te parie que, dans quelques jours, l'hiver se sera radouci, dit-il en secouant la tête. Je n'arrive pas à croire que ce soit terminé. Je le pourchasse depuis qu'il a tué ma famille. Pendant sept cents ans, je l'ai suivi à travers plaines et montagnes. Et je n'ai même pas pu le regarder dans les yeux pendant qu'il mourait.

Je baissai la tête.

— Je regrette que tu n'aies pas été à nos côtés. Il est mort, mais le reste du clan d'Elwing vit toujours. (Je me tournai vers la fenêtre.) Ils sont quelque part, là, dehors.

— Et il était leur chef. S'il les traitait comme toi, tu deviendras leur sauveur, remarqua-t-il en essuyant le pieu avant de le ranger dans son manteau.

— De toute façon, s'ils glorifiaient Dredge, ils ne tarderont pas à me défier. (Je me relevai et époussetai mes fesses.) Je les attends de pied ferme.

— Et maintenant ? s'enquit Roz.

— On rentre à la maison. Il faut soigner les blessures de Camille et décider de la prochaine étape dans la lutte contre l'Ombre Ailée.

J'étais sur le point de me retourner pour interpeller Morio, lorsque Roz m'attrapa par le bras.

— Je viens avec vous. J'ai quelque chose à vous dire à propos de l'Ombre Ailée, à propos des démons.

Sans attendre de réponse de ma part, il disparut pour rejoindre rapidement le vestibule de l'hôtel. Tandis que nous rassemblions les possessions de Dredge, je demandai à Morio d'aller expliquer la situation à Exo Reed. Nous paierions pour les réparations.

Que savait Roz sur l'Ombre Ailée ? Et Dredge ? Il était mort, mais comment expliquer la mine réjouie du seigneur du chaos ?

Tandis que je soulevais Camille pour la porter jusqu'à la voiture – c'était plus facile comme ça, l'odeur de son sang ne me faisait même pas ciller –, je compris qu'une partie de moi craindrait toujours le retour de mon sire. Certaines blessures ne guérissent jamais. Même si tu as déposé tes bagages, le prix du voyage reste toujours gravé dans ton âme.

CHAPITRE 20

Iris nous attendait dans la cuisine. En nous voyant, elle fondit en larmes.

— Vous êtes vivants ! s'exclama-t-elle avant d'apercevoir les jambes de Camille. Oh, mon Dieu ! Que t'est-il arrivé ? Amenez-la sur le canapé, je vais chercher la boîte à pharmacie.

Tandis qu'elle sortait de la pièce, Tim se tourna vers moi.

— Il est mort ?

Je hochai la tête.

— Oui. Il est retourné à la poussière et à l'obscurité. Il n'est plus qu'un mauvais souvenir...

À ces mots, je me rendis compte qu'il restait quelque chose de Dredge : son âme, tombée aux mains d'une personne encore plus sadique que lui. La police du karma en action ? Peut-être. À moins que l'univers rigole à ses dépens.

Je jetai un coup d'œil à l'horloge. 3 h 30. J'irais rendre visite à Erin la nuit prochaine. Pour le moment, j'étais épuisée. Je n'avais qu'une seule envie : m'enfermer dans mon antre et me couper du reste du monde. Néanmoins, je devais d'abord m'occuper de certaines choses. Je me rendis dans le salon où Iris suturait les plaies de Camille.

— Ça guérira mieux avec du fil, dit-elle.

— Est-ce que vous avez toutes un penchant pour les aiguilles ? demanda Chase, l'air pâle.

— Je suis plus douée que les filles. C'est le résultat de mes années passées au service de la famille Kuusi. Il n'y avait pas de docteurs assez proches pour s'occuper des urgences et, de toute façon, je pouvais guérir les blessures plus efficacement qu'eux. (Elle coupa le fil avec les dents et rangea la bobine.) Avec un peu de baume et un bandage, tu seras rétablie dans une semaine. Bien sûr, tu auras des cicatrices, mais elles seront très légères.

Tout sourires, Camille secoua la tête.

— Elles seront assorties à celles de mon bras, dit-elle en se tournant vers moi. Ironie du sort ?

— Je m'en serais bien passé, répondis-je en me demandant comment lui dire que Trillian était blessé, lui aussi. (Elle n'allait pas être contente de savoir que je le lui avais caché, mais ça n'avait plus d'importance à présent.) Roz est ici ?

— Il vient d'arriver, fit l'intéressé en passant la porte.

Il enleva son manteau et le posa délicatement sur le dossier d'une chaise avant de s'y asseoir. Son pantalon le moulait parfaitement. Son tee-shirt lui allait très bien aussi. Tout à coup, mes pensées prirent un chemin que je n'aurais jamais cru possible de leur part. Peut-être que Roz était le camarade de jeu idéal, finalement. Du moins, pour quelqu'un comme moi. Je retournai cette idée dans ma tête avant de la repousser. Ce n'était pas pour tout de suite.

—Alors, qu'avais-tu à nous dire ? demandai-je.

—J'ai amené quelqu'un avec moi, dit-il en désignant la porte.

Je sursautai. Qui avait-il invité chez nous ? Cependant, dès que la personne revêtue d'une cape entra, je reconnus son énergie. Du sang elfique. Ancien et puissant. Il ne s'agissait pas de Trenyth.

Camille plissa les yeux avant de hoqueter de surprise.

—Votre Majesté ! s'exclama-t-elle en essayant de se lever.

Iris la poussa en arrière.

—Elle pourrait être la reine de cœur que ça me serait égal ! Ne bouge pas. Tu risques de rouvrir tes plaies.

Alors, notre invitée repoussa sa capuche et je me levai d'un bond, imitée par Delilah.

—Votre Majesté ! Pour l'amour du ciel, que faites-vous ici ? (À cet instant, je n'aurais pas été étonnée si le monde avait explosé. Asteria, la reine des elfes, se trouvait dans notre maison ? Que se passait-il ?) Est-ce que tout va bien ? m'enquis-je.

—Père ! Est-il arrivé quelque chose à Père ? demanda Delilah tout en réussissant l'exploit de faire la révérence et d'éclater en sanglots en même temps.

Je l'imitai, les larmes en moins, et fis signe à Morio et Chase de se courber à leur tour.

—Assez de manières, fit la reine. Je ne veux pas rester éloignée d'Elqavene trop longtemps. Cependant, je dois m'entretenir de certaines choses avec vous qui ne pouvaient pas attendre votre retour. Mais d'abord, dites-moi : qu'en est-il de Dredge ?

Nous lui parlâmes du combat ainsi que du fait qu'il

était lié à Loki et à l'Ombre Ailée. Tout au long de notre récit, elle se contenta de hocher la tête.

— Dredge a toujours aimé semer le chaos et la confusion. J'avais espéré que Jareth puisse l'aider, mais son échec n'a rien d'étonnant. En fait, en tenant compte de la présence de Loki, je suis plutôt surprise que Jareth en soit sorti vivant. Aucun de nous n'était au courant. Il nous aura trompés jusqu'à la fin. (Elle s'interrompit avant de se tourner vers Camille.) Ma fille, tu as été touchée. Est-ce que Trillian est au courant ? Je suis désolée de le savoir blessé…

— Quoi ? Trillian est blessé ? s'écria Camille en se levant.

Cette fois, je fus celle qui la repoussa sur le canapé. Iris intervint.

— Il va bien. En revanche, il ne retournera pas de sitôt en Outremonde. Ils ont découvert qu'il était un espion. (Elle mit ses mains sur ses hanches.) Je l'ai installé dans ta chambre. Vous pourrez vous remettre de vos blessures ensemble, en espérant que les dieux aient pitié de vous… et de moi qui vais devoir jouer les infirmières, finit-elle en levant les yeux au ciel.

— C'est pour ça que je suis ici, dit la reine. Je voulais que vous entendiez ce que j'ai à dire de ma propre bouche.

Elle fit signe à Roz qui vint se poster près d'elle.

— Rozurial est mon nouveau messager. Je ne pensais pas que Trillian serait blessé, alors, pour l'instant, Roz prendra sa place. Il s'occupera de vous transmettre les messages que je ne voudrai pas vous faire parvenir à travers le miroir des murmures. Vous envoyer Trenyth est devenu trop dangereux. Sa présence m'est trop précieuse pour que je le mette en péril.

— La guerre est si dangereuse que ça ? demanda Delilah.

La reine Asteria secoua la tête.

— C'est le cas de toutes les guerres... mais ce n'est pas la seule raison. J'ai demandé aux érudits d'étudier des textes anciens. J'ai aussi demandé de l'aide à des prophètes. (Elle soupira.) Écoutez-moi bien. Apparemment, tous les sceaux spirituels, ou presque, ont été dispersés autour de Seattle. Pourquoi cette région en particulier ? Y a-t-il de puissantes forces à l'œuvre qui pourraient intensifier la nature des sceaux ? Il y a aussi de nombreux portails, dont nous ignorions l'existence, qui s'ouvrent en Outremonde, sans personne pour les surveiller. Est-ce que les démons y sont pour quelque chose ? Peuvent-ils les utiliser pour atteindre la Terre et Outremonde ? Tellement de questions et si peu de réponses...

Pendant que j'essayais de digérer ces informations, Roz prit la parole.

— Encore une chose. Le troisième sceau, la troisième partie de l'ancien talisman, est caché ici, à Seattle. Au moment où l'on parle. La seule chose que j'ai découverte, c'est qu'il a un lien avec un Rākṣasa.

Camille se redressa en sifflant.

— Ils sont très dangereux ! fit-elle.

— Qu'est-ce que c'est ? demanda Chase.

— Des démons terriens. Perses, répondit Morio. Très puissants.

— Est-ce que le Rākṣasa travaille pour l'Ombre Ailée ? s'enquit Iris.

Elle adressa un regard noir à Camille qui retomba aussitôt contre les coussins.

— Je ne sais pas, dit Roz en se frottant le nez, mais vous le découvrirez bien assez tôt, quand vous partirez à la recherche de ce sceau. Il y a encore deux ou trois choses…

— Que nous n'avons pas envie d'entendre, pas vrai ?

J'observai la nuit enneigée à travers la fenêtre. Le ciel semblait s'éclaircir. Apparemment, la tempête de neige s'éloignait. Finalement, Loki l'avait peut-être emmenée avec lui.

— Probablement, jeune femme, rétorqua la reine avec un léger sourire aux lèvres. Nous avons réussi à capturer un espion de l'Ombre Ailée. Il n'est déjà plus de ce monde. Toutefois, avant de mourir, il nous a parlé d'un réseau d'espions près de chez vous. Nous croyons que l'Ombre Ailée sait que tous les sceaux spirituels se trouvent ici. C'est pour ça qu'il envoie ses éclaireurs à travers les portails locaux et pas ailleurs.

Merde.

— En d'autres termes, il sait autant de choses que nous.

— Une grande partie, oui. Nous n'avons plus l'avantage du temps, ni des connaissances. Et à côté de l'Ombre Ailée, Dredge était un enfant de chœur.

— Quoi d'autre ? demanda Camille.

Roz ricana.

— Les Cryptos se sont rebellés en Outremonde… Ils se sont retirés de la guerre civile d'Y'Elestrial. Selon les rumeurs, quelque chose se préparerait dans la vallée du

Saule venteux. En rapport avec les licornes de Dahns. Pour l'instant, nous ignorons totalement de quoi il s'agit…

—Nous ne sommes pas tous dans l'ignorance, intervint Asteria en se levant. Préparez-vous à recevoir la visite d'un messager des licornes dans quelques mois. Il faudra bien ça pour que certains événements se résolvent. En attendant, ne posez pas de questions. (Après avoir remis sa cape, elle se tourna vers Roz.) Je dois retourner à Elqavene. Mes gardes m'attendent. Rozurial, accompagne-moi jusqu'au portail.

Sans nous laisser le temps de lui dire au revoir, elle se retourna et quitta la pièce. Aussitôt, Camille demanda à voir Trillian, tandis que Chase, Morio et Delilah se mirent à discuter vivement des sceaux spirituels. Quant à moi, je me dirigeai vers la cuisine et le silence.

Là, Maggie jouait dans son parc. Quand je la pris dans mes bras, elle se frotta à mon épaule. Je n'arrivais pas à assimiler tout ce qui s'était passé. En un clin d'œil, j'avais été détachée de mon sire, tué la personne que je détestais le plus au monde et étais devenue une sorte de mère. Tout ça en moins d'une semaine.

Iris me rejoignit.

—Tu vas bien ?

Je secouai la tête.

—Plus ou moins… Non… Oui… Je ne sais pas. Je ne sais pas quoi faire ou penser. Je suis un peu perdue.

Elle se hissa sur un tabouret et posa les coudes sur la table.

—À propos de Nerissa… et de Jareth. Je lui ai fait l'amour alors que je pensais ne plus jamais pouvoir toucher un homme. Et puis, il y a Erin. Je suis maman,

Iris. J'avais juré de ne jamais transformer qui que ce soit en vampire, mais je l'ai fait. Une amie, en plus.

— Tu ne l'as pas tuée, Menolly. Tu l'as sauvée de la mort… Du moins, la mort de laquelle les humains n'ont pas l'habitude de se relever.

— Je ne comprends pas ce qui m'arrive.

J'observai la gargouille dans mes bras avant de la caresser sous le menton et de lui embrasser le nez. Puis, je la reposai dans son parc.

Iris fronça les sourcils.

— Parfois, les gens entrent dans notre vie pour accomplir un acte précis, dit-elle. Puis, ils s'en vont. Mets tes inquiétudes de côté pour l'instant. Ne te force pas à prendre des décisions que tu n'es pas prête à prendre.

Je pensai alors à Nerissa. Sa peau avait été douce, son contact apaisant. Quant à Jareth qui avait été amoureux d'un vampire, j'avais ravivé ses souvenirs tandis qu'il m'offrait son sang.

— Un jour, Camille m'a demandé si les vampires rêvent. Je lui ai répondu un peu trop simplement pour une question aussi complexe. Maintenant, c'est moi qui m'interroge. Est-ce que les vampires sont capables d'amour ? Est-ce que, moi-même, je peux aimer ? Avoir des relations comme mes sœurs ?

J'attendis un instant. Toutefois, je n'entendis aucune réponse, pas même un murmure.

— Menolly, tu n'es plus la femme qui se tenait au même endroit la semaine dernière, dit finalement Iris en descendant de son tabouret. (Elle disposa des biscuits dans une assiette.) Tu as traversé beaucoup d'épreuves.

Comment peux-tu espérer comprendre qui tu es et ce que tu es capable de faire avant que les choses se tassent ?

— Je suppose que je ne le peux pas, répondis-je après avoir secoué la tête. Dredge a essayé de m'empêcher d'aimer à tout jamais. Dès le début, il a voulu que je détruise ma famille.

— Mais il n'est plus là, à présent. Toi si.

— Oui, il est mort et je suis toujours en vie. Qu'est-ce que ça signifie ? murmurai-je.

Iris s'essuya les mains sur son tablier.

— Le monde peut s'arrêter de tourner à tout moment, ma chérie. Surmonte tes peurs les unes après les autres, à mesure qu'elles se présentent.

À ces mots, je me sentis beaucoup mieux. Je ris, le cœur plus léger qu'il l'avait jamais été depuis ma mort.

— Les premières lueurs du jour apparaissent. À ce soir.

— Que tes rêves soient paisibles, me dit Iris tandis que je m'engageais dans le passage secret.

En me déshabillant, j'observai les cicatrices qui jonchaient mon corps. Dredge m'avait marquée pour l'éternité, pourtant il était mort. Retour à la poussière. Mes sœurs et mes amis étaient en sécurité, j'avais transformé quelqu'un en vampire et on m'avait offert le plus beau cadeau du monde en faisant voler mon cauchemar en éclats : la liberté.

Achevé d'imprimer en septembre 2009
Par CPI Brodard & Taupin - La Flèche (France)
N° d'impression : 53439
Dépôt légal : septembre 2009
Imprimé en France
81120184-1